Carolina De Maegd-Soëp

TRIFONOV AND THE DRAMA
OF THE RUSSIAN INTELLIGENTSIA

Ghent State University
Russian Institute
1990

К. Де Магд-Соэп

ЮРИЙ ТРИФОНОВ И ДРАМА РУССКОЙ ИНТЕЛЛИГЕНЦИИ

Екатеринбург
Издательство Уральского университета
1997

ББК Ш5(2-р)6
М 124

Перевод с английского

Магд-Соэп К. Де
М 124   Юрий Трифонов и драма русской интеллигенции / Пер. с
англ. под ред. М. А. Литовской. — Екатеринбург: Изд-во Урал.
ун-та, 1997. — 240 с.

ISBN 5—7525—0568—2

Монография известной бельгийской славистки посвящена творчеству Юрия
Трифонова (1925—1981), одного из классиков отечественной литературы двадцатого века. Каролина Де Магд-Соэп рассматривает биографию писателя и его
произведения в тесной взаимосвязи с историей советского государства.

Книга может быть интересна учащимся старших классов средних школ и
гуманитарных лицеев, студентам, преподавателям, широкому кругу читателей.

М $\dfrac{4603020101-13}{182(02)-97}$ **ББК Ш5(2-р)6**

ISBN 90—73139—04—X (Russian Institute Ghent)
ISBN 5—7525—0568—2

СОДЕРЖАНИЕ

Хуго, Катарине и Александру

От автора

Когда в 1976 году в Москве состоялась моя первая встреча с Юрием Валентиновичем Трифоновым, я даже не представляла, какой богатый мир готов открыться передо мной. Вначале я заинтересовалась этим писателем в связи с моей научной темой «Чеховские традиции в современной русской литературе». Мне показалось, что в трифоновских произведениях присутствует похожий на чеховский образ русской интеллигенции. Во время наших встреч в Москве в 1976, 1979, 1980 годах Трифонов признался мне, как близок ему Чехов, которого он считал своим учителем. Именно в это время ко мне пришла идея посвятить монографию жизни и творчеству Трифонова.

Сам Трифонов предложил мне много ценных материалов, которые я потом внимательно изучала в тишине комнат его московской квартиры. Внезапная смерть писателя в марте 1981 года лишила меня возможности узнать еще какие-либо данные от самого Трифонова. Свое исследование я продолжила в Библиотеке имени В. И. Ленина в Москве.

В 1981 и 1983 годах я собирала материалы о Трифонове в Гуверовском архиве в Стэнфорде. В других американских университетах также обнаружилось много ценной информации, отсутствующей в советских библиотеках, в первую очередь о литературном движении в России, русских диссидентах, о царской охранке. В результате длительных разысканий в библиотеках университета штата Иллинойс в Урбана-Кампайн, университета штата Калифорния в Лос-Анджелесе и Стэнфорде, в Нью-Йоркской публичной библиотеке мне удалось составить обширную библиографию, посвященную Трифонову и современной русской литературе.

Эти исследования во многом стали возможными благодаря Бельгийскому Национальному Фонду Научных Исследований и Министерству образования (Международные культурные связи), поддержавших мою стажировку в Москве.

Хотелось бы также поблагодарить Академию наук СССР за предоставленную мне возможность заниматься исследованиями в Институте мировой литературы. Искренне признательна работникам Библиотеки имени В. И. Ленина за оказанную помощь.

7

Я очень обязана Центру России и Восточной Европы университета штата Иллинойс в Урбана-Кампайн, который приглашал меня в 1981 и 1983 годах, работникам Гуверовского Института, библиотекам университетов Стэнфорда, Лос-Анджелеса, Нью-Йоркской публичной библиотеки. Приношу мою благодарность сотрудникам библиотеки государственного университета в Генте.

Выражения моей благодарности, несомненно, заслуживают те русские исследователи, что помогли мне глубже понять трифоновское творчество не только в собственно литературном, но и в социологическом и историческом аспектах, особенно Лев Аннинский, Алексей Арбузов, Анатолий Бочаров, Борис Гаспаров, Наталия Иванова, Юрий Любимов, Зиновий Паперный, Вадим Соколов, Ольга Трифонова-Мирошниченко, Аркадий Ваксберг, Сергей Залыгин.

Я признательна Жоресу Медведеву за то, что он предоставил в мое распоряжение небольшую рукопись воспоминаний своего брата Роя Медведева о Трифонове.

Я также обязана американским славистам, с которыми провела не одну увлекательную беседу: Джозефу Д. Дуайеру, Морису Фридбергу, Михаилу Хэйму, Джерарду Миккельсону и покойной Элен Уэйл.

Особая благодарность профессору Фрэнсису Дж. Томсону за перевод моей работы на английский язык.

Выражаю свою благодарность и русскому Институту Гентского университета за финансовую поддержку в публикации этой работы.

Хотелось бы также сказать «спасибо» моим детям Катарине и Александру, которые следили за моей работой с таким интересом, но больше всего моему мужу, перед которым я просто в долгу. Его постоянная поддержка и вера в мою книгу сделали больше, чем я могла бы выразить это словами.

Введение

Чехов был художественным выразителем разочарованной интеллигенции своего времени, Трифонов тоже принял на себя эту роль в период «застоя». Трифоновские рассказы, повести и романы, действие которых обычно разворачивается в московских интеллигентских кругах, описывают жизнь обитателей русской столицы в мельчайших деталях. Родившийся и выросший в Москве, автор сам относился к этому миру и предпочитал писать о нем во многом потому, что знал его лучше всего. Один из журналистов агентства «Франс-Пресс» справедливо заметил, что, читая Трифонова, узнаешь о московской жизни больше, чем можно было бы узнать, прожив в этом городе несколько месяцев. Многие русские читатели подтверждали это, когда доверительно сообщали Трифонову, что узнают себя, своих знакомых в его повестях.

Официальная критика, однако, Трифонова не щадила. Его обвиняли в пессимистическом взгляде на своих современников, живущих в замкнутом мелкобуржуазном мирке. Но писатель утверждал, что реалистически изображает разочарованную, лишившуюся иллюзий русскую интеллигенцию. Однажды он сказал мне: «Ужас нашей ситуации — рост буржуазности».

Критицизм и реализм трифоновских произведений привлекали многих западных журналистов. Они пытались понять, как в официально разрешенных текстах автору удается использовать темы, типичные для эмигрантской и диссидентской литературы. Трифонова спрашивали, кем он считает себя — «диссидентом» или «официальным русским писателем». Он отвечал, что предпочел бы восприниматься «критиком советского общества». Тем не менее вопрос оставался открытым: как в эру брежневских «заморозков» Трифонову удалось напечатать антисталинистский «Дом на набережной» (1976)? В русских диссидентских и эмигрантских кругах мнения о Трифонове разделяются. Одни, как Солженицын, хвалили его за мастерство, с которым Трифонов касался «запрещенных» тем, прибегая к помощи «точных художественных деталей». Солженицын относит Трифонова к тем писателям, что создают «ядро современной русской прозы». Другие же обвиняли Трифонова в том, что он «не сказал всего» в своих произведениях. На подобные упреки писатель отвечал: «Как художник я сказал все. Но надо суметь прочитать это как следует!» Русский писатель-эмигрант Василий Аксенов поражался способности Трифонова, практически единственного из официально публикуемых советских авторов, писать все, что хочет, несмотря на бдительность цензуры.

Годами Трифонов вырабатывал особый тип повествования, который, как и чеховский, был сориентирован на понимающего читателя — со-творца. Используя «эзопов» язык, метафоры, символы, вопросы, подчеркнутые ключевые слова и открытые финалы, автору удавалось проплыть между Сциллой и Харибдой цензуры. Читателю подсказывался «подтекст», смысл, запрятанный между строк. Трифонов сам подчеркивал важную роль, которую в его произведениях играли социальный, исторический, философский, политический и даже экономический «подтексты». Не случайно слово «незаметно» так часто встречается в его богатых аллюзиями произведениях. Писатель верит, что его читатель легко достроит цепь ассоциаций с реальными людьми и событиями прошлого и настоящего. Так, он блестяще создает образ сталинского террора, не называя имени диктатора. Вне сомнения, сталинизм — драматический лейтмотив произведений Трифонова. Однако он при этом не показывает жизнь в советских концлагерях, предпочитая изображать страшное давление на советских граждан в их повседневной жизни. А на путь в «Архипелаг ГУЛАГ» намекает повторяющийся образ безжалостного течения, уносящего без следа тысячи людей.

Террор 1937—1938 годов навсегда оставил след в сознании Трифонова. Однажды ночью его отец — видный революционер, один из организаторов Красной гвардии, был арестован сталинскими приспешниками и после казнен. Чуть позже на восемь лет в лагерь была помещена и мать двенадцатилетнего Юрия. В конце своей жизни, в 1981 году, Трифонов высоко оценил отцовские воспоминания. Для него отец был символом миллионов невинных жертв сталинского режима. Фигура отца занимает одно из ведущих мест в трифоновских произведениях, пронизанных автобиографическими мотивами. С драматическим финалом жизни Валентина Трифонова связан образ революции, пожирающей своих собственных детей, возникающий в 1965 году, когда литературная карьера Юрия Трифонова началась заново с книги «Отблеск костра», посвященной памяти отца. Это произошло после того, как Трифонов смог освободиться от душевной травмы, нанесенной ему сталинизмом, что длительное время мешало ему обрести внутреннюю творческую свободу. У писателя хватило мужества опубликовать оригинальные исторические документы из архива отца. Своей книгой Трифонову удалось показать, как искажались факты официальной советской историографией. Именно с этого времени за творчеством Трифонова стала следить либеральная русская интеллигенция, до этого знавшая его как писателя, награжденного властями. Ведь в 1951 году первый трифоновский роман «Студенты» получил Сталинскую премию. Оппоненты «нового Трифонова» до последних лет жизни упрекали его этой премией. Это раздражало писателя, он говорил мне в 1980 году: «Можно подумать, что я больше ничего не написал». Он был настолько критически настроен по отношению к своему первому роману, что признавался: «Его писал как будто другой человек».

Сам Трифонов объяснял свою эволюцию от лауреата Сталинской премии до выразителя мнения либеральной интеллигенции семидесятых изменившимся общественным климатом. Автор был настолько захвачен силой времени, что это стало одной из ведущих тем его повестей и романов. Он даже рассматривал свои произведения как художественную хронику времени. Путь, по которому шла эволюция Трифонова под влиянием «времени и места», — ведущий сюжет этой книги, в которой жизненный и творческий путь писателя рассматриваются в хронологическом порядке. Я начинаю с детских лет, неиссякаемого источника вдохновения для Трифонова. Затем мы переносимся в сороковые годы, когда Трифонов становится студентом Литературного института. После этого я обращаюсь к исследованию его взаимоотношений с Александром Твардовским, тогдашним редактором «Нового мира», который опубликовал «Студентов» в 1950 году и выдвинул молодого автора на Сталинскую премию. Проницательный глаз Твардовского, десятилетием позже открывшего Солженицына, уловил в «Студентах» какие-то «диссидентские» интонации, не замеченные критикой. Уже в этот период молодой Трифонов касался «деликатных» тем в завуалированном виде. Однако в пятидесятые годы Твардовский отдаляется от Трифонова, казалось, не оправдавшего возлагавшихся на него надежд. В отличие от многих других писателей Трифонов не проявил себя и в период «оттепели» после смерти Сталина в 1953 году. Сомнения в своем таланте, разочарование в собственной литературной работе привели его к внутреннему кризису. Он начал работать спортивным журналистом, но спасение нашло его далеко от Москвы. В безлюдных пустынях Туркмении Трифонов пережил долгий период жестокой рефлексии, размышляя о смысле жизни. Новый душевный опыт нашел свое отражение в коротких рассказах, в которых новая тональность его творчества прозвучала гораздо отчетливее, чем в «романе о пустыне» «Утоление жажды» (1963).

Обретя зрелость, используя чеховское творчество как образец, Трифонов довел до совершенства технику короткого рассказа. Это стало ясно в 1966 году, когда писатель, вновь при поддержке Твардовского, начал сотрудничать с «Новым миром». Возобновившаяся дружба двух писателей положительно повлияла на эволюцию Трифонова. Твардовский, чьим единственным публичным рупором был «Новый мир», будучи ведущей фигурой в кругах либеральной русской интеллигенции, действительно вдохновил Трифонова на правдивое изображение драмы русской интеллигенции.

Так называемые «Московские повести» показали, что интеллигенция перестала играть свою ведущую роль в русской истории. Под гнетом обстоятельств трифоновский интеллектуал проигрывает битву за правду и справедливость, столь важную в жизни любого русского интеллигента. Бессильный герой пытается найти духовное убежище в революционной истории своей страны, где, пусть даже только в мечтах, он мог избежать давления прозаического повседневного существования. Для трифоновских интеллигентов, лишенных иллюзий, революционер-идеалист и есть «настоящий герой», потому что он живет в соответствии с голосом собственной совести. В этом образе воплотились многие важные для Трифонова этические представления. Писатель создал собственную систему моральных ценностей, моделируя их по типу характера истинного революционера. Это объясняет, почему в трифоновских произведениях так много тоски по русскому революционному прошлому. Изображая революцию и гражданскую войну, Трифонов, однако, описал не только революционеров, но и псевдореволюционеров. И в «Московских повестях», и в романе «Нетерпение» о русских народниках 70-х годов прошлого века он показал, что террор, тирания и сектантство мешают обществу двигаться по пути прогресса.

Тематическое богатство произведений Трифонова, в которых проблемы современной жизни тесно переплетены с русской историей, определяет структурное своеобразие «Московских повестей». Длинные периоды истории автор мастерски размещает в сжатых абзацах, когда целая эпоха проявляется через точно найденную деталь. Повествователь или главный герой обычно сопоставляют прошлое и настоящее, пытаясь найти «окончательный баланс» через воспоминания, «вспышки» прошлого. Однако открытые финалы рассказов, романов и повестей подчеркивают, что окончательные решения еще не найдены.

Тема «Московских повестей» — медленное угасание человеческих талантов и энергии. Трифоновские герои вдруг обнаруживают, что они ничего не достигли, а жизнь прошла мимо. Жалобы на утраченные надежды и амбиции для них привычны. Мы слышим постоянный вопрос: «Кто виноват?» Проблема «преступления и наказания» — одна из ведущих в трифоновских произведениях, не случайно на Достоевского нередко ссылаются его герои. Воссоздавая характеры персонажей, Трифонов часто выступает как высококлассный психиатр. Используя точную медицинскую терминологию, он показывает, как его мучающиеся герои пытаются уйти от сложных обстоятельств своей жизни. Они спасаются во сне, мечтах, иллюзиях, природе, путешествиях, парапсихологии и т. д., но никто и ничто не способны облегчить муку, вызванную их несогласием с мелкобуржуазным обществом, в котором главенствующее место принадлежит псевдоинтеллигенции с ее абсурдной погоней за титулами, привилегиями, доходами, материальным и интеллектуальным комфортом. Трифоновский интеллектуал осознает, что его поглощают ежедневные конфликты, связанные с жильем, едой, одеждой и другими материальными проблемами, не имеющими никакого отношения к духовному развитию. Ни один современный писатель, кроме Трифонова, не изображал так часто тип лишнего человека в обществе.

В обрисовке характеров зрелый Трифонов отдает предпочтение технике внутреннего монолога. Пятнами высвечиваются мысли, чувства, желания героев, что позволяет показать движущие ими внутренние силы. Трифоновский интеллектуал пытается понять свои поступки и их последствия с помощью жесткого самоанализа. В мире трифоновской морали важнейшую роль играет совесть. Через много лет Трифонов сталкивает своих героев с их собственной совестью. Проблема человека, который из страха, малодушия, гордости, удобства и так далее отказывается узнать правду о самом себе — одна из важнейших тем произведений Трифонова. Однако в тот же момент автор сталкивает своих героев с критическими обстоятельствами, заставляющими их разбудить спящую совесть. Процесс самопознания обычно провоцируется каким-то событием повседневной жизни, которое толкает героя к совершению выбора. Тема «выбора» проходит через все трифоновские произведения. Обычно главный герой ищет компромисс, хотя и поступает тем самым против своей совести. Он, действительно, обманывает себя, стараясь забыть о своем предательстве. Остаются только жалобы разочарованного человека, который вдруг увидел, как он сам превратился в «другого», и обнаружил коренные перемены, произошедшие в его характере. Преждевременно постаревший, обычно склонный к невротическим реакциям, он будет принимать кучу лекарств, дабы поддерживать в норме свое психологическое состояние, но это ему не удастся. Как и великие русские писатели, Трифонов предпочитал изображать своих героев преимущественно в частной жизни. С помощью скрупулезного психологического анализа он рассматривает их отношения в браке, в кругу семьи, с друзьями и знакомыми.

По контрасту с трифоновскими героями их жены обычно изображены как волевые, энергичные особы, которые подталкивают своих мужей к действию. Они умеют приспосабливаться к жизни. Однако в трифоновском мире часто встречаются и «джентльмены удачи». Для них повседневная жизнь — не испытание, а род спорта. В изображении этих персонажей Трифонов часто ироничен. Жизненное искусство подобных типов состоит в умении налаживать связи, которые могут помочь им продвинуться по социальной лестнице. Эти ценные контакты превращаются в волшебный ключ к легкой комфортабельной жизни номенклатуры. Большинство конфликтов в трифоновских историях вспыхивают из-за противоречий между трезвыми карьеристами и идеалистическими героями.

Анализируя специфику повествовательной техники Трифонова, удивляешься, какое количество значимых фактов концентрирует он в коротких отрывках. Большой фрагмент текста может состоять из одного длинного предложения. Изменяющийся ритм его прозы воспроизводит то жесткий ритм повседневной жизни, то более спокойный — размышлений героя. Трифонов обогатил словарь русского языка, изобретя новые термины для точного обозначения феноменов, не имеющих словесных аналогов.

Постоянно осознавая свои обязанности перед обществом, Трифонов описывает реакции людей на давление городской жизни. Он создал образ Москвы-хищницы, постоянно расширяющей свои границы, наступающей на окружающую природу. Город как бы учит человека расширять границы своего собственного «я» в ответ на наступление его сородичей. В «Московских повестях» показано, как эгоизм, который сам Трифонов считал старейшим и самым неискоренимым человеческим пороком, становится все более массовым явлением под влиянием этики наступающего рынка. Одной из важнейших черт своих произведений Трифонов считал поиск моральных ценностей в современном индустриализованном мире, где высшим жизненным благом почитается материальное благополучие. Проблему, которую решает автор, можно сформулировать так: «Как мы могли бы жить?» или точнее: «Как мы могли бы себя вести по отношению к ближнему?»

Используя бытовой материал, Трифонов одновременно решает глубинные аспекты внутренних проблем человеческого существования. Его характеры получаются такими жизненными, потому что писатель демонстрирует искреннее понимание и сочувствие к условиям человеческого существования. Трифоновские произведения полны философских размышлений, отражающих представления писателя о жизни и смерти, счастье и страдании. Главная тема «Московских повестей» — взаимная изоляция людей и непроявленность глубинных человеческих чувств. В традициях великих писателей Трифонов считает любовь высшей жизненной ценностью. Этот мотив звучит во всех его произведениях, и для писателя он естественен, как свет и вода. Описывая человеческие отношения, автор столь часто использует слово «сострадание», что его можно считать ключевым в мироощущении писателя. Трифонов сам признавался мне, что испытывает сострадание к собственным героям.

Хотя целью данной книги был анализ творчества Трифонова, мне хотелось «разрешить» писателю говорить от собственного лица. Таким образом, мы сможем познакомиться с Юрием Валентиновичем через обстоятельства его частной жизни. Для этого я использовала заметки, которые делала во время моих бесед с Юрием Трифоновым в Москве и дачном писательском кооперативе «Красная Пахра». Несмотря на репутацию человека замкнутого и молчаливого, Юрий оказался очаровательным и живым собеседником. Он обладал феноменальной памятью и поражал своей искренностью и критическим умом, делая свои меткие замечания. Говоря о своей работе, он настолько умел отстраняться, что, казалось, речь идет о чужих сочинениях. Иногда он напоминал мне какого-то безжалостного критика. Более всего меня поражал контраст между тем, как он создавал характеры своих персонажей, и его частными комментариями.

Трифонову нравилось говорить о своей литературной работе. Во многих интервью, которые он давал русским и иностранным журналистам, отмечалось, что Юрий Валентинович, более похожий на ученого, совершенно был лишен тщеславия и самоуверенности. Он всегда был готов помочь тем, кто обращался к нему за советом или помощью. Трифонов много рассказывал о своей деятельности в качестве преподавателя Литинститута им. А. М. Горького, сценариста, спортивного журналиста, обозревателя, вспоминал о зарубежных поездках, об общении с американскими студентами, преподавателями, читателями, говорил о сотрудничестве с режиссером-новатором Юрием Любимовым, поставившим на Таганке «Обмен» и «Дом на набережной».

После смерти Трифонова его вдова Ольга предоставила мне некоторые ценные материалы, а также обрисовала живой портрет своего мужа. В течение последних лет жизни Трифонова я переписывалась с ним и таким образом могла следить за его литературной работой, знала и о том, что осталось незаконченным после его внезапной смерти.

Желая дать многосторонний портрет Трифонова и подробно разобрать его произведения в контексте времени, я собрала обширную библиографию. В Москве — периодику, в Гуверовском институте — неопубликованные материалы по истории русской революции и гражданской войны, в частности, по истории донского казачества, которыми Трифонов — сын казака — очень интересовался.

Безвременная смерть великого писателя, который провозгласил, что «правда драгоценна, только когда она всеобща», пробила брешь в современной русской литературе. Незаменимость роли Трифонова в современной русской словесности была отмечена главным редактором «Нового мира» Сергеем Залыгиным, который говорил, что после смерти Трифонова в русской литературе наступил «застой». Последующие поколения, возможно, увидят в Трифонове предтечу «гласности», работавшего в те времена, когда еще и речи не было об открытости советского общества.

I. РАННИЕ ПРОИЗВЕДЕНИЯ

Глава первая. ВО МРАКЕ СТАЛИНИЗМА

§ 1. Детство

Юрий Валентинович Трифонов родился в Москве 28 августа 1925 года. Его отец принадлежал к кругу видных русских революционеров, являлся известным участником Октябрьской революции и гражданской войны, а мать, Евгения Лурье, была дочерью Татьяны Словатинской, революционерки, знакомой с Лениным, Сталиным, Калининым и другими партийными лидерами. Таким образом, молодой Юрий рос в окружении, где сохранялся живой дух революции. Многие старые большевики навещали Трифоновых, говорили о своих делах, хотя маленький мальчик мало что понимал в их беседах о политических событиях. Но он заслушивался историями отца о скитаниях профессионального революционера, сосланного на каторгу во времена царизма. В воображении Юрия отец превращался в романтического героя из детских книжек, к тому же дома мальчика окружало множество вещей, молчаливых свидетелей путешествий его отца: мечи, сабли, револьверы, винтовки, карты разных районов, схемы военных операций. Отец же не придавал особого значения старым картам и вместе с сыном мастерил из них воздушных змеев. Это происходило на даче в Серебряном Бору в тридцати километрах от Москвы. В этом поэтичном месте, где река плавно течет в тени старой церкви между дач и лесов, Юрий провел счастливейшие годы своей жизни. До смертного дня Трифонов хранил в душе драгоценный образ Серебряного Бора. Будучи довольно замкнутым человеком, не любящим говорить о своих глубинных чувствах, он избегал прямых воспоминаний об этом месте. Но в его творчестве образ Серебряного Бора превратился в один из ведущих лирических лейтмотивов. Так, в рассказе «Возвращение Игоря» (1973), во многом автобиографическом, одиннадцатилетний Игорь «в возбуждении восклицал: "Да здравствует наш любимый, несравненный, драгоценный Серебряный Бор!"». Это же восклицание повторяется в последнем романе «Исчезновение» (1987)[1]. Многие трифоновские герои сохранили образ дачи как любимое воспоминание о счастливом детстве.

Свою привязанность к Серебряному Бору писатель выразил в цикле рассказов, опубликованных в 1981 году. В них он вспоминает о своей жизни в Финляндии в 1926—1928 годах. Он жил в этой стране вместе с родителями и родившейся там же маленькой сестрой Татьяной в деревянном доме, похожем на дачу в Серебряном Бору. Отец работал тогда торговым атташе советского посольства в Хельсинки. Вскоре семья вернулась в Москву. Отец был назначен председателем Главного концессионного комитета при Совнаркоме СССР, и они получили квартиру в Доме Правительства, изображенном Трифоновым в повести «Дом на набережной».

В 1931 году мать Юрия защитила диплом зоотехника в Сельскохозяйственной академии имени К. А. Тимирязева. Впрочем, эта профессия не слишком нравилась женщине артистического темперамента, которой более подходило бы заниматься искусством. Так уверял Трифонов в 1977 году, проглядывая материнские стихи и рисунки. К выбору специальности зоотехника ее подтолкнул муж, который полагал, что эта работа принесет больше пользы обществу, сын же считал, что отец как «человек, далекий от искусства», в этом вопросе заблуждался.

Трифонов мало говорил и еще меньше писал о своих отношениях с матерью, чей образ — в отличие от образа отца — вырисовывается смутно. Даже в «Отблеске костра», посвященном жизни отца, о матери упоминается только вскользь. Мы знаем, что Евгения была на шестнадцать лет младше своего мужа. Когда родился Юрий, ей было двадцать. В ответ на вопрос, почему он, создавший в своих произведениях столь яркий образ отца, не описал никого, похожего на свою мать, Трифонов отсылал спрашивающих к «Обмену» (1969). Он считал, что мать главного героя Ксения Федоровна имела чтото от его собственной матери. Она тоже была прямой, доброй женщиной, всегда готовой прийти на помощь. Несмотря на это, Юрий считал, что его мать, которую он называл «абсолютно порядочным человеком», была лучше, чувствительней, самоотверженней[2].

То, что Трифонов считал самоотверженность одним из основных человеческих качеств, доказывает его ответ на вопрос, что он больше всего ценит в людях: «Самоотверженное отношение к идее, делу, другим людям»[3]. Трифонов изображал своего отца как бесконечно самоотверженного человека. Человек жестких принципов и сильного характера, он посвятил свою жизнь революции.

История Валентина Андреевича Трифонова началась в 1888 году в Новочеркасской станице Донской области. Когда ему было всего семь лет, его родители умерли, и его вместе с братом Евгением отправили в город. В 1904 году братья занялись революционной деятельностью, вступили в РСДРП. В Ростове-на-Дону Валентин Трифонов принимал участие в революционных событиях 1905 года. Вся его жизнь была долгой цепью арестов, ссылок, тюремных заключений, но вера в партию большевиков и революционную идею оставалась незыблемой. Когда в 1917 году произошла революция, Валентин стал секретарем большевистской фракции Петроградского Совета.

В августе 1917 года братьям Трифоновым вместе с другими революционными лидерами была поручена организация Красной гвардии. Эта гвардия сыграла ведущую роль при подготовке Октябрьской революции, а Валентин Трифонов оказался незаурядным военачальником. С декабря 1917 года он стал членом Комиссии по борьбе с контрреволюцией, членом Всероссийской коллегии по организации Красной Армии. Во время гражданской войны он был членом Реввоенсоветов Восточного, Южного, Юго-Восточного, Кавказского фронтов. Сохранились телеграммы, в которых инициативы Трифонова высоко оценивают Ленин, Орджоникидзе, Киров и др.

После гражданской войны в период нэпа Валентин Трифонов был назначен на пост председателя Нефтяного синдиката и стал заместителем начальника Главтопа. В 1923—1925 годах он был первым председателем Военной коллегии Верховного Суда. В 1925 году вместе с будущим маршалом Егоровым был послан с военной миссией в Китай. Знал ли В. Трифонов в то время о начавшейся между лидерами борьбе за власть? Может быть, впервые ощутил тогда опасность сталинской власти? Во всяком случае отчет о своей миссии Трифонов написал весьма критически и без всякого благоговейного страха. Реакция военной верхушки была скорой. Его переместили на гражданскую должность и послали в Финляндию.

Много лет спустя Юрий Трифонов справедливо заметил, что этот период дипломатической ссылки его отца был началом систематического избавления от старых большевиков. В своей жестокой борьбе за власть Сталину не нужны были такие критически настроенные и самостоятельно мыслящие люди, как Валентин Трифонов. Раз составив мнение, Трифонов отстаивал его до конца. У него был нелегкий характер, но тем не менее находилось множество людей, которые были счастливы работать с этим честным, дисциплинированным человеком, вежливым и корректным с сослуживцами[4].

Многое об отце Юрий Трифонов узнал от матери. Однако он мало говорил об отношениях между родителями. Мы знаем только, что Валентин встретился с Женей в Петербурге в 1914 году, когда вернулся из ссылки. Друг Арон Сольц, один из влиятельных большевиков, договорился о проживании Валентина в квартире Татьяны Словатинской, матери Жени, где он и оставался до Октябрьской революции.

О роли своего отца в событиях революции 1917 года Юрий узнал также из дневника Павла Лурье (младшего брата матери). В то время Павлу было только четырнадцать, но так же, как и Женя, он воспитывался среди революционеров и принимал активное участие в событиях. Трифонов впоследствии использовал в своей литературной работе многое из этого дневника, а также из непосредственных воспоминаний дяди — Евгения Трифонова.

В памяти Юрия отец остался строгим, замкнутым человеком, скрывавшим свои проблемы за юмором и иронией. Так, он часто говорил своей жене: «Кто был в ссылке, я или ты?» Валентин имел привычку в шутливом тоне рассказывать домашним о своей ссылке в Сибирь, что отчасти объясняет, почему маленький Юрий относился к ссылке, как к увлекательному приключению. Только много лет спустя, когда отца уже давно не было в живых, он осознал всю тяжесть пережитого им.

Детей Валентин Трифонов любил, но вел себя с ними строго, так как хотел, чтобы они выросли людьми с сильным характером. Он не любил капризов и непослушания. Во взрослом Юрии Трифонове было заметно большое сходство с отцом: оба крепкие и широкоплечие, с короткими черными волосами, высокими лбами, темными бровями, проницательными близорукими глазами за стеклами очков, большими носами, энергичными губами, решительными подбородками, большими ушами. Они были похожи и характерами. Валентин оберегал от посягательств свой «внутренний бастион» и «излюбленные тайники, в которые он прятал свои чувства»[5].

Юрий тоже был скрытным, задумчивым, сдержанным ребенком. Трагические события в своей семье он скрывал за внешней невозмутимостью. Это поражало потом многих журналистов, которые спрашивали его о прошлом. Многие восхищались его скромностью: на людях он предпочитал держаться в тени. Я помню, как в январе 1980 года вместе с Юрием и Ольгой была на премьере «Жестоких игр» Алексея Арбузова. Во время антракта драматург, хороший друг Трифоновых, был окружен толпой. Юрий терпеливо ждал, когда все угомонятся, и тогда приблизился к Арбузову, сказав: «Спасибо за второй акт». До этого ни один из зрителей не обратил внимания на этого незаметного человека.

Трифонов говорил мне, что не любит появляться на публике. Когда это было необходимо, он очень нервничал, хотя внешне казался спокойным. В этом отношении он был похож на Чехова, говорившего о своей болезненной «боязни публики и публичности»[6].

Во многом Трифонов вел себя так же, отказывался выступать с чтением своих произведений, но Юрий жил в иное время и при другой системе. Союз советских писателей требовал от своих членов выступать с лекциями и встречаться с читателями. Добросовестно, как все, что он делал, Трифонов ездил на заводы, в институты, школы и т. д. с гнетущим чувством, что без контакта с аудиторией ему не удастся выступить хорошо. Известно также о его длительном пребывании в США с чтением лекций по современной русской литературе в ряде университетов. Он говорил мне, что эти выступления были важны для него, так как дали возможность попутешествовать. Во время своего пребывания в Америке Юрий мог убедиться в том, какое впечатление произвел за границей «Дом на набережной». Западные журналисты все время задавали ему вопросы об этом доме, сыгравшем такую значительную роль в сталинскую эпоху. Он охотно рассказывал им об огромном одиннадцатиэтажном доме, в пятистах квартирах которого жило так много видных партийных и государственных деятелей, что его стали называть Домом Правительства. Он располагался в прямом смысле слова в тени Кремля, и только Большой Каменный мост отделял место жительства его обитателей от места их работы.

Кроме партийных и государственных деятелей, видных военных, старых большевиков в доме жили профессора, художники, деятели Коминтерна. Например, на одном этаже с Трифоновыми жил Карл Радек. Он едва понимал тогда, что это величественное здание превратилось в дом для прокаженных в годы сталинского террора. Позже он пытался понять, почему Сталин так любил настигать своих жертв из Дома на набережной посреди ночи. В 1977 году он признавался, что они привыкли к ночным арестам, к тому, что на следующее утро очередная квартира оказывалась опечатанной. Но «мы, дети, конечно, не понимали, что происходит»[7].

До того, как Сталин начал выжигать трифоновскую семью каленым железом, у Юрия было прекрасное детство. Он играл с друзьями на берегу реки. Школа, в которой он учился до восьмого класса, была недалеко от набережной. Трифонов прислал мне открытку с изображением Дома на набережной, отметив на ней детскую площадку для игр и написав о своей школе. В своем романе Трифонов расскажет о играх, в которых они с друзьями проверяли мужество и силу.

Юрий помнил, как он бродил по Москве со школьными приятелями. На их глазах старая Москва превращалась в современный город, разрасталась вверх и вширь. Открытое в 1935 году метро произвело на мальчиков огромное впечатление своими богато украшенными станциями.

Со времен детства Трифонов относился к родному городу с душевным трепетом. Много раз в своих произведениях он будет воспроизводить свет, цвета, запахи, воздух, здания, самый пульс постоянно растущей столицы. Трифонов вспоминал, что восторженно писал о расширении Москвы в своих детских дневниках. К сожалению, три толстые тетради дневников были утеряны[8].

Трифонов вспоминал, что потребность писать возникла у него очень рано. В шесть лет он написал и проиллюстрировал свои первые рассказы. Его поддержала мать, которой нравилось, что ее сын рисует и пишет. В молодости Юрий рисовал так хорошо, что даже мечтал о карьере художника. В 1977 году он вспоминал о своих сомнениях, но «любовь к литературе» все же одержала верх[9].

Решив стать писателем, Трифонов полностью посвятил себя своему призванию. Он вспоминал, как мальчиком вставал с постели и, как лунатик, писал рассказы по двенадцать страниц за ночь. Свои труды он продолжал и в тихом Серебряном Бору. Теплыми летними вечерами Юрий мог сидеть на веранде и писать, в то время как его друзья шли играть в футбол или теннис. Позже Трифонов время от времени вспоминал, что вдохновляло его в детстве. Он предпочитал писать научно-фантастические романы. Интересовался биологией, геологией, археологией, зоологией и однажды даже написал рассказ о «вымершем динозавре». По крайней мере, так он сказал Константину Паустовскому, когда тот пришел во Дворец пионеров, где занимался тринадцатилетний Юрий. В то же время Юрий читал много исторических романов, отдавая предпочтение Генрику Сенкевичу[10]. Он больше жил в мире своих фантазий, чем в грубой реальности повседневья.

Счастливое детство закончилось июньским утром 1937 года, после того, как его отца ночью увели из Серебряного Бора люди в форме. Это произошло, когда Юрий и его сестренка спали. Отец не захотел будить их, и дети так никогда и не попрощались с ним. Горе и страх, смешанный с надеждой на возможное возвращение отца, погнали сына к тюремным воротам. Валентин Трифонов содержался в Лубянской тюрьме в центре Москвы, там он и был расстрелян 15 марта 1938 года после пятнадцатиминутного суда[11]. Однако семье об этом не сообщили, и Юрий с тяжелым сердцем вставал в длиннющую очередь, часами выстаивавшую перед тюремными воротами в надежде узнать хоть что-нибудь об арестованных близких. Лето 1938 года было очень дождливым, как будто сама природа лила слезы вместе с семьями пострадавших от террора.

Вскоре Евгения Лурье-Трифонова как жена врага народа была приговорена к восьми годам заключения в Казахстане. Если бы бабушка, Татьяна Словатинская, не оформила опекунство и не взяла детей к себе, их, как и множество других их ровесников, детей врагов народа, ждал бы детский дом. Друзья и знакомые избегали их, так как опасались за свои жизни. Контакты с родственниками врагов народа были нежелательными. Горе изменило всю жизнь. Ужасное, гнетущее чувство испытывал двенадцатилетний Юрий, пока короткое время продолжал жить с бабушкой и сестрой в Доме на набережной. Возможно, только сейчас он понял жуткое значение ночного звонка. Он мог видеть, как НКВД с домоуправом входили в квартиру, а потом выводили арестованных. Целые квартиры переворачивали вверх дном. Книги, письма, документы, бумаги, одежда, утварь, даже детские игрушки тщательно проверялись, а потом оставлялись в опечатанных комнатах. Одну или две комнаты могли оставить в распоряжении оставшихся членов семьи. Последние часто фактически лишались средств к существованию, так как НКВД изымал наличные деньги и даже сберегательные книжки[12].

Горе, которое он пережил в Доме на набережной, оставило на сердце Трифонова неисчезающий рубец. Память об этом периоде так травмировала его, что в повести о Доме это горе становится одним из главных персонажей. В манере Достоевского он описывает таящееся в глубинах подсознания горе: «Но было горе — абсолютно подлое, безрассудное, бесформенное, как живое существо, рожденное в темном подвале». Разжалованные обитатели престижного дома выкидывались из него самым бесчеловечным образом, — в повести описывается мальчик, переставший существовать для лифтера: «...люди, которые покидали этот дом, переставали существовать»[13].

Трифонова выселили из дома вместе с бабушкой и сестрой в 1939 году. Их переселили в коммуналку на Большой Калужской улице на окраине Москвы. Только здесь Юрий, наконец, ясно ощутил, что старая жизнь кончилась. Он чувствовал одиночество в мрачных комнатах нового жилища и в новой школе. Бабушка вышла на работу, и «дом» как символ прочности, тепла, взаимопонимания, гармонии и безопасности перестал существовать. В его воображении дом начал умирать с того момента, как родителей заставили насильственно его покинуть. Позже возникнет использованный в последнем цикле рассказов образ «опрокинутого дома».

Предоставленный самому себе в холодной квартире, Юрий продолжал свои занятия литературой. Он невероятно много читал. Среди его любимых авторов этого времени были Паустовский и Вальтер Скотт. Он начал писать серию приключенческих рассказов, уводивших его от реальности, неутихающей тоски по родителям, о которой в 1975 году он скажет, что это одно из самых страшных для молодого человека чувств[14].

Трифонов практически никогда не говорил о жизни с бабушкой, и мы знаем очень мало о их взаимоотношениях. Остается вопросом, как ей удалось так воспитать своего внука, что он сумел адаптироваться к режиму. Когда позже Юрия спрашивали, кто сформировал его характер, он ответил: «Я и моя судьба... и судьба моей семьи...»[15]. Об отношениях с бабушкой кое-что становится ясным из ее образа, возникшего в «Отблеске костра», где автор создает краткий биографический очерк Татьяны Словатинской, одной из активнейших революционерок начала столетия. Вначале она жила в Вильно и училась музыке. В семнадцать лет поступила в Петербургскую консерваторию, зарабатывая себе на жизнь уроками музыки. Двумя годами позже ушла из консерватории и в 1898 году примкнула к революционному движению. Под влиянием Арона Сольца, чья сестра Эсфирь была ее подругой, в 1900 году она становится профессиональной революционеркой, а в 1905 году вступает в партию большевиков и более или менее близко знакомится со всеми видными большевиками. Одной из ее лучших подруг была жена Калинина. Словатинская пользовалась абсолютным доверием партийной верхушки, не случайно именно на ее квартире в Петербурге проходило одно из собраний с участием Ленина. Потом она часто встречала Ленина и других руководителей партии, так как с 1921 по 1937 год работала в Секретариате ЦК. В своих мемуарах она описывает первую встречу со Сталиным в 1912 году. Однажды Арон Сольц нелегально поселил своего кавказского друга в одной из комнат квартиры Словатинской. Только через несколько дней он решил представить своего друга Василия — это была кличка Сталина — хозяевам. Сталин к этому времени благополучно бежал из ссылки и перебрался в Петербург. Он жил у Словатинской неделю, и она одобрительно писала о «слишком серьезном, замкнутом, стеснительном» человеке. Обязательный, вежливый, благодарный за гостеприимство, много работающий над подготовкой к думским выборам — таким предстает Сталин в этих воспоминаниях. Когда позже Сталин был сослан в Сибирь, Татьяна посылала ему одежду и деньги, за которые он благодарил ее в длинном письме.

Позже «товарищ Сталин» подарил ей свою книгу с надписью: «Дорогому товарищу Словатинской в память о нашей общей борьбе в нелегальное время. От автора». Эта книга занимала почетное место в ее библиотеке.

Читая воспоминания своей бабушки о Сталине, Юрий испытывал чувство удивления и горечи. Он не мог понять, как женщина, вся семья которой была уничтожена по указанию этого человека, могла писать о нем с таким пиететом. Отношение бабушки к Сталину оставалось для него загадкой, особенно если учесть, что написаны мемуары были в 1957 году, после разоблачений культа личности на Двадцатом съезде партии. Что побуждало Татьяну Словатинскую «скрывать самую страшную боль»? Юрий мог ответить на этот вопрос только другим вопросом: «Что ж это: непонимание истории, слепая вера или полувековая привычка к конспирации?» Возможно, Словатинская была из тех большевиков, кто считал, что террор проводился без сталинского ведома. Даже когда обвиняемых арестовывали, пытали, мучили, они продолжали верить в Сталина, который, по их мнению, был непричастен к преследованиям.

Однако Юрия не устраивал такой ответ. Он был действительно смущен воспоминаниями своей бабушки о Сталине, и только после долгих размышлений решил сделать это в «Отблеске костра», потому что «основная идея — написать правду, какой бы жестокой и странной она ни была»[16].

Знание правды о прошлом было для Трифонова чрезвычайно важно. Он был убежден, что невозможно понять настоящее без ясного понимания прошлого. Он также понимал, что советская история, которую он учил в школе, была сфальсифицирована и упрощена, видел, как фамилии его отца и множества других видных революционеров вычеркивались из исторических книг и энциклопедий. Правда, после сталинской смерти многие из них, в частности и Валентин Трифонов, были реабилитированы, но многие так и пропали в безвестности. Процесс либерализации, начавшийся после 1953 года, был только началом долгого и трудного пути к познанию того, что же произошло в действительности.

Это Юрий Трифонов понял очень хорошо, когда попытался приподнять тяжелую завесу, которую власти вновь опустили на события прошлого в 1965 году. Писатель, хранивший молчание в пятидесятые годы, нарушил его в начале брежневской эры. На основании документов, телеграмм, листовок, записей, писем и т. п., обнаруженных в отцовском архиве, Трифонов воссоздал «время, когда все начиналось. Когда мы начинались». Хотя «Отблеск костра» посвящен в основном событиям революции и гражданской войны, он касается и сталинского террора.

Трифонов сделал своего отца символом трагической судьбы миллионов советских людей, пострадавших от сталинского террора. Выстрел, которым был убит человек, хранивший в себе огонь революции, означал роковой удар для всех тех, кто, полный идеализма, посвятил себя революции. Сталин уничтожил почти всех своих боевых товарищей, кто заметил его патологическую жажду самовозвеличивания. Валентин Трифонов был одним из них. Его сын понял это, когда познакомился с истинными причинами драматического финала отцовской жизни. Одной из причин его ареста стала рукопись книги «Контуры грядущей войны», в которой военный эксперт Валентин Трифонов предсказал «блицкриг» Гитлера, считая его неминуемым. Эта книга, написанная в трезвой, реалистической манере, контрастировала с оптимистическими фильмами и книгами сталинской поры, усыпляющими бдительность советских людей. Валентин Трифонов имел мужество написать о странных людях, которые надеются на невозможность немецкого вторжения и кому «придется первыми проснуться однажды от грохота взрывов авиабомб противника». В своих комментариях к выдержкам из работы отца Юрий Трифонов замечал, что одним из этих «странных людей» был Сталин. Но В. Трифонов не догадывался об этом, когда в начале 1937 года послал свою рукопись в Политбюро товарищам по партии: Сталину, Молотову, Ворошилову, Орджоникидзе. В ответ сорокадевятилетнего Трифонова арестовали как преступника[17].

Несколькими годами позже началась вторая мировая война. Из-за сильной близорукости Юрия Трифонова не взяли на фронт, но он работал в районном отряде по тушению пожаров в Москве. В 1941 году был эвакуирован в Ташкент с бабушкой и сестрой, там закончил среднюю школу. В 1942 году он возвращается в Москву, работает чернорабочим на авиационном заводе. Позже становится диспетчером и затем технологом-инструментальщиком. Вступает в комсомол. Избирается редактором заводской многотиражной газеты, решает начать карьеру писателя. С этим он и приходит в Литературный институт в 1944 году.

§ 2. Литературный институт

Когда 1 декабря 1933 года в Москве по инициативе М. Горького открылся Литературный институт, многие наивно полагали, что в нем будут рождаться великие писатели. Было забыто, что русские классики, блестящие писатели «серебряного века», не имели писательских школ. Спор о том, нужен ли подобный институт будущему писателю, может продолжаться бесконечно. Трифонов считал, что диплом Литинститута вряд ли для писателя самое важное[18], хотя для начала литературной карьеры такая школа, несомненно, полезна. Так, во время его учебы в Литинституте передавали студентам свой опыт такие выдающиеся литераторы, как К. Паустовский, К. Федин, О. Брик, Л. Леонов. Да и общение с однокашниками — В. Солоухиным, В. Тендряковым, Е. Винокуровым, Ю. Бондаревым, Г. Баклановым и другими интересными молодыми писателями было плодотворным. Трифонов любил атмосферу этого учебного заведения, где все знали друг друга: на пяти курсах института учились только восемьдесят студентов. Они получали общее филологическое образование, подобное университетскому, кроме того, работали в семинарах прозы, поэзии, драматургии, литературной критики, искусства перевода и др. Студент мог выбрать семинар в соответствии со своей специальностью. Юрий меньше интересовался обычными институтскими дисциплинами, но любил споры и обсуждения на литературных семинарах, многие из которых продолжались часами. В горячей атмосфере семинаров, где критиковались работы друг друга, Юрий обнаружил, как безжалостны будущие писатели к своим товарищам[19]. Только в 1945 году Трифонов перешел на дневное отделение Литинститута. Предшествующий год он учился заочно, так как продолжал работать на заводе, а учиться мог только вечером или ночью. Но Юрий был рад и этому, потому что у него, как у «сына врага народа», вообще могло не быть возможности учиться. Он был уверен, что ворота желанного института для него открыла именно работа на заводе.

В 1979 году Трифонов вспоминал, как он поступал в Литинститут. Сначала Юрий был убежден, что он прирожденный поэт — писал стихи, подражая Маяковскому. Приемной комиссии он представил три тетради стихов, приложив несколько переводов из Гейне и Гете, а также рассказ на военную тему «Смерть героя». Через месяц он узнал, что вовсе не его стихи, а рассказ произвел благоприятное впечатление на председателя комиссии К. Федина. Реакция Юрия была удивительной: «Случилось что-то странное: в следующий момент я навсегда забыл о поэзии и больше в жизни стихов не писал». Влиятельный в литературных кругах Константин Федин высоко ценил реалистическую прозу Трифонова, которого он считал серьезным, одаренным и много работающим молодым человеком. Он был уверен, что «из него может что-нибудь получиться» и убеждал его оставить завод ради института. Юрий никогда не забывал о той поддержке, которую оказал ему Федин. Начинающий писатель восхищался работами Федина, в двадцатые годы входившего в группу «Серапионовы братья». Литературный момент объединил несколько талантливых писателей, чьей целью было создание свободного, независимого искусства. Оппозиционно настроенные к любому политическому контролю в сфере литературы, «Серапионы» вырабатывали экспериментальный стиль, отчасти восходивший к поэзии символистов. Его необычная структура делала произведения «Серапионов» сложными для чтения. Трифонов осознавал эту сложность и гордился тем, что в молодости свободно понимал фединский роман «Города и годы» (1924).

Трифонов называл Федина классическим автором. Его огорчало, что под давлением сталинизма Федин превратился за годы в писателя литературного официоза, приспосабливавшего свои работы к господствующей партийной линии. Однако Юрий всегда помнил, что в мрачные годы ждановской культурной политики Федин продолжал прививать студентам истинные литературные ценности. Он познакомил их с лирической прозой эмигранта И. Бунина, призывал студентов учиться у Бунина-прозаика. Его удручало, что Нобелевский лауреат прозябал в безвестности. Когда в букинистическом магазине на Арбате Трифонов случайно купил несколько бунинских книг, он был очарован его пластичным, чувственным, экспрессивным стилем. Несмотря на упорное стремление, Трифонову не удалось научиться воспроизводить лиризм бунинской прозы, в которой «был спрятан какой-то гипнотический и неуловимый секрет». Впрочем, в годы трифоновского студенчества был другой автор, господствовавший в сердцах и умах будущих литераторов, — Э. Хемингуэй. После войны Хемингуэй «завоевал» Литинститут, и власти были бессильны против этого. Многие студенты сознательно или бессознательно имитировали манеру американского писателя. Трифонов тоже был «заколдован» спокойным, простым, правдивым изображением незаметных людей и событий, обретавших в произведениях Хемингуэя подлинную значительность. Однажды Юрий написал короткий рассказ, имитируя хемингуэевский текучий стиль, и с гордостью прочитал его в институте. Саркастические замечания директора института Федора Гладкова вернули его к реальности: «Вы опять подражаете этому патетическому Хемингуэю»[20]. Несмотря на это, Трифонов сохранил привязанность к Хемингуэю на всю жизнь, а в 1980 году признавался, что последний сыграл важную роль в его литературной работе[21].

Студенческое восхищение Хемингуэем разделял и К. Паустовский, часто рассуждавший о нем на своих семинарах. Трифонов находился под сильным влиянием Паустовского, книги которого еще в детские годы уводили его в мир романтики и дальних странствий. Это даже вдохновило Юрия написать рассказ о группе молодых геологов, работающих в горах Центральной Азии. Характеры и окружающая обстановка были позаимствованы у Паустовского, а способы их изображения — у Хемингуэя. Не удивительно, что Паустовский определил этот искусственный рассказ как недостоверный[22].

Молодому студенту, который, как пчела, жадно собирал мед с разных цветков, было сказано, что он должен обрабатывать собственный материал в своей манере. Ему посоветовали следовать золотому чеховскому правилу: «Краткость — сестра таланта». Иногда Трифонов писал такие пространные рассказы, что его учителя вычеркивали половину текста. Студенческое самолюбие никто не оберегал, и многие произведения испускали дух под грудой критических замечаний. Федин умел одним замечанием просто-напросто уничтожить произведение, но по отношению к Трифонову он сделал это только однажды, заметив, что после переписывания представленного рассказа из него, может быть, и получится что-то интересное. Речь шла о трифоновском рассказе «Команда», посвященном Москве 1941 года. Федин утверждал, что этот рассказ, написанный раньше для другого семинара, должен быть полностью переписан. Юрий, подавленный слишком жесткой, как ему казалось, оценкой своего произведения, не последовал совету преподавателя и отложил рассказ в сторону. Когда через 32 года он перечитал его, собираясь использовать в качестве материала для другого рассказа, то обнаружил, что не может взять из него ни строчки, в очередной раз убедившись в правоте Федина.

Но Трифонов запомнил и то, как Федин защищал рассказы, которые он считал хорошими. Это произошло, когда Юрий читал на семинаре свой рассказ «Урюк». Студенты шумно и безжалостно громили его, но Федин внезапно рассердился и стукнул кулаком по столу, воскликнув: «А я вам говорю, что Трифонов писать будет!» Юрий никогда не видел своего преподавателя таким сердитым. Федин отмечал важнейшие особенности трифоновского творчества: умение использовать значащие детали, придающие глубину и эмоциональную силу рассказу[23]. Позже Трифонов будет часто говорить, что «подлинная жизнь» спрятана в деталях. Он был убежден, что нет ничего более драгоценного для писателя, чем «мельчайшие гомеопатические детали», которые могут быть подсмотрены когда угодно в повседневной жизни. Трифонов, как и Чехов, считал, что каждый писатель должен носить с собой записную книжку, чтобы иметь возможность записывать заинтересовавшие его подробности. Для Трифонова чеховское искусство было чудом. Он спрашивал себя, как автору «Дамы с собачкой» (1899) удалось передать невыразимое, используя «обычные приземленные слова»[24]. Как всякий начинающий автор, Трифонов бился над проблемой воплощения непередаваемого в слова. Он мучился невозможностью выразить то, что хотелось, максимально точно, называя это состояние «муками немоты». В моменты отчаяния ему казалось, что все написанное им «беззвучно»: «Никто не слышит тебя. Ты немой. И ты постоянно боишься, что никогда уже не начнешь говорить».

Долгое время Трифонов жил с мучительным ощущением, что все написанное им может оказаться «ненужной чепухой». Трифоновский взгляд на характер писателя и странную жизнь, которую он ведет, восходит к размышлениям Ф. М. Достоевского в «Преступлении и наказании». Так, в 1979 году Юрий вспоминал особое состояние ума, которое глубоко укоренилось в нем, когда он был начинающим писателем: «Ваше отношение к себе становится как бы двухэтажным: большую часть времени вы проводите в верхнем этаже, где тепло, сильно светит солнце, где много народа, шум, разговоры, но только начнешь думать и оказываешься в нижнем этаже, где темнота, холодные стены, ты безнадежно один, никто не слышит тебя, ты разговариваешь со стенами. Эта возможность в любой момент оказаться в подвале мучает тебя непреодолимой мукой: твоя настоящая жизнь — в подвале. Там твое место. С одиночеством, немотой, страданиями и неуверенностью»[25].

Трифонов преодолел это двойственное состояние, когда читал в институте свой рассказ «Урюк», но в то же время он мог глубоко прочувствовать свое сходство с Достоевским. Автор «Бесов» был запрещен во времена, когда Сталин поставил людей в самые ужасающие обстоятельства. Но Трифонов, сам много испытавший, читал Достоевского со страстным интересом. Его потрясло мастерство психологического анализа Достоевского, способность проникать во все более и более глубокие пласты человеческой души, обнаруживая спрятанное и лежащее в темноте подсознания. Одним из любимых персонажей Трифонова был герой «Преступления и наказания». Не случайно в романе «Дом на набережной» он обращается к образу Раскольникова в связи с поведением «героя нашего времени»[26].

О влиянии на Трифонова Достоевского, так же, как и Чехова, свидетельствуют и «Московские повести», а также посмертная публикация романа «Время и место» (1981). Повествователь воссоздает в романе атмосферу страха, которую ощущает мать главного героя Саши Антипова, тайно вернувшись в Москву ночью 1946 года после многих лет ссылки. Встреча с Сашей, во многих отношениях «alter ego» Трифонова, — одна из лучших сцен романа. Как на картинах старых мастеров, встает фигура маленькой, больной, плохо одетой женщины с небольшим чемоданчиком, стоящей в полуосвещенном коридоре перед рослым молодым человеком в очках. Холст, изображающий встречу матери и сына, взирающих друг на друга в молчании, когда радость смешивается со скорбью, можно было бы назвать «Изумление». Молодой человек вопросительно произносит священное слово, которое более восьми лет он не мог обратить к женщине, давшей ему жизнь: «Мама?»

Повествователь рассказывает, как за время долгого материнского отсутствия Антипов превращается в молодого человека, одержимого одной мечтой: стать писателем. К этому времени он поступает в Литературный институт. Подстрекаемый желанием использовать все, что он видит и слышит, как возможный литературный материал, Антипов живет «двойной жизнью». Для него люди и вещи окружены «загадочным ореолом возможного воплощения». Молодой Антипов носит с собой блокнот, куда постоянно записывает все мысли, анекдоты, сравнения. Такое прилежание становится причиной неприятной ситуации: его задержали для проверки документов и бумаг в метро. В романе Трифонов ярко воссоздает и атмосферу в Литинституте на Тверском бульваре. Реалистически описаны разнообразные характеры, особенности поведения, шутки, зависть, амбиции преподавателей и студентов[27].

Каждый начинающий писатель мечтает как можно скорее сделать себе имя в литературе. Поэтому все студенты очень волнуются, представляя свои творения на суд редакторов журналов и газет. Это было и с Трифоновым в 1947 году, когда он послал короткий юмористический рассказ о студенческой жизни «Широкий диапазон» в газету «Московский комсомолец». Навсегда запомнил Юрий выпуск газеты от 12 апреля, где впервые было опубликовано его произведение как фельетон. Незадолго до смерти он сказал журналисту, спросившему его о самом важном событии его жизни: «Публикация моего первого рассказа...»[28]. Через год (13 марта 1948) в той же газете будет опубликован другой юмористический рассказ Трифонова о студенческой жизни — «Узкие специалисты».

Летом 1947 года Трифонов находился в командировке в Армении со своими институтскими друзьями. Из этой поездки, оплаченной Союзом писателей, он привез материал для нескольких коротких рассказов. Некоторые из них были опубликованы в 1948 году. Юрий вспоминал, что «Знакомые места» появились в журнале «Молодой колхозник», а «В степи» — в альманахе «Молодая гвардия». Рассказы, однако, были скучные. Искусственно упрощенный тон повествования наводит на мысль, что они писались по заказу[29].

Подобные выводы напрашиваются и по поводу тех рассказов, что писались в это время, а опубликованы были в сборнике «Под солнцем» (1959). С одной стороны, в них ощущается явный талант, проявляющийся, когда описывается собственный опыт. Рассказ «Зимний день в гараже» (1946) посвящен драматической судьбе Миши Векслера. Все связанное с героем и его отцом, уничтоженным в Одессе осенью 1941 года, соотносится с судьбой евреев. Хотя повествователь несколько раз упоминает войну с фашистами, события рассказа вполне могут происходить и во время сталинского террора. Трифонов проявил себя мастером намека, ни разу не упомянув, кто же готовит расправу. Звучащие в рассказе вопросы явно соотносятся с трагедией народа: «Почему это случилось с Мишей? Это действительно случилось только с ним? Это случалось со всеми, со всеми, но по-разному. Это случилось со всем народом, оказавшимся подвергнутым страшному тяжелому испытанию»[30].

В незаметном, молчаливом, страдающем Мише, описывающем свою судьбу кратко, в нескольких словах, Трифонов воплощает страдания всего народа. Этот маленький худой человек неопределенного возраста с впалой грудной клеткой и выступающими скулами на бледном лице работает в заводском гараже в Москве. У него мягкая речь, он сдержан, и только дрожащий подбородок выдает его состояние.

В сравнении с драматической интонацией повествования о Мише рассказ «Белые ворота» (1947—1952) напоминает стихотворение в прозе. Повествователь с лирической эмоциональностью воспроизводит воспоминания двадцатилетнего Пети о лете 1941 года. Война уже разразилась, но «газеты писали об этом мало и скупо». Пете тогда было четырнадцать. Он счастливо играл со своими друзьями на мирной даче и только случайно из разговоров взрослых и новостей узнал о страшной беде. Дети живут в своем поэтическом мире. Петя и его подруга, пятнадцатилетняя Таня, однажды ночью назначают свидание. Среди спящей природы нет ничего, напоминающего о войне, и она кажется далекой, как звезды в ночном небе. Мальчик и девочка бродят по романтическому поместью, напоминающему Серебряный Бор, Петя рассуждает о далеких заграничных путешествиях. Когда они садятся отдохнуть в ночной тишине, Таня засыпает, положив голову Пете на плечо. Именно в этот момент в Пете просыпается любовь к девочке. Робкий и счастливый Петя мечтает рыцарски защитить свою возлюбленную от всех бед. Как в тургеневских или чеховских лирических рассказах, в повествовании сливаются мечты и реальность. Тоска по этой «яркой, особенной» ночи, прошедшей без следа, приводит уже взрослого человека к мысли о том, что именно в этот момент «его молодость подошла к концу»[31].

Когда одиннадцать лет спустя Петя возвращается на место своего раннего счастья, единственным свидетелем тех далеких дней остаются старые ворота из белого камня, которые, как часовые, стоят у входа в усадьбу. Петя с печалью смотрит на обступивший усадьбу город с его гаражами, дачными дорожками, троллейбусом. Рассказ «Белые ворота» — своеобразная прелюдия к зрелым работам писателя. Трогательные воспоминания детства, эмоциональность, с которой автор погружается в свои переживания, страстная тоска по тихой дачной жизни, жалобы на растущую урбанизацию — все эти мотивы придают очарование рассказам в сборнике «Под солнцем».

§ 3. «Студенты»

Осенью 1949 года Трифонов жил в одиночестве в Серебряном Бору. Там он надеялся в тишине и спокойствии поработать над своим романом «Студенты». Он уже написал восемь глав романа в качестве дипломного сочинения для окончания Литературного института. Материал был позаимствован из его воспоминаний о студенческих днях, но, будучи осторожным, молодой автор счел более безопасным перенести действие романа в педагогический институт.

Когда объемистая рукопись был готова, Юрий принес ее К. Федину. Он знал, что его преподаватель, уже читавший три главы романа, может помочь ему в публикации. Федин входил в редколлегию «Нового мира», главным редактором которого в то время был А. Твардовский. Твардовский с присущими ему проницательностью и здравым смыслом сыграл решающую роль в литературном дебюте Трифонова. Он принял «Студентов» к публикации в своем журнале осенью 1950 года и выдвинул Трифонова в число соискателей Сталинской премии, которую тот и получил 17 марта 1951 года.

Твардовский добился, чтобы премию дали «сыну врага народа». Главный редактор с отчеством «Трифонович» знал о трифоновском прошлом. Юрий сам рассказал ему о трагической судьбе родителей, когда Твардовский спросил его, москвичи ли его родители, настолько живыми были картины Москвы в романе[32]. Твардовский хорошо понял Трифонова, так как его собственный отец, смоленский крестьянин, был раскулачен и сослан, хотя это и не помешало его сыну сделать карьеру и получить Сталинскую премию за свои стихи. Действительно, поэт должен был приспособиться к требованиям искусственного метода социалистического реализма. Трифоновские «Студенты» тоже были вкладом в литературную пропаганду. Оба автора позже получили много нареканий за свою работу в сталинскую эпоху. В своей знаменитой поэме Твардовский не отрицает своего участия в пропаганде существующего тогда режима. Однако он показывает, как человек, живущий при таком режиме, как сталинский, меняется под давлением людей и обстоятельств. Твардовский доказал это своей жизнью в шестидесятые, когда под влиянием изменившегося политического климата сделал свой журнал истинным рупором либеральной интеллигенции. Блестящий редактор, Твардовский заботился о поиске молодых талантов и давал многообещающим авторам возможность опубликоваться в своем журнале. В 1962 году он прославит «Новый мир», напечатав «Один день Ивана Денисовича» А. Солженицына. Эта короткая повесть разрушила, правда только на время, стену молчания вокруг сталинских лагерей. Через шестнадцать лет после дебюта Трифонова в «Новом мире» Твардовский вновь предоставил ему страницы своего журнала. В противоположность Солженицыну, познакомившему нас с ужасами ГУЛАГа, Трифонов показал, сколь страшным оказалось психологическое воздействие сталинизма на повседневную жизнь, как разрушал он душу человека.

Трифонов не любил вспоминать о своем первом романе. Казалось, он его стыдится. Таково было мое впечатление, когда я говорила с ним об этом. Его отношение четко сформулировано в надписи на подаренной мне книге: «Это книга, которую я не писал»[33]. Тем не менее книга продолжала преследовать автора, как тень. Даже за границей в семидесятые годы Юрия помнили по его самому длинному произведению. Он рассказывал мне, как однажды в Милане его приветствовало официальное лицо из советского посольства: «О, так вы автор "Студентов"!» Юрий заметил, что это было так, как будто он никогда ничего больше не написал.

На вопрос, почему этот роман так его раздражает, автор «Московских повестей» ответил: «Мне кажется, что этот роман принадлежит к абсолютно другому типу литературы, чем тот, который я пишу сейчас»[34]. С его точки зрения, «Студенты» написаны в соответствии со знаменитой «теорией бесконфликтности» как по шаблону. Незадолго до своей смерти в 1981 году Трифонов лаконично оценил подобную литературу: «Жизнь — это антиклише»[35]. Писателя, естественно, спрашивали, почему тогда он опубликовал эту книгу. Он честно отвечал — из-за боязни, что не будет возможности опубликовать что-либо крупное. Во «Времени и месте» Трифонов описал муки молодого писателя, его неверие в возможность опубликовать хоть что-нибудь из-за того, что случилось с его отцом. Как и его создатель, Саша Антипов скрывал от окружающего мира мысли, «о которых не мог рассказать никому». Трифонов также сталкивался с «проклятой неуверенностью», живущей в нем, «как бацилла», о чем он напишет в своем романе «Утоление жажды», где об этом говорит журналист Корышев, отца которого накрыла волна сталинского террора. Школьником седьмого класса Корышев ждал около тюремных ворот каких-либо известий о своем отце. Позже как «сын врага народа» он повсюду сталкивался с подозрительностью: «... на заводе, в армии, после университета...». Даже после реабилитации своего отца — в 1955 (в этом же году был реабилитирован и отец Трифонова) — ему по-прежнему казалось, что его окружает недоверие. Корышев понимал, что рационально объяснить это чувство невозможно, что оно, вероятно, плод его воображения, но его чувствительная натура не могла бороться против подозрительности, которую он осознавал в себе как глубоко скрытый недуг.

Последствия семейной трагедии заставляют героя Трифонова скрывать правду. Когда официальные документы заполнены, заявить, что твой отец — «враг народа», становится абсолютно невозможно. И сам Трифонов скрыл этот факт при поступлении в комсомол и в Литинститут. Писатель описал это в посмертно опубликованных полностью «Записках соседа» и в рассказе «Недолгое пребывание в камере пыток» (1986), в котором повествователь возвращается памятью ко времени, когда после окончания института он получает приз за «слабую книгу, получившую известность» и вдруг обнаруживается, что он скрыл правду о своем отце. Повествователь вспоминает об этом во время поездки за границу, где оказывается в обществе бывшего товарища по институту, принимавшего участие в кампании против него. К 1964 году повествователь стал знаменитым спортивным журналистом, как и сам Трифонов, посылая интересные спортивные репортажи с Олимпийских игр в Инсбруке[36].

Вопроса о происхождении Трифонова явно избегали, когда награждали его премией. В лаконичной сопроводительной заметке было сказано, что лауреат родился в Москве в семье служащего. Но Трифонов рассказывал, что, когда на сессии Комитета по Сталинским премиям решался вопрос о его награждении, кто-то вспомнил, что он сын врага народа. Члены комитета были в ужасе, потому что на заседании присутствовал Сталин. Но он только спросил: «Это хорошая книга?» Федин имел мужество ответить утвердительно. Возможно, в этот момент Сталин вспомнил Валентина Трифонова и подумал, что присудить Сталинскую премию его сыну — это забавный ход[37].

Трифонов смог написать интересный рассказ о своем собственном отношении к литературной премии. Он заставил начинающего автора признать, что премия, конечно же, помогла ему на время преодолеть свою неуверенность. С другой стороны, награждение Сталинской премией было событием, травмировавшим автора надолго и позже часто вспоминавшимся ему как грех молодости. Трифонову часто задавали ранящий его вопрос, как он, сын революционера, убитого диктатором, так легко мог подчиниться сталинской культурной политике. Считал ли писатель, в своих зрелых работах постоянно затрагивавший тему предательства в жизни русской интеллигенции, свой собственный роман предательством или рассматривал свое первое полноценное произведение как компромисс с господствующим строем? Последствия, к которым ведут подобные компромиссы, будут много раз описаны автором «Московских повестей».

Однако награждение Сталинской премией в 1951 году было успехом двадцатипятилетнего Трифонова. Его повсюду приглашали и чествовали как настоящую звезду. О нем говорили на радио и в прессе. Он выступал в школах, институтах, на заводах. Роман был инсценирован в театре им. М. Н. Ермоловой, «Мосфильм» хотел снимать по нему фильм. Книга разошлась миллионными тиражами. Переводы на английский, французский, немецкий, испанский, польский, китайский языки сделали ее известной по всему миру[38].

В своем обращении в 1980 году на конференции к молодым писателям Трифонов признался, что писал свой первый роман «без размышлений» и «без собственной точки зрения». Книга должна была доказать, что он действительно является писателем. Юрий также ссылался на автобиографический характер романа, в котором он отразил свой собственный опыт[39]. Героя книги Вадима Белова Трифонов наградил многими автобиографическими чертами. Белов, студент Московского педагогического института, ребенком жил в Доме на набережной, ходил в школу по соседству. Все свои впечатления он записывал в дневниках. 7 июля 1936 года одиннадцатилетний Белов описывает свой день рождения, на котором запускали змея. 8 декабря 1939 года делается запись о переезде его семьи на Калужскую улицу. Мальчик описывает грусть от расставания со школой и друзьями. В начале войны Белов попадает в пожарную команду, а вскоре эвакуируется с матерью в Ташкент, где заканчивает среднюю школу. Мать Белова работает в колхозе инженером-зоотехником.

Трифонов, конечно, не мог «подарить» отцу Белова биографию своего отца, поэтому он сделал его директором школы, погибшим на войне в декабре 1941 года. Скорбь по рано ушедшему отцу возникает в воспоминаниях Вадима о счастливом детстве. Он часто вспоминает дачу, где запускал «огромных воздушных змеев» со своим отцом. Как немое восклицание о прошлом счастье мы читаем: «Кто живет сейчас на той даче, на той веранде с разноцветными стеклами?.. Что может он сделать, чтобы удержать уходящее детство, отца, память о нем?»[40]

Воспоминания о детстве, связанные с образом отца, проходят лирическим лейтмотивом через все произведения Трифонова. Этот мотив сопровождает автора до самой смерти[41]. В своем последнем романе «Исчезновение» Трифонов вновь рисует «золотую сокровищницу» прошедшего детства. Однако в «Студентах» его воспоминания об отце не слишком глубоки, хотя Белов отмечает, что его отец был человеком строгим, требовательным и не склонным к компромиссам. Старая фотография сохранила черты широкого лица с проницательными глазами, которые «все видели и все понимали». Его отец был уверен, что самое важное в жизни — глубокая и стойкая убежденность. Прощаясь с сыном, он оставил ему эту веру как своеобразное наследство. Когда знакомые замечали, как взрослеющий сын становится все больше похожим на своего отца, Вадим бывал счастлив. Однако другой студент, Андрей Сырых, больше напоминает Трифонова, чем Белов. Этот широкоплечий, молчаливый, скрытный, эрудированный, трудолюбивый молодой человек чувствует себя скованным своей «проклятой застенчивостью». Эта застенчивость лежит на нем, как крест, не давая ему возможности быть самим собой. Когда его друга Вадима призвали в армию в

1942 году, Андрея комиссовали из-за близорукости. Проработав на заводе какое-то время, он поступает в институт. Круглый год Андрей живет под Москвой на даче в Борском вместе с отцом и сестрой Олей. Мать у них умерла.

И Сырых, и Белов относятся к категории положительных героев, истинных рыцарей коммунизма. Всю свою энергию они отдают благополучию Родины, которую хотят превратить в процветающее государство. Они лояльно относятся к официальным лозунгам о превосходстве СССР над «упадническим, буржуазным Западом». Сталинская идеология рассматривала всех писателей как «инженеров человеческих душ», помогающих крепить «производственную мощь» государства. Трифонов пишет о «великой эпохе», в которой советские люди живут с удовольствием, о старом мире, неуклонно идущем к гибели, о рождении нового общества и т. д. Возможно, именно этот вклад в традиционную сталинскую литературу побудил автора сказать в 1975 году: «Сегодня я не могу прочитать ни строчки в романе «Студенты», который занимает целую полку в моем шкафу. Я боюсь даже снимать эти книги»[42]. В своем пропагандистском романе Трифонов остается верным антизападной политике, которую Сталин проводил в своей империи в послевоенные годы. Эта политика во многом была вызвана страхом, что возвратившиеся с войны советские солдаты могли быть заражены влиянием «продажного» Запада. Множество «неблагонадежных» солдат были отправлены из Германии прямо в лагеря. Солженицын, одна из жертв этой безумной политики, позже напишет об этой трагедии. Но в оптимистической литературе социалистического реализма, к которой принадлежат «Студенты», появляются только солдаты, верные режиму. Так, Белов, солдат, вернувшийся из-за границы, «инстинктивно» чувствует опасность капиталистического Запада. Он даже рассуждает о «спертом, нечистом воздухе», к которому «легкие Вадима не привыкли». С гордостью отмечает он достижения своей страны, первые высотные здания, и среди них «грандиозный подарок Москве и всей молодежи страны — новое здание университета на Ленинских горах»[43].

Ода университету соответствует требованиям советских официальных кругов к литературным произведениям того времени. Они хотели в скором времени превратить страну в современную индустриальную державу, а для этого нужно было не просто развивать науку и технику, но и формировать новую интеллигенцию. Писателям было поручено помогать партии в формировании нового поколения, которое бы свято верило в поставленные перед ним задачи, не боялось трудностей, напротив, с готовностью их преодолевало. С 1946 года это стало едва ли не основной задачей советской литературы, в 30-е годы певшей гимны героям фабрик и колхозов. Четкое выполнение писателями своего долга перед партией породило целый ряд произведений, посвященных жизни вузовских кругов. «Университет» — таково было название романа Г. Коновалова, в 1947 году получившего Сталинскую премию.

В советской литературе в это время преобладал образ послушного студента, отдававшего всю свою энергию коллективу. Писатели должны были создать новый тип молодого человека, который мог бы служить образцом другим гражданам. Ведущий партийный функционер Жданов, курировавший тогда стерильно правильное искусство, пытался навязать художникам обязанность создания образа «идеального человека». В многочисленных бравурных речах он провозглашал, что, начиная с 1917 года, характер русских резко изменился[44]. В 1972 году Трифонов флегматично заметил, что «человеческие характеры не изменяются так быстро, как города и русла рек»[45]. Однако в 1950 году писатель внес свой вклад в создание легенды о новом советском человеке. Его Белов был «истинным сыном советской эпохи», преуспевшим в «выравнивании» своего друга Сергея Палавина в соответствии с общей линией. Палавин изображается как отрицательный персонаж, «пережиток прошлого», унаследовавший от старой русской интеллигенции индивидуализм и критицизм, называемые в это время «эгоцентризмом». В хорошо знакомом лозунговом стиле Трифонов сказал о своем «отрицательном герое», что такие люди — редкость, «…но мы обязаны поправлять их, чтобы переделать и взять с собой в светлое будущее»[46].

Советским писателям разрешалось изображать героев-индивидуалистов, но вытекающие из этого конфликты непременно должны были разрешаться в пользу коллектива. Позже, в 1974 году, Трифонов признавал, что использовал схематизм и шаблонность, изображая зараженного разъедающим эгоизмом индивида, находящегося в конфликте со всегда здоровым коллективом. Конфликт мог разрешиться только двумя путями: «больной» либо выздоравливал, либо погибал[47]. Роман «Студенты» написан в соответствии с этой схемой, и поэтому одному герою, Сергею Палавину, автор позволяет выздороветь, в то время как другой отрицательный персонаж, профессор Козельский, обречен на гибель. Читатель, ожидающий найти стереотипное описание этих характеров, удивлен, познакомившись с ними. В противоположность безжизненным положительным героям, которые произносят безупречные фразы в защиту родной партии, отрицательные персонажи производят более реалистическое впечатление. Читающая публика, в том числе преподаватели и студенты, уже в 1951 году обратили внимание Трифонова на этот поразительный контраст. Они критиковали Белова как невыразительного, статичного, стереотипного персонажа, отмечая, что отрицательные характеры куда более жизнеподобны. Студентка Г. Мелехина даже утверждала, что изображение Белова не соответствует требованиям социалистического реализма, который предполагал «динамику» и «развитие»[48].

Предположение, что Трифонов сознательно отошел от обязательных правил кукольного театра с его четким делением на черных и белых, подтверждается рассказом о том, как переделывалась рукопись романа. Твардовский хотел сократить рукопись вполовину и обратился к Т. Г. Габбе с просьбой помочь Трифонову в переделке текста. Однако редактор «оценила рукопись иначе: там не лишнее, там не хватает». Недостаток романа, считала она, в отсутствии глубокой прорисовки мотивов поведения персонажей. Она улучшала содержательность текста, и в то же время помогла автору добавить в роман где-то около трех авторских листов. Трифонов рассказывал о плодотворном сотрудничестве с Габбе, про которую говорили, что у нее как у критика «лучший вкус Москвы». Юрий вспоминал, что их разговоры об исправлениях иногда прерывались рассуждениями о русской литературе. Начитанная Тамара Григорьевна могла говорить часами об одном из своих любимых авторов, — о Герцене, который восхищал ее своим пониманием задач художника, выраженном в словах «мы не врачи — мы боль». Трифонов потом часто использовал эту мысль в своих рассуждениях о роли литературы, которая должна уметь изображать человеческие страдания.

Такой взгляд находился в радикальной оппозиции к «розовому» соцреализму, где художнику отводилась роль косметолога, приукрашивающего реальность. Советские авторы обязаны были изображать несуществующее. Настоящая правда была глубоко спрятана в душах миллионов людей, живших с памятью о трагедии насильственно исчезнувших, арестованных, уничтоженных. Т. Габбе тоже была арестована в 1937-м и провела в заключении два года. Вместе с группой детских писателей, включавшей и С. Маршака, она была обвинена в организации «контрреволюционной банды врагов народа». Ее муж также был арестован за бурный протест против пакта с нацистской Германией. Он погиб в лагере в 1945 году. Но Тамара Григорьевна, скромная, дружелюбная, самоотверженная сорокасемилетняя женщина, никогда не рассказывала об этом Трифонову. Ее самообладание было столь велико, что Трифонов с трудом мог поверить, что она пережила так много. Однако трагические судьбы автора и редактора скрепили узы сотрудничества между ними.

Трифонов начал понимать особый дар Т. Габбе — помощницы писателей. Она горячо выражала свою уверенность в способностях автора, с которым работала. Такая горячность удивляла и Лидию Чуковскую, которая была ее подругой детства и тоже считала Габбе «фантастическим редактором». Анна Ахматова также высоко ценила критический вкус Габбе и поэтому просила ее и Чуковскую стать редакторами своего сборника 1939 года. Три женщины сплотились тогда еще и потому, что сын А. Ахматовой и муж Л. Чуковской были захлестнуты волной большого террора[49].

Изображение правды жизни не приветствовалось в советской литературе. Любой критически настроенный писатель, хотевший увидеть свои работы напечатанными, должен был вести хитрую игру. Главное, он должен был мастерски закамуфлировать свои истинные намерения от всевидящего цензора. Для этого в его распоряжении был целый арсенал средств, разработанных еще русской литературой. Во все времена русские писатели пользовались «эзоповым языком», богатым аллегориями, аллюзиями, метафорами, в которых опытный читатель мог разгадать истинные критические события и ситуации. Учила ли Т. Габбе Трифонова никогда не называть деликатные предметы по имени, но описывать их косвенно или только намекать на них? Вне сомнения, она способствовала тонкости изображения профессора Козельского, который в своих лекциях систематически и последовательно игнорирует советскую литературу, ссылаясь на то, что он специалист по литературе классической. Иронически отзывалась она и о советских писателях-однодневках[50].

Роман «Студенты», однако, показывает, как устраняют инакомыслящих. Это происходит с Козельским, ставшим жертвой жестокой кампании против «космополитов» и «формалистов». Его студент Белов рьяно участвует в травле профессора. В соответствии с законами соцреализма Вадим борется с «индивидуалистами». Он видит другого такого индивидуалиста в своем друге детства Сергее Палавине, которого встречает после долгих лет разлуки. Оба молодых человека служили в армии во время войны, оба поступили на филологический факультет пединститута. Москва, которую оба они знают с детства, является молчаливым свидетелем их радостной встречи.

Роман в тридцати главах начинается и заканчивается картинами места действия — Москвы. Искусный рассказчик, Трифонов проводит нас вместе с героями по ее улицам, площадям, бульварам, домам, институтам, кафе, ресторанам, театрам, по берегам Москвы-реки. Мы узнаем эти места, им даны их настоящие имена. Трифонов создает запоминающиеся картины повседневной жизни столицы. Автор так тесно связывает себя с Москвой, что она превращается в постоянного участника действия его произведений. В 1978 году, рассуждая о своем творчестве, Трифонов сказал, что разрабатывал в нем две темы. Первая, начатая со «Студентов», — тема «городских будней», вторая — историческая[51].

Трифоновская Москва — реалистически изображенный город со своим ритмом и своей обычной жизнью. Позже автор замечал, что успех его первой книги частично обязан желанию публики читать в книгах о знакомой жизни. В это время книжный рынок был переполнен пространными книгами о войне, воспевающими советских героев[52]. Трифоновский язык и стиль иногда напоминают патриотические лозунги. Так, он превозносит свой родной город в соответствии с нормой: «Любить Москву, значит, любить нашу страну, а любить нашу страну, значит, любить великую цель, во имя которой Советская страна живет, борется, работает и побеждает...» Автор использует совсем другой стиль, когда хочет высказать свое мнение о постоянном стремлении города к расширению: «Москва стремительно разрасталась, перепрыгивая через свои прежние границы, и не только на запад, а во все стороны, и это удивительное смещение окраин наблюдалось повсюду».

В Москве писателя в основном интересуют интеллигентские круги. В «Студентах» главную роль играют будущие интеллигенты. С самого начала подчеркивается первостепенная важность старательной работы и учебы во имя общего блага. Голос официального писателя слышится в похвалах выдающемуся трудолюбию добродетельного Белова. Этот герой выносит сокрушительный приговор Палавину, своему эгоцентричному, себялюбивому однокашнику, использующему все средства для продвижения своей карьеры. На собрании комсомольского бюро среди прочих недостатков Сергея он называет карьеризм, и действительно, Палавин движим в своих делах только собственными интересами, часто совершая безнравственные поступки. Так, он пробивается в любимые студенты профессора Козельского в надежде на поддержку крупного ученого, но когда профессор впадает в немилость, бросает его как ненужную вещь. Патологическая жажда успеха приводит его к плагиату в научной работе о Тургеневе. Его отношения с девушкой, состоящей с ним в интимных отношениях, аморальны. Он обещает жениться на ней, но бросает ее ради нового романа с однокурсницей, хорошенькой мещанкой Леной Медовской. Его отношения с Леной — камень в огород Белова, тоже влюбленного в эту девушку. Конфликт между положительным и отрицательным героями тесно переплетается с любовным конфликтом.

Любопытны рассуждения правоверного комсомольца Белова о палавинском недостойном поведении. Причина его — в мелкобуржуазности, которой Сергей заразился от своей матери, женщины недалекой. Это беловское утверждение восходит к мысли, вычитанной им в одной из чеховских записных книжек: «В семье, где женщина буржуазна, легко культивируются панамисты, пройдохи, безнадежные скоты». Ярлык «мелкобуржуазности» приклеивается в романе буквально ко всем и вся. Все подозревают друг друга в зараженности этим микробом.

Однако автор «Студентов» должен был быть очень осторожным в обращении к этой теме. Было весьма дерзким говорить о болезни, поразившей все советское общество. Послевоенный режим, стабилизируясь, поощрял и награждал своих верных слуг материальным благосостоянием. Мечта о материальном благополучии — признаке общественного статуса и престижа — была отличительной чертой класса парвеню, который, благодаря сталинской политике, стремительно разрастался. Бесчисленное множество лояльных советских чиновников с их ограниченностью тем не менее считали себя культурной элитой страны. Слово «культура» было магическим для псевдоинтеллигенции, подавившей истинную интеллигенцию.

В «Студентах» растущая сила обеспеченной номенклатуры изображена через окружение Лены Медовской. Прекрасная квартира, большая машина, изысканная одежда, широкий круг влиятельных связей — это только часть того, что отец Лены, крупный инженер, может предложить своей семье. Его жена и дочь напоминают героинь «буржуазных» романов девятнадцатого века. Палавину его отношения с Леной, действительно, очень выгодны. Белов видит это и, преодолевая ревность, возобновляет нападки на друга детства. Чувство зависти у Вадима, человека средних способностей, к яркому, талантливому и светскому Сергею — важный элемент конфликта. Трифонов искусно использует так называемый идеологический конфликт, чтобы дать Палавину возможность вынести презрительный приговор искусственно созданному кодексу положительного героя. Он называет Вадима «ходячей добродетелью» и «достойным членом армии спасения». Сергей проникает в суть проблемы, когда говорит о своих подозрениях, что «положительные герои» ничего не понимают в человеческих натурах и психологии. Он иронически замечает: «Конечно, у меня есть недостатки! Было б странно, если б у меня их не было. Я ведь живой человек, не ангел, не Белов». Слова Сергея, которыми он встречает самодовольного, ограниченного Белова, свидетельствуют о явно ироническом отношении к нему: «О, Вадим… Мрачный и загадочный, как Чайлд Гарольд»[53].

То, что самого Трифонова не удовлетворяла воссоздаваемая черно-белая картина жизни, явно проявилось однажды в 1951 году, когда преподаватели и студенты обсуждали его работу. Он рискнул открыто заявить: «Есть мнение, что, если вы изобразили отрицательный характер, ему надо обязательно противопоставить положительный. Это неправильно и примитивно»[54]. Тем не менее «Студенты» построены именно так, и в заключение положительные герои побеждают отрицательных. Вадиму удается убедить «сбившегося с пути» Сергея, что в здоровом и сильном коллективе нет места для «карьеризма и эгоизма — двух сторон одной медали». Палавин, осознав свои ошибки, напряженно работает над статьей о Чернышевском, говоря, что «не может жить вне коллектива, без людей...» Выбор автора для палавинской статьи не случаен. Чернышевский в своем романе «Что делать?» предложил простые пути формирования новых людей, пригодных для будущего социалистического общества. Действие в романе, в свое время волновавшем молодежь, тоже происходит в студенческой среде, но Чернышевский, выбирая в качестве героев революционных студентов, не грешил против реальности. В девятнадцатом веке русское студенчество, действительно, активно участвовало в революционной борьбе[55]. Но после того, как сталинизм тяжелым грузом лег на университетский мир, тип студента-революционера исчез. Традиционная фигура критически настроенного русского студента должна была подмениться покорным «учащимся» — слугой официоза.

Эффектное превращение бунтаря в послушного молодого человека изображено Трифоновым весьма искусственно. Это было замечено и читателями, не поверившими в мгновенные изменения в характерах типа палавинского, хотя и считалось, что изображение «отрицательных черт карьериста» писателю удалось. Один из студентов, О. Шевелев, отметил, что в образе Палавина затронута проблема, широко обсуждавшаяся на комсомольских собраниях[56].

Реалистическое изображение профессора Козельского тоже поразило всех. Однако многие читатели и критики считали, что роман стал бы глубже, если бы нелояльный профессор был противопоставлен талантливому советскому ученому, отстаивающему свою позицию с «подлинной живой эрудицией»[57]. Время отчетливо показало, что Трифонов весьма поверхностно интерпретировал ту острую идеологическую борьбу, которая велась тогда против адептов «буржуазных идей» в литературной критике[58].

Роман «Студенты» появился на гребне мощной кампании, развернутой против некоторых профессоров, получивших ярлыки «космополитов» и «формалистов». Борьба яростно велась на филологических факультетах МГУ и ЛГУ. Профессор Б. Гаспаров, ныне преподающий в университетах Стэнфорда и Беркли, вспоминал, как был свидетелем превращения ведущих ученых Томашевского и Эйхенбаума в жертв охоты на ведьм[59]. Трифонов сам видел, как в последний год его учебы исчезли некоторые профессора Литинститута. Эти преподаватели, скорее всего, и были прообразами профессора Козельского.

Трифонов заставляет неутомимого Белова возглавить борьбу против Козельского под знаменами благонадежности и патриотизма. В противоположность Палавину, однако, профессор не имеет шанса на второе рождение, поскольку принадлежит к так называемой старой интеллигенции, которой нет места в обществе. Элегантный и высококультурный пятидесятилетний человек был сыном богатого юриста, эмигрировавшего во Францию в 1918 году. Козельский, называющий себя «русским до последнего ногтя», отказался сопровождать отца. В двадцатые годы он напряженно занимается наукой и становится влиятельным ученым в академическом литературном мире. Он сделал свою карьеру вдали от идеологической борьбы, для которой явно не был создан. Профессор верит только в академический подход к науке, исключающий упрощенчество и банальности. В основе его научной работы лежит тщательное и всестороннее изучение предмета исследования.

Такое же отношение к работе он пытается привить своим студентам, противостоя тем шаблонам, которые навязывает партийная доктрина. Презрительно определяя этот феномен термином «философствование», он говорит студентам: «Развлекаться философствованием вы можете в другие часы, на других семинарах, а у меня извольте учиться. Я делаю из вас ученых и педагогов, а не краснобаев». Отрицание Козельским советской литературы, которая нуждается в критическом подходе, очевидно: «...если мы слишком увлечемся произведениями современности, наша цель не будет достигнута... учиться надо на классических образцах»[60].

Подобные аргументы действуют на Белова, как красная тряпка на быка. Никакие выражения не кажутся слишком сильными, чтобы пригвоздить этого педанта, «притворяющегося ученым». В мозги студентов вбивается определение Козельского как «формалиста худшего сорта», хотя тому же Белову он показался вначале человеком очень одаренным. Белов восхищался феноменальной памятью Козельского, никогда не читавшего лекции «по бумажке». Но как только профессор стал требовать от своих студентов придерживаться подлинно научного и критического подхода к предмету изучения, между Беловым и Козельским начал разгораться конфликт. Студенту, натренированному на повторении лозунгов, показалось трудным вырабатывать независимые суждения. К тому же он упрекает профессора в себялюбии: «Он удовлетворен собой...» Эту фразу часто употребляли и Чехов, и поздний Трифонов, чтобы ясно показать смешное самоудовлетворение самодовольных людей.

Итак, оскорбленный Белов упрекает профессора в себялюбии. Он утверждается в этом после посещения красивого дома элегантного Козельского. Только сейчас он понял, почему этот тщеславный индивидуалист смотрит на студентов сверху вниз, как на «героев посредственных писателей». Козельский ведет свободную жизнь, окружив себя большой коллекцией редких книг по балету и западной архитектуре. Он гурман, тщательно подбирающий ликеры и сигареты. Запах отличного табака «Золотое руно» знаком Белову по семинарам, на которых Козельский часто курит трубку. Эта деталь возникла в сознании Трифонова в связи с Фединым, курившим ту же марку табака на семинарах в Литинституте[61]. Некоторые другие характерные черты Козельского тоже явно восходят к Федину, отличавшемуся элегантностью, начитанностью, эстетизмом. Но в отличие от члена партии, которого никто не исключал из института и который никогда не отважился бы написать книгу о Достоевском, Козельский был человеком независимым.

Он вызвал гнев официальных кругов своей книгой о Достоевском. Под влиянием профессора некоторые студенты тоже стали обращаться к творчеству «еретического» автора, который в противовес официальным обещаниям всеобщего счастья заявил, что «для того, чтобы быть счастливым, человеку нужно как счастье, так и несчастье». Хотя во всем этом нет формализма в чистом виде, Козельского призывают признать свои «формалистические» ошибки. Он соглашается признать свои работы ошибочными, но задает вопрос декану факультета Сизову: «При чем тут формализм? Где низкопоклонство?.. вспомни мою работу о Достоевском: я писал о влиянии Достоевского на всю мировую литературу».

Так называемый академический конфликт между партийцем и ученым, однако, приобретает личный характер. Это проявляется в том, что декан и профессор знают друг друга почти сорок лет, с тех пор как вместе учились в школе в одном неназванном городе южной России. Сизов был сыном рабочего, занимался революционной деятельностью, воевал на гражданской и отечественной войнах. Он обвиняет Козельского в том, что тот всю свою жизнь думал только о себе. Козельский согласился, что не был готов воевать за идеологию, которой Сизов посвятил все свои силы, но свое основное дело он выполняет честно и серьезно. Как и Белов, декан наделяет Козельского званием псевдоученого. Он сравнивает его с профессором Серебряковым из чеховского «Дяди Вани», «для которого не Шекспир важен, а комментарии к нему»[62].

Ортодоксальным приверженцам КПСС Трифонов дает возможность презрительно высказаться обо всех, кто сохраняет независимость. Сизов точно следует указаниям чиновников о кадровом составе своего факультета. Обличать своих оппонентов он может только с помощью пропагандистских лозунгов. Трусость декана становится более понятной, так как кто-нибудь может вспомнить о его старой дружбе с опальным профессором. Сизов постоянно помнит об этом и исправно выполняет поручение «вычистить» нелояльного профессора.

Современным критикам было ясно, что в романе «коллектив» победил. Верный своей роли лауреата Сталинской премии, Трифонов это публично подтверждал, хотя подчеркивал, что на первое место он все же ставил моральные проблемы. Раздираемый официальными требованиями и велением собственной совести, писатель подходит к разрешению нравственных проблем то с одной, то с другой стороны. Это проявляется и в стиле романа. Он искусственен, когда придерживается официальной линии, оригинален, когда описывает свое, близкое. Трифонов «неподделен», когда создает психологический портрет Козельского, недаром даже Твардовский похвалил его. Однако на публике Трифонов скрывал свое истинное отношение. Здесь он пел одну песню вместе с официальной критикой, называя Козельского «гением зла, формалистом и низкопоклонником»[63].

Критики, которые верили публичным выступлениям Трифонова и не вникали в его тонкие игры, считали, что автор поддерживает Белова и осуждает Козельского. Это же утверждал в 1977 году и В. Кожинов в статье, которую сам Трифонов, по его словам, нашел злобной. Критик сопоставил роман «Студенты» и повесть «Дом на набережной», в которых рассмотрены сходные проблемы в сходных обстоятельствах. Как ни странно, Кожинову показалось, что не было никакой «глубокой и принципиальной» эволюции в творчестве Трифонова. Трифонов же заметил, что, по мнению этого критика, его мироотношение осталось на уровне «Студентов», и он этому рад: «Тогда они могли бы упоминать меня мелким шрифтом в своих академических трудах, например, в списке послевоенных лауреатов прямо перед "и т. д."»[64].

Будучи уже маститым писателем, Трифонов резко отзывался об ограниченных критиках. Он нападал не только на тех, кто любил напоминать лауреату Сталинской премии о его старом грехе, но и на тех, кто не мог или не хотел понимать, что писатель может изменяться со временем. Иногда он слышал что-то вроде: «Трифонов оттаивает вместе со временем». Он не отказывался от этого, но указывал, что подобная эволюция происходила со многими жившими в эпоху сталинизма[65].

Трифонов чувствовал пульс проходящего времени так сильно, что сделал этот феномен одной из главных тем своей литературной работы. Он считал, что изображение времени — часть основной писательской задачи, и понимание этого давало ему возможность вступать в соревнование с великими русскими писателями. Такой ответ он дал западным журналистам на Франкфуртской книжной ярмарке в 1976 году, когда его спросили, как он рискнул стать писателем после Чехова, Толстого и Достоевского[66].

Роман «Студенты» — неважно, насколько спорно его содержание и как его можно было бы проинтерпретировать — может, таким образом, рассматриваться как документ определенного отрезка времени, о котором Трифонову не хотелось часто вспоминать.

Глава вторая. БЕГСТВО ИЗ МОСКОВСКОЙ ДЕЙСТВИТЕЛЬНОСТИ

§ 1. В поисках нового старта

После выхода романа «Студенты» Трифонов стал заметной фигурой в официальной литературе. Он был в центре внимания, его восхваляли, уверяли, что он подлинный писатель. Ему предлагали писать продолжение первой книги. Молодой автор наслаждался успехом, а бурная московская жизнь не оставляла времени для раздумий. Правда, Твардовский предостерегал его от повторения темы романа, Федин же заметил: «Трифонов пишет хорошо, но он может писать еще лучше».

Только когда шум вокруг книги утих, Трифонов начал понимать, что успех погрузил его в «пучину бед», заставив поверить, что он и вправду настоящий писатель[1]. Как он замечал в 1980 году, его мучения начались с того момента, когда он осознал, что пишет весьма посредственно. Молодой автор не понимал, насколько стремление исполнять в своих произведениях указания свыше сдерживало рост его дарования. Это происходило помимо его воли, несмотря на душевную рану, нанесенную ему властью и принятое решение идти дальше в литературе независимой дорогой. Отсутствие веры в свои творческие способности, отчаяние и разочарование угнетали молодого Трифонова. Мысль: «Мне кажется, я не личность, я только претендую на то, чтобы быть ею» и вечный вопрос: «Кто я?» преследовали писателя даже во сне[2].

Трифонов часто говорил о том, что человек не способен по-настоящему узнать самого себя. Он считал это обычным недостатком, присущим человеку, от которого страдали и он, и многие его литературные персонажи. Этот грустный лейтмотив все время звучит в «Московских повестях». В 1977 году Трифонов замечал: «Мне не известно, как узнать себя. Человек может, конечно, понять себя в некоторые минуты... Иногда он может понять очень страшные вещи о себе самом. И, более того, некоторые моменты могут привести к самоубийству»[3]. В противоположность Л. Толстому, который предпринимал попытки свести счеты с жизнью, Трифонов был далек от мыслей о самоубийстве как решении проблем. Боль растущего самопознания он облегчал утешительной мыслью об иной жизни, где возможно стать «другим человеком», и наделил этой надеждой многих своих персонажей.

Для Трифонова Чехов был лучшим примером того, как человек может сформировать свой характер. Как-то в 1889 году Чехов говорил о себе молодом: «...этот молодой человек выдавливает из себя по капле раба и, проснувшись в одно прекрасное утро, чувствует, что в его жилах течет уже не рабская кровь, а настоящая человеческая...» Трифонов соотносил это утверждение не столько с чеховским характером, сколько в целом с мелочной и эгоистичной человеческой натурой: «Чехов мечтал о свободе, но, когда оглядывался вокруг себя, не видел никого, кто не был бы рабом»[4]. Трифонов восхищался чеховским взглядом на жизнь, в котором главными ценностями были свобода и творческое начало. Он хорошо помнил программу, которую Чехов наметил в 1888 году после получения престижной Пушкинской премии: «Мое святая святых — это человеческое тело, здоровье, ум, талант, вдохновение, любовь и абсолютнейшая свобода, свобода от силы и лжи, в чем бы последние две не проявлялись. Вот программа, которой я держался бы, если бы был большим художником»[5].

Но прежде чем Чехов смог выразить свой идеал в зрелых рассказах и пьесах, он ощутил потребность на время уехать из Москвы. В 1890 году он предпринял долгое, одинокое, рискованное путешествие на Сахалин, из которого вернулся другим человеком. Во многом благодаря обретенному там опыту он и превратился в великого писателя. Его литературная работа подтверждала правило, которое он так часто повторял: «Художественная литература потому и называется художественной, что рисует жизнь такою, какова она есть. Ее назначение — правда безусловная и честная»[6]. Трифонов тоже вначале прошел через период сомнений, прежде чем развился в крупного писателя, для которого правдивое изображение жизни стало смыслом литературной работы.

Однако у Трифонова период растущей самооценки длился восемь лет. Он прошел через странное чувство, что никогда больше не сможет писать. Он говорил, что не мог найти, о чем писать, о «периоде застоя», о желании придать своей работе новое направление, потому что с него хватит ранних произведений. Он пытался преодолеть свой кризис в Москве, но весной 1952 года неожиданно понял, что ему надо уехать в какое-нибудь далекое экзотическое место. Его обуревала одна мысль: «Я хотел уехать как можно скорее. Увидеть жизнь, непохожую на ту, о которой я до сих пор писал»[7].

Юрий вспомнил о своем пребывании в Ташкенте во время эвакуации. Ему там понравилось, и он просит Твардовского послать его от «Нового мира» в командировку собирать материал для книги о грандиозном проекте прокладки канала, который был начат по сталинской инициативе.

На много лет Туркмения стала одним из любимых мест Трифонова, он ездил туда восемь раз. Когда позже его спрашивали, что интересного он находил в этом пустынном краю, он каждый раз придумывал разные причины. Книги Паустовского и Сенкевича о пустыне привлекали его еще в детстве. Позже, в годы учебы в Литинституте, Паустовский рассказывал ему о той обстановке, в которой оказывались молодые геологи во время экспедиций в Среднюю Азию. В 1952 году в те места отправилась работать геоботаником его сестра Таня. В своих письмах она подробно описывала условия, в которых оказалась после окончания Московского университета. Юрий присоединился к ней и вместе с группой геологов принял участие в экспедиции, впечатления от которой потом отразились во многих его рассказах, статьях, зарисовках и даже в романе[8]. Образ пустыни приобрел в работах молодого автора символическое значение. Человек пытается сделать из бесплодной целины что-то новое и плодородное. Позже Трифонов признавал, что интерес к этому региону в каком-то смысле изменил его жизнь. Здесь он обнаружил вымечтанную «другую жизнь», которая опростила его и дала более широкое видение жизни.

Но Трифонов не мог позволить себе роскошь проводить месяцы в философских размышлениях в пустыне, потому что в Москве его ждала жена Нина Нелина, на которой он женился в 1951 году. Она была певицей Большого театра. Видимо, Юрий познакомился с ней в артистических кругах, где он часто бывал в те годы. Нина была дочерью художника, который в свое время был другом Шагала. Она родилась в 1923 году, училась по классу вокала в Гнесинском училище, затем была студенткой Московской консерватории. С 1949 по 1957 год — солистка Большого театра, имела широкий репертуар. В 1957 году она перешла на работу в концертную организацию, участвовала в многочисленных творческих поездках, бывала за границей, в частности, в Венгрии и Австрии. Бывшие коллеги по театру вспоминали ее как привлекательную женщину. О ее таланте певицы мнения расходились. Одни считали ее очень одаренной, другие говорили, что она не соответствовала уровню Большого театра.

Сам Трифонов, предпочитавший молчать о том, что его глубоко трогало, мало рассказывал о своей семейной жизни. Он редко говорил о их дочери Ольге, родившейся в 1951 году. Однако, вне сомнения, многие детали и события жизни с Нелиной вошли в его произведения. Он сам признавал, что Гриша из «Долгого прощания» (1971) вобрал в себя многое из его собственной жизни. Впрочем, это относилось не столько к отношениям между молодым писателем и его женой, актрисой Лялей, сколько к периоду безденежья. Трифонов вспоминал потом о «печальном периоде» своей жизни, когда он практически ничего не зарабатывал, пытаясь хоть как-то выкрутиться сотрудничеством в спортивных газетах. Это безденежье пятидесятых годов иногда толкало его на продажу книг из собственной библиотеки. Однако, в отличие от своего персонажа, только стремящегося быть писателем, Трифонов жил в нищете, уже будучи автором «Студентов», получившим Сталинскую премию[9].

Тогда, в пятидесятые, Трифонову иногда казалось, что его сенсационного литературного дебюта вообще не было. Особенно это чувство усилилось после беседы с Твардовским в 1954 году. Юрий честно объяснил главному редактору «Нового мира», что не может продолжать свою работу над романом о Туркменском канале. Он сказал ему, что уже написал приблизительно треть текста, когда в марте 1953 года после смерти Сталина проект был заморожен. Это и привело к остановке работы над романом. Он полагал, что вряд ли кого-то из читателей заинтересует произведение на эту тему, и не видел смысла продолжать работу. Но Твардовский считал, что может получиться захватывающий роман, особенно если Трифонову удастся рассказать о беспрецедентном отказе от проекта. Юрий удивился: «Неужели вы это напечатаете?» На что получил жесткий ответ: «Сначала напишите». Трифонов сделал вывод, что Твардовский не верит больше в его писательский талант. Когда он попытался заключить договор на роман, действие которого происходило бы в современной Москве, Твардовский отказал. Он сказал ему: «Начните с короткого рассказа. Постарайтесь написать рассказ в десять страниц и приносите его мне». Молодой автор почувствовал себя оскорбленным. Ему отказали в новом договоре и в дополнение к этому забыли о его «блистательном начале». И он решил никогда больше не переступать порог «Нового мира»[10].

Трифонов все же возобновил работу над романом, когда канал расконсервировали. Несколько лет он работал над романом, который в итоге оценил как «шаг вперед». Писатель в новой повествовательной форме пытался отразить, как менялась общественная атмосфера после смерти Сталина. Это был его вклад в дело десталинизации, начатое Хрущевым на Двадцатом съезде КПСС в 1956 году. Но он еще не созрел достаточно, чтобы войти в ряды писателей, растопивших лед в художественной жизни. Трифонов увлеченно следил за борьбой прогрессистов и консерваторов. Ему понравилась блистательная статья Владимира Померанцева, призывавшая к «искренности в литературе» и требовавшая от литературных «мертвых душ» сталинской эпохи потесниться, уступая литературе, созданной в лучших традициях русской классики. Должен был наступить конец однообразной литературной продукции, превозносящей достижения советского государства во имя так называемых национальных интересов. В искусственной и бездушной литературе писатель был просто вынужден опираться на шаблоны, поскольку не мог описывать свои собственные мысли и чувства[11]. Советские писатели были обречены на ложь, интриги и пресмыкательство. Это было показано И. Эренбургом в его пророческой повести «Оттепель» (1954—1956), давшей имя целой эпохе. Сам Эренбург утверждал, что писатель — не машина, но художник, чья высшая задача — проникать во внутренний мир человека.

По мнению поэтессы О. Берггольц, драма советской литературы происходила оттого, что личное «я» художника не могло быть выражено, поэтому Россия утратила, в частности, лирическую поэзию. Не хватало индивидуальностей. Острая критика недостатков литературы прозвучала в выступлениях на Втором съезде писателей СССР в 1956 году. К. Паустовский, В. Каверин, М. Алигер, Э. Казакевич, В. Тендряков, А. Бек и другие требовали покончить с культом личности Сталина, ослабления цензуры, свободы критики. Когда эти статьи были опубликованы в альманахе «Литературная Москва» в 1956 году, они вызвали сенсацию.

Но скоро стало ясно, что даже в эти «годы протеста» консервативные партийные силы делали все возможное, чтобы приостановить движение вперед. Они упорно отстаивали тезис, что искусство, в первую очередь, инструмент, обслуживающий политические и социальные требования. Это противопоставляло их настоящим писателям, с точки зрения которых искусство прежде всего должно касаться проблем психологических, философских, моральных, этических и эстетических. Консервативные чиновники из Союза писателей СССР упрямо сопротивлялись возрождению психологической прозы, хотя именно она, благодаря своему гуманизму, сделала русскую литературу всемирно известной. Партийные чиновники не могли и не хотели понять, что социальные явления глубже всего можно изобразить именно через частную жизнь человека. Их воззрения во многом были связаны со страхом потерять власть. Когда венгерское восстание 1956 года было подавлено, а венгерские писатели были объявлены козлами отпущения, партийные чиновники вновь стали отвоевывать утерянные было позиции. Оттепели, перемежающиеся с заморозками, стали характерной особенностью советского литературного климата.

Одну вещь, впрочем, партия предотвратить не могла — это раскол в искусственном монолите советских писателей, созданном еще при Сталине. Либеральные авторы были полны решимости писать так, как к этому призывал главный редактор «Нового мира» Твардовский: «Пишите, как вам диктует совесть». Он считал, что одной из главных задач литературы должно стать правдивое изображение настоящего и прошлого советской страны. Незамедлительно встал мучительный вопрос: «Кто был виноват в том, что произошло при Сталине?»

Даже в сегодняшней литературе вопрос о сталинизме остается злободневным и деликатным. С годами значение этой темы еще усилилось и привело к великим битвам между прогрессистами и официальными кругами, считавшими, что сор из избы выносить не следует. Пока разоблачения сталинизма соответствовали целям Хрущева, писатели могли свободно высказывать их, что и сделал Твардовский, опубликовав в 1962 году «Один день Ивана Денисовича». Это произошло после Двадцать второго съезда партии, где Хрущевым были осуждены сталинские репрессии, и все это открыто обсуждалось в прессе. Сталинские преступления, террор, массовые казни советских граждан, концентрационные лагеря и т. д. — обо всем стало возможно говорить. В обращении к съезду Твардовский призвал писателей сыграть свою роль в разоблачении «культа личности».

Разоблачение концлагерей в сенсационной повести А. Солженицына превзошло даже ожидания Твардовского. Он был восхищен Иваном Денисовичем, скромным, честным, покорным русским крестьянином, не ропщущим даже в лагере и рассматривающим свою судьбу как превратность жизни. Он переносит все стоически, несмотря на несправедливый арест. Бесконечное терпение и выдающееся трудолюбие — источники, поддерживающие этого человека, воплощающего всю массу русского крестьянства. Характерно, что Солженицын выбрал в качестве главного героя не политического диссидента, а простого, смирного человека, от этого повесть приобрела всеобщность звучания, усилилось восхищение и негодование несправедливой судьбой Шухова. В нем Россия узнала своих заключенных сыновей.

С публикацией повести Солженицына появилась уверенность, что наступит новая эра, где станет возможной вся правда о диктаторстве Сталина. Иван Денисович стал как бы сигналом к антисталинистской кампании, которой многие люди отдали всю свою энергию. Рассказы, эссе, повести и другие произведения о незаконных репрессиях, которые лежали где-то спрятанными, предлагались издателям газет, журналов, книг. Эта так называемая лагерная литература рассказывала не только о страшной жизни заключенных, но и о судьбах тысяч крестьян, ставших жертвами коллективизации и депортации. Ужасна была судьба советских военнопленных, выживших в гитлеровских концлагерях, возвратившихся на Родину и отправленных в лагеря советские.

Когда официальные литературные круги получали бесконечный поток лагерной литературы, они систематически отказывали в ее публикации. Их реакция была подобна реакции многих партийных чиновников, шокированных тем, что их нынешний вождь дал разрешение на публикацию повести Солженицына. Многие из них сами активно участвовали в работе сталинских органов внутренних дел, а значит, и в проведении репрессий. Испуганные возможностью тотальных разоблачений, они всячески препятствовали свободе печати, которая могла представлять угрозу и для них. В итоге им удалось убедить Хрущева в опасности демократизации.

В марте 1963 года в своей сенсационной речи на встрече с творческой интеллигенцией лидер КПСС заявил, что на публикацию «лагерной прозы» — темы опасной, активно используемой в целях антисоветской пропаганды, должен быть наложен запрет[12].

С этого момента процесс либерализации замедлился. Но до этого в 1961 году Хрущев обещал Твардовскому цензурные послабления, что явилось бы предпосылкой для свободного обмена мнениями. В том же 1961 году Паустовский вызвал сенсацию своим альманахом «Тарусские страницы». Он обошел громоздкий цензурный механизм, опубликовав альманах в Калуге. В него входили статьи, стихотворения и рассказы ряда авторов, среди которых были М. Цветаева, И. Бунин, В. Мейерхольд, Н. Заболоцкий, Б. Окуджава, Ю. Казаков, Ю. Трифонов, который представил короткий рассказ о случайной встрече с испанским республиканцем в Ашхабаде в 1957 году. Тогда он соприкоснулся с проблемой испанских республиканцев, бежавших в Советский Союз от режима Франко. Человек проклинал диктатора. Очевидно, что автор вложил в уста иностранцу проклятья, которые советские граждане адресовали Сталину[13]. Использование позорных обстоятельств жизни другой страны, подразумевающих аналогичные отечественные, было принято в русской литературе для обхода цензурных запретов.

Благодаря сотрудничеству в альманахе Паустовского, Трифонов снова оказался на виду. Он не принимал участия в литературном авангарде пятидесятых, чьей целью было придать новое направление литературе. Писатели, упоминавшие его, отмечали молчание Трифонова. Некоторые, как В. Ажаев, считали, что это вовсе не означает, что автор совсем не участвовал в литературной жизни. Возможно, причиной молчания был трудный, долгий и мучительный поиск[14]. Трифонов, конечно, делал попытки описать проблемы существования художника в условиях меняющегося общественного климата. Он даже попробовал себя в до того неизвестном для него деле писания пьес. В 1953 году он написал пьесу «Залог успеха», имеющую подзаголовок «Художники. Трудная дорога». Писатель предполагал, что художник, чья цель — легкий успех, может полностью растратить свой талант. Пьеса была сразу же поставлена в театре им. М. Ермоловой Андреем Лобановым и провалилась.

Критики были особенно жестки в претензиях к пьесе. Трифонова обвинили в упрощенческом подходе к проблемам. Все действие пьесы, диалоги и монологи были просто иллюстрацией мысли, что гнаться за дешевым успехом плохо. Характеры получились черные или белые, как шахматные фигуры, а в итоге отсутствие психологической глубины сказалось на образе главного героя — художника Андрея Карпухина. Критик И. Велехова утверждала, будто автор ничего не понимает в характере и судьбе художников. Она нашла, что он выбрал тему, в которой абсолютно не разбирался. Трифонов, включивший в пьесу много автобиографического, был оскорблен этим, как он выразился, возмутительным фельетоном. Он соглашался, что пьеса была слабой, но утверждал, что в постановке было несколько неплохих сцен[15].

Его первые контакты с миром сцены (в театре им. М. Ермоловой) завершились провалом. Надеясь на магию драмы, Трифонов пытался придать новый импульс своей работе. Но его отношения с театром (пьеса «Утоление жажды» в 1963—1965 годах была поставлена в трех театрах) оставались неудачными до 1975 года, пока он не встретился с режиссером авангардной Таганки Юрием Любимовым. Любимов был очарован «Московскими повестями» и в соавторстве с Трифоновым блистательно поставил две из них[16].

Рой Медведев, приглашенный Трифоновым на премьеру «Обмена», вспоминал, что писатель ходил на все представления. Медведев писал: «В театре Трифонов ощущал более явно, ощутимо и эмоционально успех своей литературной работы. Это не был вопрос тщеславия. Трифонов был боязлив, робок и долгое время не уверен в своем писательском таланте».

С 1954 года Трифонов задает себе вопрос, действительно ли роман и пьеса — наиболее приемлемые формы для развития его писательского дарования. Возможно, он вспомнил совет Твардовского попробовать свои силы в коротком рассказе и с 1955 года начинает активно писать рассказы. В одном из них он попытался передать и тему своей первой пьесы. Рассказ был сжатым по стилю и давал резкое психологическое проникновение в характеры. Вне сомнения, в образе художника Сергея Муранова, героя «Неоконченного холста», Трифонов снова описывал свои собственные проблемы, но, возможно, чтобы отдалить себя от героя, он наделил его профессией художника.

Муранов — тип художника, энергично рисовавшего в соответствии с обязательными требованиями соцреализма. У него был шумный дебют с картиной «Урок гимнастики в колхозной школе». Получив признание авторитетов и прессы, он становится популярным. Иронический тон повествователя, однако, сменяется печальным, когда Трифонов передает мысли Муранова, осознающего, что, «заигрывая» с авторитетами, он растрачивает свой талант. Напрасно он вступает в длительную и жесткую борьбу за право быть независимым художником. Он оправдывает сам себя за свой ранний успех словами: «А кто не совершал временных компромиссов со своим творческим сознанием?»[17] В порыве оптимизма Муранов говорит, что он собирается показать всем, что его жизнь как художника только начинается и он чувствует внутреннюю силу для больших творений. В этом мы слышим голос самого Трифонова. Он утверждал в 1960 году: «Я надеялся, что со временем сочиню что-нибудь не меньшее, чем раньше. Они будут публиковать меня, и тогда я буду говорить, объяснять, доказывать»[18].

Муранов тоже бежит от московской жизни в поисках новых впечатлений. Он едет в командировку в родную деревню. Но деревенская жизнь не приносит ему желанного обновления. Муранов не может освободиться от навязанной ему роли, воспетой официальной прессой, роли «панегириста колхозной жизни». «Знаменитый» художник развивается в самодовольную, холодную личность, заинтересованную только в материальных атрибутах успеха, таких, как автомашина, например. У него не остается времени на поэтическую Верочку, женщину, поддерживавшую его в трудные годы. Возможно, ее критический глас, в свое время вдохновлявший его на творческую работу, слишком отличается от его внутреннего самосознания, которое он предпочел заставить замолчать.

Трифонов был хорошо знаком с художественными кругами, когда создавал этот рассказ. Благодаря своей женитьбе на Нине Нелиной он знал многих художников. С 1951 года он жил в доме художников на Масловке в квартире тестя Амшея Нюренберга. Его жизненная история произвела большое впечатление на Юрия. Еврей из Одессы, он был заброшен судьбой в парижские артистические круги в десятых годах, когда работал вместе со своим другом Марком Шагалом. В 1927 году он уехал в Париж с официальной миссией и снова встретился с Шагалом. Однако, когда в искусстве подули ветры сталинизма и «шагализм» был объявлен «продажным» антиреалистическим искусством, Амшей вынужден был прервать эту дружбу. Публичная кампания начала тридцатых потребовала от него выразить прямо свое отношение к шагаловским работам, некоторые из них он даже уничтожил. Этот поступок «сломал» художника, он стал подделываться под официальную партийную линию[19].

§ 2. Спортивный писатель

В середине пятидесятых годов Трифонов обратился к спортивной журналистике, хотя сам он никогда не говорил, что или кто был причиной его страстного интереса к спорту. Ребенком он однажды играл в футбол в пионерском лагере, был левым крайним, но, так как не был достаточно «подвижен» и редко принимал мяч, его заменили на середине игры. С тех пор Трифонов, с юмором отзывавшийся о своем неуклюжем и неподвижном теле, никогда не играл в футбол, хотя любил смотреть футбольные матчи[20]. В конце пятидесятых он часто ходил на стадион «Динамо», располагавшийся неподалеку от Масловки, вместе с драматургом Алексеем Арбузовым, был болельщиком «Спартака». Арбузов в свое время говорил мне, что Юрий был неплохим теннисистом, и жалел, что он рано бросил играть[21]. Рой Медведев вспоминал, что лучше было не приходить к Трифонову во время телевизионных трансляций чемпионатов, настолько страстно тот был увлечен происходящим на экране.

Трифоновский дебют как журналиста напоминает чеховский. Как и Чехов, вынужденный в результате финансовых затруднений писать для разных газет, Трифонов предлагал плоды своих трудов разным газетам и журналам. Журналистика требует быстрого, энергичного письма, и это помогло оттачивать технику короткого повествования. Впрочем, чеховское «бумагомарание» выплеснулось в множество рассказов, давших сотни разнообразных юмористических характеров и обстоятельств русской жизни. Тема спорта редко возникает в мире Чехова, но ведь только в нашем веке спорт стал всеобщей страстью, без которой современный человек не мыслит существования. Трифонов открыл необычайную значимость спорта, когда глубже погрузился в этот мир.

Как журналист, Трифонов не ограничивал себя только спортивными репортажами. Его большой интерес к психологии, моральному облику и спортсменов и зрителей придавали глубину его очеркам. Его вклад в спортивную журналистику был столь весом, что многие читатели даже не знали, что он занимался и другой литературной работой. В начале шестидесятых ведущий спортивный журналист Трифонов затмил Трифонова — лауреата Сталинской премии. Значимость трифоновских произведений о спорте проявилась через много лет, когда в 1983 году в «Правде» он, Юрий Нагибин и Лев Кассиль были названы в качестве образцовых спортивных писателей[22].

До семидесятых годов трифоновские статьи, эссе, рассказы, репортажи о спортивных событиях и праздниках в стране и за рубежом появлялись в «Физкультуре и спорте», «Советском спорте», «Футболе», «Литературной газете», «Литературной России», «Огоньке». Многочисленные рассказы и репортажи публиковались в сборниках «Под солнцем» (1959), «В конце сезона» (1961), «Факелы на Фламинио» (1965), «Игры в сумерках» (1970), «Долгое прощание» (1972). Трифонов также написал киноповесть «Бесконечные игры». Это был не первый сценарий. После 1957 года он написал их несколько для документальных фильмов. В 1964 году по его сценарию был поставлен художественный фильм «Хоккеисты»[23].

Начиная с 1955 года, спортивных журналистов регулярно посылали за границу. Трифонов свободно писал о футболе, теннисе, волейболе, хоккее, конькобежном и лыжном спорте, шахматах. В результате, начиная с 1960 года, он стал ездить на зимние и летние Олимпийские игры. Его командировали в Рим, Инсбрук, Гренобль, а также на чемпионаты мира по хоккею и футболу в Женеву, Лондон, Стокгольм и другие города. Эти частые поездки прибавляли впечатлений не только спортивному писателю, но и художнику, давали материал для острых зарисовок повседневной жизни. О своем первом путешествии за границу в 1955 году он позже заметил: «Футбол футболом, но незнакомый город, незнакомая жизнь и люди, люди — это куда интереснее...»[24]. В конечном итоге значение трифоновских спортивных писаний определялось художественным мастерством, с которым он изображал человеческие аспекты спорта.

Проницательный психолог и философ, Трифонов пытается проникнуть в истинную суть спорта и передать спонтанные реакции спортсменов и их болельщиков. Он следовал за быстрым ритмом событий с помощью энергичного языка, летящего стиля, в котором перемешались смех и слезы. В трифоновских спортивных рассказах постоянно сменяют друг друга свет и тьма, надежды и разочарования, восторг и огорчения. Среди моря разгоряченных людей, страстно следящих за спортивным событием, репортер должен мгновенно в нескольких предложениях объяснить нам причины успеха или поражения. «Всегда волнует тайна успеха. Все стремятся раскусить ее, проникнуть в ее нутро, найти объяснение. И, может быть, оправдание»[25]. Но время от времени писатель возвращается к мысли, что настоящий успех — это загадка, которую невозможно объяснить рационально. Годы опыта учат, что предвидения и предсказания дают мало толку, пока «само время не даст верный ответ». Непредсказуемость успеха соответствует человеческой природе. У людей есть инстинктивная потребность восхищаться героями. С точки зрения Трифонова, в этом одна из главных причин колоссальной популярности спорта, и писатель внимательно наблюдает за поведением футбольных болельщиков, бескорыстно влюбленных в спорт.

Чем глубже Трифонов проникает в самую суть спорта, тем чаще он спрашивает себя, что это: игра, отдых, увлекательная работа, театр, искусство, цирк или форма образования? В спорте перемешаны все эти элементы. С одной стороны, спортивные игры — род искусства. Как актер стремится к совершенству, так и настоящий спортсмен пытается достичь предела человеческих возможностей. Трифоновское восхищение спортсменами, стремящимися преодолеть невозможное, чтобы улучшить свои показатели, очевидно. Мужество, упорство, уверенность в себе, самоконтроль и сверх того железная воля — черты настоящего спортсмена. Но невозможно стать чемпионом только благодаря высокой технике, необходимо также присутствие «неощутимого» вдохновения. Трифонов понял это, увидев Жана-Клода Килли, чемпиона Олимпийских игр в Гренобле по лыжам. Этот «человек будущего» потряс его абсолютной верой в себя и бесстрашием, с которыми пытался опрокинуть законы физики и аэродинамики. Нечто подобное Трифонов заметил и у французского эстрадного кумира Джонни Холидея там же, в Гренобле. Он пел с такой страстью, словно делал это последний раз в жизни. В другом тоне он пишет о своем восхищении «Балетом XX века» под управлением Мориса Бежара, открывшего ему новыїй мир.

Когда Трифонов восхищается возможностями спортсменов, он тем не менее отмечает, что абсолютная самоуверенность чревата бедами. Во многих рассказах он повествует о драмах спортсменов, вынужденных уходить из спорта после долгих лет огромного успеха. «Пережить чужую славу так же тяжело, как преодолеть болезнь», — пишет он. К этой теме он обращается во множестве рассказов о вчерашних спортивных кумирах. Настоящим героем ему кажется не суперзвезда, а спортсмен, в конце своей спортивной карьеры нашедший силы и возможности вести нормальную полнокровную жизнь. Подобного героя он вывел в рассказе «Победитель» (1968).

В своих философских размышлениях о спорте Трифонов отмечает, что публика часто видит только блестящую сторону спортивных медалей. Обычно драматическая подоплека триумфа не показывается прессой, телевидением, радио, как, впрочем, и трагедия поражения. А «спорт без трагической стороны не существует». Каждый спортсмен испытывает какие-то драматические моменты на протяжении своей карьеры и обязательно в конце ее, когда ему приходится возвращаться к нормальной жизни. Трифонов часто касается «страшных вещей», происходящих в мире спорта вдали от глаз публики. Один из таких спектаклей он наблюдал в Лондоне на чемпионате мира по футболу в 1966 году. Увлекательная игра во время напряженных футбольных матчей напомнила ему драму в трех актах с прологом. Драма, сменившаяся катастрофой, выразилась в падении футбольного кумира (сборной Бразилии), боготворимого восемь лет: он был сброшен с пьедестала, увлекая за собой еще несколько звезд меньшего масштаба. Результатом стала «полная смена игроков на мировой футбольной сцене»[26].

Трифонов считал, что жестокие спортивные схватки могут дать прекрасный материал для режиссеров и продюсеров. Международные состязания полны ярких и красочных событий хотя бы потому, что национальные чувства зрителей побуждают их к неожиданным реакциям. Репортер был мастером изображения возбужденного стадиона и с юмором описывал нравы в различных странах. Ему как гуманисту всегда были приятны случаи сближения людей на спортивных состязаниях. Но его тон становился едким, когда он описывал причины, приведшие к конфликту в интернациональном мире спорта. Он не признавал спортсменов, руководствовавшихся самодовольством, гордыней и высокомерием, уверенных, что победа может быть достигнута только с помощью силы. Подобное отношение к спорту поощрял Гитлер. Впрочем, вместо этого имени можно было поставить и имя Сталина. Писатель сделал это в заметках «Время и волейбол» (1962), где изображается, как сталинская эпоха отражается даже в поведении болельщиков на трибунах.

Во время мирового чемпионата по волейболу в Москве в 1952 году было сделано все, чтобы предотвратить контакты игроков с жителями Москвы. Было опасно спросить у иностранного туриста, например, как он находит вкус мороженого. Спортивный писатель пишет: «Ну, вы помните, какое было время. Сталин еще был жив. Перед началом соревнований его называли "лучшим другом советских волейболистов"»[27].

Сегодня трифоновские репортажи интересны нам еще и тем, что в них мы видим жизнерадостного человека с хорошим чувством юмора. Этот энергичный человек, обожающий путешествия, сильно отличается от автора «Московских повестей». Очевидно, что спорт предоставил возможность замкнутому Юрию вырваться из рутины повседневной жизни. Несколько раз он называл спорт фестивалем, в котором должны участвовать все жители земли. Спорт формирует характер и помогает «гомо сапиенсу» перепрыгнуть через себя. Спорт для Трифонова имеет универсальное значение. Он считал, что преданность общему делу сближает людей. Это он понял еще во время своего пребывания в Средней Азии. Объединенные усилия разных людей, приехавших из разных республик Советского Союза, произвели на него сильное впечатление. Повествователь короткого рассказа «Бако» (1959) говорит, выражая точку зрения автора: «Люди становятся похожими, когда они создают вместе что-либо большое: новую религию, революцию или маленький городок»[28].

В борьбе человека с пустыней Трифонов увидел нечто сходное с тем, что совершают спортсмены, стремясь к рекордам. И как в спорте невозможное становится возможным, так и геологам пустыня вначале казалась совершенно непреодолимым противником. В рассказах о Туркмении повествование ведется от лица московского журналиста. Он приехал в этот район, чтобы освещать строительство канала. Когда он впервые взглянул на бесконечную пустыню из самолета, ему показалось невозможным покорить ее, но как репортер он должен «взглянуть в лицо пустыне и показать его людям». Так, он обнаруживает, что у человека есть силы вызвать на соревнование природу. Увлеченный, журналист пристально смотрит на серо-коричневое пространство, расстилающееся под палящим солнцем. Он исследует рассеянную растительность и состав сухой земли, из которой человек надеется с помощью современной техники добыть воду, этот нектар жизни. Журналист внимательно изучает ритм жизни в районе пустыни, где он встречает разные типы людей. Изображается целая галерея характеров, некоторые из которых намечаются только одной репликой. Характеры показываются в контактах с различным окружением. Позже Трифонов скажет, что в книге «Под солнцем», в которой соединились спортивные и туркменские рассказы, он попытался достичь сжатости, при которой каждое слово наполняется максимальным смыслом. Поиски нового стиля и новый подход к литературе были, по его мнению, наиболее характерными для туркменских рассказов. Именно в них его литературная работа обрела новый поворот — факт, замеченный, впрочем, только несколькими людьми[29]. Рассказы, репортажи, статьи, эссе, которые автор написал о Туркмении для газет и журналов существенно отличались друг от друга в стилевом отношении, интонации, подборе слов. Искусственный тон «Студентов» еще можно обнаружить в прославлении достижений режима и энергии рабочих во время работы в пустыне. Но описание борьбы между «карьеристами» и «хапугами», отправившимися в пустыню за деньгами, сделано неплохо.

Новый тон в трифоновских работах этого переходного периода ощущается, когда триумфальность «Студентов» сменяется тоном сочувствия и понимания в других рассказах. Это происходит, например, в рассказе «Доктор, студент и Митя» (1956), в котором борьба между консерваторами и прогрессистами в Туркмении после сталинской смерти показана не слишком оригинально. Но повествование внезапно уходит вглубь, когда лирический голос автора начинает рассказывать о судьбе доктора Ляхова. Тридцатилетний врач мечтает о научной карьере в Москве, но чиновники посылают его против воли в район пустыни. Жизнь здесь так ужасает его, что у него нет сил продолжать какую бы то ни было научную работу. Стресс усиливается, когда его молодая жена, поехавшая вначале с ним в Туркмению, возвращается в Москву, не в состоянии приспособиться к новой жизни. Мы видим уставшего, разочарованного, одинокого человека, который может думать только о бесконечных поездках для вакцинации, административных проблемах и униженном выпрашивании лекарств. Описывая так отчетливо неблагодарную работу врача, Трифонов, возможно, думал о Чехове, который так часто касался этой темы в своей работе.

Жизнь в пустыне, конечно, привлекала Трифонова. Здесь он открыл множество новых тем, характеров, пейзажей, обрел более широкий взгляд на людей, и этот процесс сходен с тем, как это произошло у его героини Гали из рассказа «Очки» (1959). Эта тридцатитрехлетняя женщина работает в Каракумской пустыне геоботаником. Однажды Галя, очень близорукая, потеряла в пустыне свои очки. Несколько часов она искала их и в процессе поисков лучше поняла своих коллег. Она пришла к выводу, что человек — странное существо, так как и добро и зло в нем перепутаны. В этом выводе мы слышим голос зрелого автора, чьи замечания восходят к Чехову, говорившему о человеке как о «плохом хорошем существе»[30].

Долгие путешествия по пустыне также побудили автора к размышлениям о значении времени в человеческом существовании. Когда однажды московский журналист обнаружил многовековой давности могилу знаменитого завоевателя прошлых времен, для него это было не более чем незначительной деталью в пустыне. Долгое время это место было священным для многих людей, но новые времена, строительство канала заставили их забросить священное место. Они настолько увлечены проблемами сегодняшнего дня, что им нет дела до того, кто похоронен в этой неизвестной могиле. Это показано повествователем в рассказе «Песочные часы» (1959), где излагается история старого пастуха, которому эта могила совсем не интересна, он горюет лишь о том, что колхоз до сих пор не платит ему пенсию.

Сила времени как хозяина истории приводит повествователя к таким рассуждениям: «Цивилизации и царства, орды завоевателей, народы бесчисленные, как песчинки, — все перемолото временем, все превратилось в тихо шуршащий белый безмолвный песок...» История заканчивается важными для автора словами о роли времени в нашей жизни: «Шуршит и льется песок в песочных часах вечности, и мы не замечаем этого, как не замечаем, например, вращения земли. Но иногда бег времени становится поразительно ощутимым, и вдруг мы слышим его, как нашу кровь, стучащую в висках»[31]. Чем более зрелым становится Трифонов, тем больше он восхищается феноменом времени. Ему интересно исследовать течение времени, которое уносит с собой все и вся, описывая его медленное скольжение в молчаливой пустыне, и отчаянный напор в мире спорта, когда гонка за временем приводит к новым рекордам, побивающим старые.

§ 3. «Утоление жажды»

Трифонов вернулся к московской жизни, когда Сталин был еще жив, но и после смерти диктатора его тянуло в экзотическую Туркмению. Его беспокоил второй роман. Иногда он верил, что книга сможет правдиво отразить его внутренние сомнения и мучения, иногда сомневался, будет ли кому-то из читателей интересно произведение, посвященное такому прозаическому делу, как строительство канала. Когда общественный климат начал меняться, Трифонов понял, что от него требуется только быть честным, и тогда ему удастся правдиво изобразить время[32].

Только очень немногие из произведений разных авторов, появившихся в период после Двадцатого съезда КПСС, явно указывали на главную тему дня — «утоление жажды». Социальное сознание определялось мощным стремлением к справедливости. Как отмечает Трифонов: «Эта жажда сильнее, чем жажда воды — жажда справедливости!»[33]. Но мы знаем, что те, кто старались достичь этого, приходили в конфликт с мощными силами, яростно защищавшими несправедливость. Эту борьбу писатель показал через несколько судеб. События в романе происходят в Туркмении в 1957—1958 годах, иногда с ретроспекцией в сталинские времена. Роман построен в форме диптиха. С одной стороны, мы следим за историей тридцатидвухлетнего московского журналиста Петра Корышева, с другой — развивается история создания Каракумского канала. В начале связь между этими двумя линиями намечена слабо. Единственное, что их связыва-ет — это время и место. Роман начинается с описания того, как Корышев на поезде едет в район пустыни, которая ассоциируется у него с «ужасной жаждой». Журналист, он же повествователь, замечает, что эта поездка для него — способ уйти от решения своих проблем. Корышев пытается заглянуть в себя и разобраться в меняющемся времени.

Трифонов наделяет Корышева собственными размышлениями, вообще эта фигура имеет много автобиографического. Названный «сыном врага народа», Корышев травмирован обществом, относящимся к нему с подозрением. Большую часть жизни его преследовали сомнения в себе. Ему трудно поверить в меняющуюся политическую обстановку. Сомнения Корышева кажутся правомерными, когда, вырвавшись из своего московского окружения, он получает должность репортера ашхабадской газеты «Копетдагская заря». По приезде он без обиняков спросил Сашу Зурабова, бывшего однокурсника, работающего в газете: «Как ты думаешь, не играет ли какой-нибудь роли в моем деле то, что у меня с отцом?» На что получил ответ: «Вряд ли, не думаю. Нет, сейчас другие настроения».

Зурабов кажется сошедшим со страниц «Студентов», когда провозглашает тост за их «alma mater». Они вспоминают о студенческих днях в Московском университете в конце сороковых: «Все-таки было неплохое время, а? Хорошее было времечко! Да что говорить — лучшее время нашей жизни. Лучше уж не будет...» Корышев реагирует немедленно: «Да нет, время было в общем паршивое». Зурабов хочет помнить об университетской жизни только хорошее. Он забыл «чистку» инакомыслящих профессоров и студентов, и даже когда вспоминает какие-либо факты, то отметает их как несущественные. В подобной позиции автор видит зародыш зла, препятствие к либерализации советского общества. Все те, кто играл важные или второстепенные роли во время сталинского террора, защищались с помощью одного средства — забывчивости.

Зурабов тоже хотел бы забыть пресловутое собрание, на котором он малодушно согласился с решением исключить его друга из университета. Это произошло, когда открылось, что Корышев не упомянул в документах о случившемся с его отцом. Он не написал, что его отец, революционер, позже ставший выдающимся инженером, пострадал во время сталинского террора. Безжалостная по отношению к отцу государственная машина добирается и до сына, стремясь исключить его из университета. После этого судьба Корышева круто меняется. Днем он работает диспетчером на автобазе, ночью помогает матери править гранки бездарных пьес. Тем не менее он все же кончает университет заочно. Его мать, тяжело переживающая потерю отца, болеет, и это единственное, что удерживает Корышева от отъезда в какие-нибудь далекие края, где можно было бы начать новую жизнь. Необходимость поступить так становится очевидной после того, как Наташа, которую он нежно любил, бросает его. Она делает это под нажимом родителей, которые не хотят видеть свою дочь связанной с «врагом народа». Годом позже Наташа выходит замуж за военного, а Корышев с трудом находит работу экскурсовода в одном из подмосковных музеев. Его мать, страстно мечтавшая о реабилитации отца, умерла через четыре месяца после этого события. Тогда Корышев и отправился в провинцию работать в местной газете. Но ему захотелось уехать еще дальше от знакомых мест, с которыми связано столько горя.

В Ашхабаде Корышев получает место литсотрудника газеты «Копетдагская заря», но и это не приносит ему душевного покоя. Он переживает трудный процесс роста. На своем тридцать втором дне рождения он печально думает, что половина жизни уже прошла, а у него все еще нет ощущения, что он жил. Только детство кажется ему реальнее, чем что-либо: красивая дача, где он счастливо играл под заботливым приглядом любящих родителей, пионерский лагерь с множеством друзей, школа с широким кругом товарищей, — все внезапно прервалось дождливым летом 1938-го, когда забрали отца. Картина того дождливого лета то и дело всплывает в сознании взрослого человека. Корышев снова и снова видит себя в то несчастное лето стоящим в бесконечной очереди напротив засаленной грязной стены, исчерканной и покрытой надписями, в ожидании сведений об отце. От своего горя мальчик пытался отвлечься чтением. Он «глотал» книги, как сумасшедший, особенно романы Вальтера Скотта.

Каждое воспоминание о трагическом прошлом бередит незаживающую рану Корышева. Он хочет забыть себя: «Как хорошо быть деревом! Как хорошо ничего не помнить!» На время пустыня стала настоящим врачом для измученного человека: «...я слышал необыкновенную тишину пустыни, такую густую, что в ней исчезали все звуки, все запахи, все мысли и воспоминания, она поглощала все это легко и бесследно и оставалась тишиной».

Но для Трифонова память жизненно важна, и он побуждает своего героя вспоминать. Корышев осознает, что оставаться человеком «несмотря ни на что» — драматическая участь «тысяч других», вспоминающих годы, пролетевшие в «ненастоящей жизни». Они тоже тратят все свои силы, «пытаясь поправить непоправимое».

Тон повествователя становится горестным, когда он пытается разобраться в причине бед. Удрученный тем, что жизнь не поддается пониманию, он ищет недостатки в себе самом. Корышев чувствует себя бессильным перед лицом обстоятельств, определяющих его жизнь, представляя их в виде потока: «Моя слабость в том, что я уступаю, уступаю не кому-то, даже не самому себе, а потоку, который меня тащит, как щепку, крутит, мотает, выбрасывает на берег и вновь смывает и несет дальше. И я несусь, несусь!» В образе потока предстают события, которые обрушились на жизнь советских людей, как ураган. Потому внезапно раздается крик протеста против постоянного унижения. «Я не хочу быть винтиком!.. Мне надоело! — кричит Критский, сотрудник газеты, восстающий против системы, превращающей человека в часть некоего механизма. — С винтиками никто не считается! Им можно ни черта не объяснять, перед ними не отчитываться — они ведь бессловесные! А я требую объяснения». Корышевское сопротивление потоку навязанной жизни растет, он мечтает «жить, как хочется, а не так, как живется», но понимает, что нет на свете ничего более трудного, чем свобода.

Корышев открывает, что для него единственная возможность реализовать себя — писать рассказы о своей жизни, о Туркмении, о том, как меняются времена. Он пишет рассказ «Дети доктора Гриши», который сам Трифонов опубликовал под таким же названием в 1964 году. Когда главный редактор газеты Диомидов прочитал рассказ, он нашел, что в нем много «изощренности и некоторой литературщины, а значит, и неправды»[34]. Беда молодого автора — в неумении создавать в своих произведениях «магию непосредственной жизни», того, в чем зрелый Трифонов достигнет такого мастерства. А пока Корышеву не удается изображать жизнь, не «раскрашивая» ее. Поэтому Диомидов именует рассказ халтурой. В 1975 году Трифонов вспоминал ту долгую тяжелую борьбу, которую он вел против всего искусственного, банального, скучного в искусстве[35]. Его второй роман явно не мог бы стать орудием в этой борьбе, так как в нем много штампов. Это особенно проявляется в сценах строительства канала, написанных в соответствии с жесткими требованиями социалистического реализма. Труд искусственно идеализируется в духе официальных лозунгов. КПСС, способная разрешить любые проблемы, восхваляется, Запад списывается со счетов. Автор воспевает героические усилия рабочих во имя общего дела. Естественно, в таком контексте появляется множество чернобелых героев. Но в это время в литературных произведениях уже изменилась расстановка сил: положительным героем становится человек прогрессивных взглядов, отрицательным выступает «наследник Сталина». В романе автор отводит много места столкновению между этими двумя противоборствующими социальными силами. В этом он увидел «отражение борьбы... с прошлым, происходящей везде, иногда открыто, но чаще скрыто и даже неосознанно»[36].

Ряд критиков и читателей неблагосклонно встретили трифоновскую разработку этой проблемы. Так, критик Феликс Светов в «Новом мире» обвинил автора в намеренном выделении «жажды правды» как единственного критерия жизни «в абстрактном благоговении перед общими делами», при этом дело может стать важнее самого человека. Пылко оправдывая «жажду счастья и справедливости», определяющую «пафос нашей жизни», Светов заявляет, что «дело» должно существовать для человека. Солженицын также провозгласил этот тезис в рассказе «Для пользы дела» (1963). Однако критик напал именно на Трифонова, обвинив его в том, что в образе Корышева он забыл прошлое. Были забыты огромные черные массы народа перед тюрьмами, забыты люди, «заклейменные этими годами». Трифонов настолько был оскорблен таким «несправедливым» отзывом, что не хотел больше встречаться со Световым[37].

Очевидно, что Светов просто использовал этот роман в борьбе прогрессистов против опасности возвращения сталинизма. Трифонов действительно предупреждает об этой опасности в своем романе, но его обвинения завуалированы. Светов же просто не хотел слышать многочисленные намеки Корышева. Он также пренебрег высокой оценкой, которую Юрий давал солженицынскому творчеству. В начале 1963 года Трифонов отметил, что в «Одном дне Ивана Денисовича» дан «наиболее талантливый портрет современного человека»[38].

По мнению прогрессистов, Трифонов стал игрушкой в руках консервативных сил, и это подтверждалось тем, что официально роман был встречен приветливо. К 1963 году тираж книги достиг 700 000 экземпляров. По нему были поставлены фильм и пьеса, его выдвигали на Ленинскую премию. Однако общественная реакция на него была вялой. Критик Л. Скорино заявила о романе, что публика могла «утолить им свою жажду», потому что он «посвящен великому делу революции и коренному преобразованию человеческого общества, имеющему большую ценность, чем отдельная личность и судьба индивидуума»[39].

Но в своей книге Трифонов как раз показал значимость личности, «не желающей быть винтиком». Его герой журналист Зурабов говорит о необходимости «независимого и критического образа мысли». Однако автор не стал глубоко рассматривать проблемы прогрессивной интеллигенции, которой не разрешали выражать свое мнение о сталинской эпохе. Она настолько искалечила российских интеллектуалов, что Василий Аксенов через много лет, в 1973 году, подчеркивал: «...мы должны учиться думать самостоятельно. Чтобы обрести самосознание интеллигенции»[40].

В своем втором романе Трифонов коснулся многих важных проблем, не случайно позже он сказал, что это книга «гораздо более серьезная и реалистическая», чем принято думать. Однако автор предпочел вывести на авансцену очевидное, в то время как «деликатные» проблемы только упоминались. Он еще не достиг того уровня мастерства, когда читатель смог бы осознать глубинные проблемы, волнующие автора. Он протестует против злоупотреблений властью, но протест его часто утопает в потоке отвлекающего многословия, ведущего, в свою очередь, к скуке и искусственности. Тем не менее о проблемах, которых касается Трифонов, нельзя просто перестать думать. Он показывает, как бюрократическая система цепко сохраняет все консервативное, воспитывая людей, рабски поклоняющихся ей. Система противостоит всем силам обновления, подавляя любую личную инициативу. Начальник строительства канала насмешливо заявляет, что «он верит в проект, как в икону, и не примет никаких идей реорганизации или изменений». Новые руководители, пришедшие вместе с изменившимся временем, не придерживались жестко указаний проекта и были обвинены комиссией по проверке строительства канала в самоуправстве. На помощь новому руководству приходит Корышев, заявивший в своем выступлении на заседании комиссии, что обновление необходимо не только в индустриальном секторе, но и в социальной сфере. «Я не люблю публичных выступлений, теряюсь, плохо говорю, особенно если приходится говорить перед незнакомыми людьми». Он говорит с горячностью: «Ведь этот конфликт — тоже одно из следствий недавних больших событий в стране. Люди распрямились, люди стараются работать лучше, изобретательнее, идут на риск ради дела, а не ради своего благополучия. Нет ничего опаснее догмы — религиозной, философской или даже догмы в виде проекта оросительного канала».

В романе показана опасность догматического мышления, непререкаемой веры в авторитеты. Повествователь создает образ «окаменевшего» чиновника, считающего, что главное место его работы — шкаф с документами, из которого он изо дня в день извлекает шаблонную информацию, более важную для него, чем люди, к которым она относится. В сталинские времена такой стиль руководства считался эффективным. Но внезапно времена изменились, и от людей, которые раньше отлично справлялись со своей службой, потребовали проникать в глубь человеческой натуры, к чему они были просто неспособны. Таким типом руководителя из прошлого оказывается заместитель редактора газеты Лузгин. Этот образ явно восходит к человеку в футляре из бессмертного чеховского рассказа. Зашоренный Лузгин «привык ориентироваться не на суть дела, а на то, чтобы понравиться начальству». Сила, с помощью которой он терроризирует своих коллег, основана на «страхе, который он непонятным образом внушил людям». Корышеву кажется, что времена терроризма прошли, но другие герои романа видят, как живучи силы старого. Так, литсотрудник Критский предпринимает попытку атаковать Лузгина, которого он обвинил в том, что тот вставляет палки в колеса прогрессивным статьям, тормозит публикацию рецензии на книгу туркменского поэта, вернувшегося изможденным старым человеком после семнадцати лет в лагерях.

Страх — неизлечимое зло, оставленное сталинизмом. Именно он мешает многим людям принять новые времена. Диомидов не верит, что «пора лузгиных прошла навсегда», и потому держит догматика Лузгина редактором, хотя мог бы давно уволить его. Но «он боится, боится». Диомидов начинал блестящую карьеру в Москве. Но 1937-й, год террора, настолько потряс его, что «у него атрофировались мускулы честолюбия, он сник, стушевался, постарался исчезнуть с видного места и покинуть Москву». С тех пор Диомидов перебирался с места на место, но раз и навсегда отказался от идеи занять сколько-нибудь заметное положение в обществе, хотя это ему предлагали. Диомидов — человек с психологией, искалеченной сталинизмом, один из тех русских интеллигентов, которых лагеря хоть и миновали, но все равно страшно отметило время.

Силу сталинизма подтверждает и судьба Дениса Кузнецова. Он был взят в плен немцами в 1942 году. После войны остался на Западе и шестнадцать лет переезжал из страны в страну, пока советские власти не разрешили ему вернуться на родину. Возвращаясь в Туркмению, он встретил Корышева и понял, как похожи их судьбы, потому что он тоже «почувствовал это всей кожей: слом времени».

Судьба Кузнецова печальна с тех пор, как он узнал, что его жена вторично вышла замуж, и ее муж, состоятельный туркмен, вырастил его сына как своего собственного ребенка. Одинокий Денис бесцельно существует, поддерживаемый своим старым другом Литовко, секретарем «Копетдагской зари». Он хочет взять Кузнецова фотографом в газету, но встречает сопротивление Лузгина, который утверждает, что таких людей в свое время расстреливали без суда. Когда Дениса все же взяли фотографом, Лузгин делает все, чтобы заставить его уйти. В конце концов Кузнецова берут в командировку на канал, там во время внезапного прорыва плотины он гибнет.

Повествователь показывает нам и мир кино. Здесь тоже господствует бюрократия: «...видимо, существует такое специальное министерство неприятностей. Оно планирует выпуск неприятностей, следит за тем, чтобы неприятности вырабатывались дружно, серийно». Чиновники от кино с хамелеоновской быстротой меняют маски, соответствующие моменту. Трифонов с явной иронией описывает эти игры. Бесталанный сценарист Хмыров — мастер интриги — скрывает свою истинную натуру ловкача за внешностью «томного женоподобного интеллигента... всегда усталого, с тихим голосом». Но как только затрагиваются его личные интересы, в нем обнаруживалась «энергия такой силы, что... оставалось только завидовать и удивляться». Тогда он чувствует себя удачливым тореадором на бое быков. О карьеристе Хмырове повествователь говорит: «Когда он занят делом, когда он, подобно навозному жуку, неуклонно катит свой ком грязи по точно выбранной дороге, для него не существует ни самолюбия, ни ложной скромности, ни сомнений, ни колебаний... для него существует только результат, окончательная победа. Такие, как он, добиваются всего»[41].

В «Московских повестях» Трифонов опишет этот тип карьериста как своеобразный символ бюрократического общества, в котором «джентльмены удачи» всегда наверху. Хмырову удается запустить фильм по «фальшивому, лакировочному» сценарию, написанному как будто в сталинские времена. Корышев пытается предотвратить постановку фильма и страшно сердится, когда Катя, его любовница, просит поговорить с Хмыровым о возможности получить роль в этом фильме. Следующий за этой просьбой яростный спор приносит неожиданный конец затянувшемуся роману. Катя, мечтавшая стать актрисой, сначала пленила Корышева своей элегантностью и наивностью. Он увидел что-то родное в одиночестве девочки-безотцовщины, приехавшей в Ашхабад из Минска. Ее отец ушел из семьи одиннадцать лет назад, и Катя стала искать свою дорогу в жизни. Ей не удалось поступить в университет, и она пошла работать воспитательницей в детский сад. Сейчас, в двадцать лет, она берет уроки драматического мастерства в надежде стать настоящей актрисой. Корышев не верит в Катины артистические таланты. Затем он замечает в ее непостоянном характере стремление достичь всех материальных благ любыми средствами. Бегло обрисованная фигура Кати, однако, играет эпизодическую роль в жизни Корышева.

Вторая любовная история в романе тоже не слишком интересна. История взаимоотношений зурабовской жены Леры с неженатым инженером Карабашем — бледная тень «Дамы с собачкой». Тайная любовь двоих, мечтающих победить горе и зло, «отравляющие их жизнь», понимание ими невозможности счастья, ощущение своей любви как духовного освобождения — гротескные реминисценции чеховской истории. Трудно поверить в необходимость сохранения «страшного» любовного секрета от мужа-волокиты. Лерина работа геолога вынуждает ее надолго отлучаться из дома, и Зурабов тогда живет со своей любовницей Тамарой. Эта женщина, коллега по газете, знает своего любовника лучше, чем его собственная жена. Она понимает, что он человек компромиссов, избегающий острых ситуаций. Слабовольный Зурабов вызывает в Тамаре, женщине с решительным характером, энергичной и сильной, желание поддержать его.

Возвратясь в Москву, Корышев отдаляется от всех этих историй. Канал построен. Жизнь в Туркмении ушла в прошлое. «Впереди маячит новая жизнь, а старая остается как бы за стеклянной дверью: люди двигаются, разговаривают, но их уже почти не слышно». Этими словами Трифонов оканчивает роман, завершающий ранний период его творчества.

II. ОСНОВНЫЕ ПРОИЗВЕДЕНИЯ

Глава первая. ТРИФОНОВ-ИСТОРИК

§ 1. «Отблеск костра»

Когда в 1965 году Ю. Трифонов опубликовал документальную повесть «Отблеск костра», он удивил и критиков, и читателей. Его часто спрашивали, как это он сумел так точно написать о том, что ему, как и многим другим русским писателям, предлагалось забыть. Трифонов утверждал, что только знакомство с архивными материалами о революции и гражданской войне позволило ему нарисовать правдивую картину времени, «когда все начиналось». Он подчеркивал, что прошлое не может и не должно быть забыто. Оно живет «внутри каждого из нас», так что «сегодня» может быть понято, только когда поняты «вчера и позавчера»[1].

Но писатель понимал, что проведение объективного исторического исследования потребует от него преодоления немалых барьеров. Для официальных кругов выгодным было одностороннее изложение истории. Важнейшие исторические фигуры и события были «забыты». Официальные историки, руководствовавшиеся указаниями товарища Сталина, десятилетиями обманывали целые поколения фальшивыми картинами исторического прошлого. Преемники «великого вождя», в свою очередь, изображали историю в выгодном для них свете. Но интеллигенция шестидесятых постепенно создавала свою историографию, оппозиционную официальной со всеми ее многочисленными табу. В. Аксенов, Ч. Айтматов, Ю. Бондарев, Ф. Искандер, Б. Окуджава, А. Солженицын пытались не только открывать историческую правду, но и переписывать историю в соответствии со своими представлениями. Они перестали воспевать массы, ведомые «избранным» вождем, а заговорили о внимании к человеку как участнику исторического процесса.

Сам Трифонов считал, что изображение «массовых движений, массовых чувств, массовых страстей» было узаконено еще во времена революции, когда искусство использовалось в качестве орудия агитации и пропаганды.

Деление на черное и белое, друзей и врагов тогда было справедливо, пока штормовые события не позволяли художнику изображать характеры во всей их глубине. Но энтузиазм масс содержал в себе одну опасность: не учитывались интересы инакомыслящих, внутренние потребности индивида. В 1967 году Трифонов утверждал, что характеры слишком разнообразны, чтобы свести их к «нескольким моделям социальных типов». Значимость современной русской литературы во многом связана с глубоким изучением разнообразных индивидуальных характеров[2]. Произведения Л. Толстого являются источником вдохновения для многих авторов главным образом потому, что автор «Войны и мира» исторические события отображал через психологию ряда героев.

Произведения многих современных русских писателей изображали историю как важнейшую часть их самих. Некоторые из них, например, Ч. Айтматов, В. Аксенов, Ф. Искандер, Б. Окуджава и Ю. Трифонов, чувствовали особую связь с революционным прошлым, потому что были детьми репрессированных. Для них, как замечал Трифонов, «литература была очищающей силой», потому что «правдивое изображение прошлого и настоящего может лечить, помогать, убеждать, освобождать»[3]. Многие исторические произведения были порождены сожалением о несправедливостях прошлого. Писатели старались освещать факты с позиций нравственности, что всегда придавало особую глубину русской литературе. Критик И. Померанцев справедливо заметил, что произведения Трифонова имели особое значение, так как давали представление о том, что происходило в головах современников. Для них революция и гражданская война были событиями не далекими, но очень близкими: «Революция со всеми ужасами, кровопролитием и разрушением, которые она с собой несет, до сегодняшнего дня ставит всех нас независимо от возраста перед нравственной проблемой: я поступаю честно или бесчестно? Если я лгу — заставьте меня молчать, но если я говорю — пусть это будет правда, даже опасная для меня лично».

Дальше критик отмечает, что в трифоновском произведении образ Родины связан не столько с определенными географическими или этнографическими традициями, сколько с духовной историей нации[4].

Как сказал Василий Аксенов в связи со своим историческим романом «Любовь к электричеству» (1971), его особенно интересовала судьба интеллигенции, которая начала революцию, провела ее и больше всех от нее пострадала[5]. В «Отблеске костра» Трифонов впервые касается темы, которая потом пройдет через все его зрелые произведения. В результате своей работы с архивным материалом эпохи революции и гражданской войны писатель достигает нового уровня сознания. В первый раз он пытается говорить о том, что его глубоко задевает. Его собственное прошлое служит неисчерпаемым источником фактов, и он предпочитает писать именно об этом. Позже писатель расскажет об этом изменении в направлении своей работы — о медленном продвижении от изображения внешней жизни, производственных проблем к использованию своего собственного опыта, обращаясь к истокам своих страданий, и первопричиной этого могло быть несчастье, случившееся в собственной семье. Он признавался, что довольно поздно понял, что писать можно на материале, взятом из собственной жизни, хотя это было нелегко[6]. Трифонов утверждал, что некоторые авторы, такие, например, как Василий Шукшин, умерли преждевременно, не выдержав гнета обстоятельств жизни[7]. Было бы, конечно, рискованно говорить то же о ранней смерти самого Трифонова, но очевидно, что непрерывное «дочерпывание» из глубин самого себя оказывало сильнейшее воздействие на состояние писателя. Однако результатом такого творчества были и очищающие моменты, освобождающие автора от мрачных воспоминаний.

Трифонов любил «Отблеск костра» и регулярно перечитывал его. Юрий говорил мне это, когда я однажды была у него на даче в Красной Пахре и увидела на столе открытую книжечку небольшого формата, элегантно изданную. Он дал мне книгу, чтобы я смогла переснять ее, и в ней я обнаружила записку человека, которого Юрий просил, видимо, вернуть ему свой экземпляр: «Юрий Валентинович! Я отдаю вам эту книгу не без печали — много лет и тысячи километров она была моим неразлучным спутником. В годы успеха и благополучия у меня было много искренних друзей, в годы неудач только один остался мне верен. Эта книга была искренним и преданным другом, из которого я черпал надежду и силу, когда казалось, что все кончено»[8]. Многие читатели высказывали схожие мнения в своих письмах к автору. Родственники и знакомые исторических героев, возвращенных Трифоновым из забвения, также писали ему. Среди них было и несколько друзей его отца. Юрий не только переписывался с ними, с некоторыми он общался лично. Письма, встречи, разговоры дали ему так много, что он начал переделывать журнальную публикацию. Книга появилась в 1966 году[9].

В «Старике» Трифоновым было сформулировано такое правило: «Истина ведь только тогда драгоценна, когда она для всех»[10]. Многочисленные читательские письма, которые он получал буквально ежедневно в течение многих лет, подтверждают этот вывод. Юрий говорил мне, что некоторые из этих писем содержали материал настолько близкий к жизни, что его хотелось вставить в роман. Письма были очень важны для Трифонова и потому, что повышали его самооценку и веру в свое призвание: «Они пишут... Это значит, что ты необходим, что ты существуешь»[11].

«Отблеск костра» был опубликован в то время, когда новые кремлевские вожди ужесточили идеологическую и культурную политику. Это отмечал и Рой Медведев, удивлявшийся, что «откровенно антисталинистская книга» появилась в 1966 году. Известному историку понравился «Отблеск костра», который он считал «книгой, интересной историкам и истории». Ему захотелось познакомиться с самим Трифоновым. Знакомство состоялось в 1967 году через писателя Бориса Ямпольского. Оба они почувствовали, что у них много общего. Рой, сверстник Юрия, тоже был сыном врага народа. Его отец, известный военачальник, также стал жертвой сталинского террора. Вспоминая свою дружбу с Трифоновым, Медведев замечает: «Наши взгляды на людей, литературные события, ситуацию в стране совпадали почти полностью. В какой-то степени мы смогли помогать друг другу, потому что Трифонов интересовался не только литературой, но и историей, и в первую очередь историей революционного движения России 19—20 веков. Его также очень занимали проблемы сталинизма. Он пытался обнаружить его корни в типе мышления и политических тенденциях последнего века.

Медведев предоставил в распоряжение Трифонова не только свои собственные книги о сталинизме, но и разного рода рукописи, ходящие в «самиздате», в частности, интересные мемуары. В свою очередь, Медведев обнаружил много интересных книг в библиотеке Трифонова. Рой пользовался полным доверием Юрия, тот даже давал ему ключи от своей дачи в Красной Пахре.

Тем временем период, известный под названием оттепели, подходил к концу. Хрущевская политика либерализации после 1964 года сходила на нет. Новое коллективное руководство страной во главе с Брежневым считало демократизацию общества нежелательной. Была развернута крупномасштабная кампания против либеральных писателей, выступавших за ослабление цензуры. Солженицына сделали козлом отпущения и изгнали из официальной литературы. На книги его наложили запрет, сам он редко появлялся на публике. Против него в соответствии с тайными указаниями был осуществлен «заговор молчания», от которого пострадало так много русских писателей. Советские официальные круги хотели заставить Солженицына замолчать, возможно, из-за его откровений о времени сталинизма. Эта новая линия стала ощутима в 1965 году, когда в «Правде» и «Литературной газете» прозвучали похвалы Сталину по поводу двадцатилетия Победы над фашистской Германией. Некоторым лидерам хотелось бы видеть сталинское прошлое в более выгодном свете. Большинство известных художников и ученых выступили против этой тенденции в начале 1966 года. Как и многие старые большевики, в резком письме в ЦК они протестовали против реабилитации Сталина.

Но власти это не остановило. Они открыто выразили свою позицию, организовав скандальный процесс, напомнивший о сталинских временах. В 1966 году писатели Андрей Синявский и Юрий Даниэль были осуждены на семь и пять лет лишения свободы за публикацию своих произведений на Западе. Многие писатели, отчаявшиеся увидеть свои произведения напечатанными в СССР, начали передавать их для публикации за границу. Еще одним результатом консервативной официальной политики был самиздат с широким хождением неопубликованных рукописей и даже подпольных журналов.

Конфликт внутри писательского мира стал очевидным на IV съезде Союза писателей. Солженицын хотел на нем выступить, но понимая, что никто не разрешит ему обратиться к съезду, он обратился к президиуму съезда и всем членам Союза советских писателей. В своем письме Солженицын не только объявил незаконным все, что делают с ним, но и выразил свое негодование по поводу запрещения публикации его работ. Он также осудил сам институт цензуры и высказался за его упразднение. Популярный писатель высмеял ограниченных цензоров, которые, как в средние века, задерживают, искажают и запрещают все мало-мальски прогрессивные сочинения. По словам Солженицына, запрещали публиковать произведения тех писателей, которые «могли облечь в слова мысли, возникшие в народе, могли оказать полезное воздействие на духовную жизнь и развитие социального сознания»[12]. Это обращение имело большой резонанс: восемьдесят писателей обратились письменно в президиум съезда с требованием обсудить «Письмо Съезду». Среди них были К. Паустовский, В. Каверин, В. Тендряков, В. Аксенов, В. Быков, В. Максимов и Ю. Трифонов. Вместе с Б. Можаевым, Б. Окуджавой, В. Максимовым, Г. Баклановым, С. Антоновым Ю. Трифонов обращался в официальные инстанции с просьбой сделать разъяснения по поводу исключения Солженицына из Союза писателей[13].

Сам Солженицын называл Трифонова среди тех, кого он считает «сердцевиной современной русской прозы». Рой Медведев вспоминал, что Трифонов был счастлив, услышав об этом, так как высоко ценил литературную работу автора «Ракового корпуса». Юрий просил Роя достать экземпляр романа «В круге первом». Прочитав, немедленно отреагировал: «Такую книгу нельзя прятать. Подобной ей нет во всей Европе».

Однажды, в 1970 году, Солженицын был в редакции «Нового мира». Там Борис Можаев представил его Трифонову. Глядя на него внимательно, Солженицын сказал: «А вот он какой, наш Юра»[14]. Я не знаю, часто ли они встречались, но Трифонов, вне сомнения, пристально следил за судьбой Солженицына. Он мог делать это и через Твардовского, встречи с которым у Трифонова в этот период были регулярными. Судьба вновь свела главного редактора «Нового мира» и его бывшего автора через много лет. Это случилось в 1964 году в Красной Пахре, писательском поселке, где Трифонов купил себе дачу. Твардовский жил рядом. Сближение двух соседей произошло не сразу. Они приветствовали друг друга, вели случайные разговоры, но никогда не обсуждали ни литературную жизнь, ни «Новый мир». День на природе начинался рано. Трифонов вспоминал, что его будил кашель Твардовского, который в шесть утра уже работал в своем саду. Юрий садоводством не занимался, но делал по утрам гимнастику. Постепенно взаимоотношения между двумя соседями укреплялись. Они вели дружеские беседы о разнообразных предметах, но Юрий избегал разговоров о «Новом мире», чтобы не показалось, будто он пытается «выведать редакторские тайны»[15]. Многим хотелось бы знать, что происходило в ведущем литературном журнале. Борьба между журналом и партийными инстанциями, задерживавшими рукописи, предназначенные для публикации, шла своим чередом. Запрещение в 1965 году романа Солженицына «В круге первом», который был уже объявлен «Новым миром», вызвало большие волнения, но Твардовский был бессилен против давления партийного аппарата.

Трифонов ежедневно видел одинокую, задумчивую, напряженную фигуру главного редактора во время его прогулок по пустынным дорожкам Красной Пахры. Он был так углублен в себя, что не замечал никого вокруг. Юрию случалось сопровождать его, ему хотелось знать, какие думы занимали этого большого, порывистого человека, не терявшего надежды опубликовать еще что-либо из солженицынского в своем журнале. В начале 1966 года он попытался «протащить» короткий рассказ своего любимого автора, надеясь, что придет время и для «Ракового корпуса». Неожиданно в октябре 1967 года он получил разрешение на это. Гранки первых восьми глав были готовы в декабре, но внезапно публикация была запрещена. Руководство Союза, включающее К. Федина, М. Шолохова и Л. Леонова, было категорически против романа. Твардовский пытался переубедить Федина: «Было бы преступлением прятать книгу от читающей публики». Все было напрасно. Так романы Солженицына пошли путем самиздата и появились на Западе. Власти в это время начали жестокую кампанию против распространения самиздата, но усилия их были напрасны и провоцировали все более решительное сопротивление со стороны либеральной интеллигенции. Многие писатели эмигрировали на Запад, и уже оттуда через многочисленные русские периодические издания разоблачали злоупотребления советской системы[16].

В своих воспоминаниях «Записки соседа», опубликованных еще при жизни, Трифонов только однажды намекнул на те трудности, с которыми сталкивался Твардовский. Он был осторожен и, как большинство либеральных писателей, надеялся увидеть свои книги напечатанными в родной стране. Напечатать их можно было, закамуфлировав критицизм использованием «эзопова языка», о котором критик Г. Свирский сказал: «Эзоп! Он был нашим главным учителем в те годы!»[17]. Трифонов систематически прибегал к этому приему, особенно в период написания «Московских повестей», четыре из которых были напечатаны в «Новом мире». В 1966 году он снова стал автором этого журнала. Как-то Твардовский сказал ему: «Почему вы нам ничего не приносите? Приносите! Нам интересна каждая ваша страница». Особого доверия у Трифонова эти слова не вызвали. Он усмотрел в них скрытый сарказм и иронию, так как помнил отказы журнала от его прозы. В 1959 году он предлагал несколько рассказов, но безуспешно. Его второй роман тоже был отклонен, более того, в «Новом мире» была напечатана обидная рецензия на него. Но когда Трифонов вызвал к себе общественный интерес «Отблеском костра», Твардовский снова обратился к своему бывшему автору. Юрий отчетливо ощущал это, когда летом 1966 года Твардовский открыл ему несколько «издательских секретов». Он с интересом слушал глубокие оценки произведений молодых В. Белова, Ф. Искандера, Б. Можаева, В. Шукшина, готовящихся к публикации в журнале.

У Трифонова к этому времени было написано несколько рассказов, но он не передавал их Твардовскому, боясь возможного отказа, который «нанесет удар его самолюбию» и повредит их дружеским отношениям. Осенью 1966 года, однако, он решил отдать свои рассказы в журнал. Два из них «прошли все ступени издательской лестницы» мгновенно и были напечатаны в декабре. Его радость от того, что он снова стал автором «Нового мира», была омрачена внезапной смертью жены. Сотрудничество с «Новым миром» стало настолько тесным, что весной 1967 года Трифонову дали командировку в Ростов-на-Дону для сбора материала о 1920-м годе, так как Трифонов собирался написать об этом периоде книгу. Таким образом, автор намеревался продолжать тему, начатую в «Отблеске костра». Документальная книга о периоде революции и гражданской войны произвела такое впечатление во многом потому, что Трифонов использовал в ней множество неизвестных фактов. Автору удалось передать живой пульс ушедшего времени, тщательно отбирая телеграммы, письма, заметки, дневники, военные, государственные, финансовые отчеты. Использование архивного материала помогло Трифонову не только изобразить забытых или представленных в ложном свете исторических героев, но и глубже понять жизнь вообще, запечатленной в многочисленных документах. Невидимая сила архивных бумаг столь велика, что они живут сами по себе как бессмертная «загробная тень нашего земного существования».

В связи с этим Трифонов высказывал опасение, что масса бумаг, накапливающаяся в таких размерах, через три сотни лет вообще не оставит человеку места на земле: «Будут созданы, вероятно, огромные архивные территории вроде национальных парков, а потом и целые архивные города, потом такие же города для бумажек будут устроены под землей, а когда человечество переселится на другие миры, все помещение нашей старой планеты будет превращено в один гигантский архив».

Но пока Трифонов был увлечен историей, запечатленной в пожелтевших документах, которые он изучал со страстным интересом. Он всматривался в них, как в зеркало, магически отражающее революционное прошлое. Изучая отцовский архив, сын находил свою правду. Только сейчас он попытался понять, в какой степени его собственные взгляды коренятся в идеалистических традициях старых революционеров. Это одно из возможных объяснений, почему «расточительный сын», позволивший сталинским чиновникам манипулировать собой, с таким вниманием изучал то время, когда, может быть еще не существуя физически, он тем не менее уже духовно жил в своем отце. Сыновнее восхищение силой духа отца придало «Отблеску костра» благородный характер. Автор метафорически определяет историческую роль Валентина Трифонова: «Отец стоял близко к огню. Он был одним из тех, кто раздувал пламя: неустанным работником, кочегаром революции, одним из истопников этой гигантской топки».

Документальная повесть начинается с образа истории как пылающего костра. Этот образ связан с размышлениями о том, как время отпечатывается в людях: «На каждом человеке лежит отблеск истории. Одних он опаляет жарким и грозным светом, на других едва заметен, чуть теплится, но он существует на всех. История полыхает, как громадный костер, и каждый из нас бросает в него свой хворост»[18]. Талант художника превратил пожелтевшие и скучные документы в увлекательное чтение. Целью Трифонова было создание объективной картины исторических событий, но по его тону можно догадаться, кого из героев он любит или, наоборот, отвергает, хотя он редко сосредоточивает свое внимание на изображении внутреннего мира персонажей. Его интересуют в основном поступки людей, характеры которых ему удалось реконструировать по недостатку материала только частично.

Пестрый архивный материал также определил своеобразную структуру повести, в частности, временные сдвиги, вообще характерные для зрелых трифоновских произведений. Так, описывая кого-либо из своих героев, автор может внезапно перебросить действие из одного года в другой, иногда очень отдаленный. Таким образом он часто сообщает о трагическом завершении жизни многих персонажей, погибших во времена сталинского террора. «Он погиб в 1937-м, как многие», — эти слова повторяются часто. В основном, однако, в книге преобладает хронологический порядок событий. После короткой вступительной главы мы знакомимся с отцом Ю. Трифонова и его братом Евгением. Оба принимали участие в революции 1905-го года в Ростове и были арестованы. В последующих главах речь идет о революционной деятельности братьев Трифоновых во время Октябрьской революции и гражданской войны. Ленин, Сталин, Троцкий и другие исторические деятели высвечиваются временем. Книга заканчивается кратким описанием последних лет жизни Валентина Трифонова. Страстный революционер был приговорен к смерти как «враг народа». Хотя сталинская машина сломила физические силы узника, она была бессильна подавить его дух. До самого конца мы видим вдохновенного человека, со страстью и жаром говорящего сокамерникам о своих идеалах. Об этом позже вспоминал некий Ушаков, деливший с Трифоновым камеру. Он провел двадцать лет в лагерях и был реабилитирован. Ушаков открыл Юрию много важных подробностей об отце, но не хотел, чтобы его имя стало широко известно из-за навсегда засевшего в нем страха[19]. С состраданием узнал Трифонов, как его отец, проведший в заключении лучшие годы своей жизни — от семнадцати до двадцати шести лет, встретил свой несправедливый конец. Судьба его брата Евгения, бывшего тремя годами старше, тоже оказалась трагической — он умер от сердечного приступа после ареста Валентина. Братья Трифоновы очень отличались внешне, а также по характеру и темпераменту: Валентин, плотный, темноволосый и стройный, рыжий Евгений; собранный и сдержанный Валентин был «прирожденным организатором», художественно одаренный Евгений был вспыльчивым — «казацкая ярость кипела в его венах». Тем не менее романтические мемуары Евгения показывают, что он также относил себя к числу ведущих военных комиссаров времен гражданской войны. Евгений писал стихи, пьесы и романы под псевдонимом Бражнев. Юрий считал его стихотворения «необычным и, может быть, единственным в своем роде образцом каторжной поэзии». Возможно, название книги Евгения «В дыму костров» подсказало Юрию название его собственной книги.

Сочинения Евгения дали Юрию прекрасную возможность взглянуть изнутри на жизнь заключенных, боровшихся за человеческое достоинство даже на каторжных работах. Они протестовали против попыток властей подчинить их. Но подлинное примирение было невозможно в той ужасной ситуации: «Каторга не могла стать миром по той причине, что она придумана была для убивания духа, а дух сопротивлялся». Человек мог выжить только благодаря силе духа. Слабые духом часто кончали жизнь самоубийством. Известно об эпидемии самоубийств в сибирской ссылке в 1910—1913 годах.

Валентин Трифонов обладал колоссальной силой воли, заставлявшей его даже в тюрьме создавать нелегальные листки, помещая туда свои статьи. Главным редактором подпольной газеты «Тюменский рабочий» был Арон Сольц. Юрий узнал его, будучи ребенком. В то время он не знал, что Сольц играл в судьбе его отца чрезвычайно важную роль. Мальчик видел только маленького старого человека с седыми волосами на большом бугристом черепе. Тем не менее строгий, проницательный взгляд Сольца был хорошо известен Юрию, его партнеру по шахматам. Только позже Юрий узнал, что Сольц (1872—1945) происходил из обеспеченной еврейской семьи, проживавшей в Вильнюсе. Начиная с 1890-х годов, он принимает участие в революционной борьбе, за что его исключают из Петербургского университета. В 1901 году присоединяется к Ленину в его деятельности по созданию «Искры». Сольц подчеркивал, что он стал революционером в знак протеста против несправедливого положения евреев в России. Его интерес к философии и, в частности, к марксизму «возник от ущемленности, от поисков справедливости». Старые большевики называли Сольца «совестью партии». Жизнь его состояла из арестов, ссылок и тюремных заключений.

Валентин Трифонов познакомился с Сольцем в ссылке, они стали друзьями на всю жизнь. Образованный человек, марксист Сольц, оказал на него огромное влияние, и он, судя по всему, был благодарен Сольцу за консультации по истории, экономике, военному делу. Когда в 1937 году Сольц узнал об аресте Валентина, он немедленно потребовал показать его дело. Когда ему отказали в этом, он вступил в конфликт с Генеральным прокурором Вышинским, которому сказал, что не верит, будто Валентин мог быть «врагом народа», на что последний ответил: «Если органы взяли, значит, враг». Сольц, побагровев, закричал: «Врешь! Я знаю Трифонова тридцать лет как настоящего большевика, а тебя знаю как меньшевика!»

Напрасно Сольц добивался аудиенции у Сталина, своего старого друга еще с 1912—1913 годов, когда он искал для него убежище у бабушки Юрия, Сталин «забыл» об этом времени и сейчас смотрел на Сольца только как на своего оппонента. В 1938 году Сольца сняли со всех постов. Бывший член редколлегии «Правды», член ЦКК и ее Президиума с 1920 по 1934 год, Сольц тяжело это переживал. Он начал голодовку, его отправили в психиатрическую клинику. Из больницы он вышел сломленным человеком и умер в 1945 году за несколько дней до победы слабым, одиноким и всеми забытым.

Юрий не нашел в архивах отцовских воспоминаний о Сольце. Он знал, что многие материалы из государственных архивов пропали, особенно после 1937 года. Его поиски фотографий отца и дяди, их документов, тоже были безрезультатными. Часть бумаг, свидетельствовавших об активной деятельности Трифонова и Орджоникидзе как военных комиссаров на Юго-Восточном, а затем Кавказском фронтах в годы гражданской войны тоже исчезли в те времена, когда Сталин поручил придворным историкам обессмертить свои деяния в эти годы. Жажда власти глубоко укоренилась в характере железного лидера, который и в дореволюционные годы вел себя в ссылке как некоронованный царь. Вдова Филиппа Захарова, бывшего со Сталиным в сибирской ссылке в 1913—1914 годах, рассказывала об этом. Ссыльные имели хорошую библиотеку, оставленную после смерти Иосифом Дубровинским, товарищем Ленина. Когда появился Сталин, он забрал все книги и держал их у себя, даже когда переехал в другую деревню. Захаров поехал объясняться, но Сталин принял его «как примерно царский генерал мог бы принять рядового солдата, осмелившегося предстать перед ним с какими-то требованиями». «Кавказский товарищ» этого Захарову не забыл, и тот исчез в 1937 году в общей волне террора.

Валентин Трифонов знал о сталинской склонности к самовозвеличиванию очень хорошо. Когда он увидел, как в конце двадцатых годов вождь настойчиво превращает свой культ в государственное дело, он отказался передать свой архив государству, опасаясь, что материалы могут быть фальсифицированы или попросту уничтожены. Он хранил в сундуке все документы, которые могли бы понадобиться ему для воспоминаний, написать которые он так и не успел. Валентин хотел рассказать о Красной гвардии, одним из организаторов которой он был, но Сталин настаивал на превозношении своей роли даже в тех случаях, когда он вообще не принимал участия в событиях. Трифонов наотрез отказался от искажения фактов. Юрий осуществил отцовскую мечту, когда рассказал об истории создания Красной гвардии в «Отблеске костра». Даже в 1965 году деятельность Красной гвардии считалась «одной из наименее известных и ясных страниц советской истории». Историки относились к ней скептически. Один из них, которому Трифонов показал обнаруженные им материалы, качал в сомнении головой и удивлялся, что документы подлинные. Это происходило в 1956 году после Двадцатого съезда КПСС. Трифонов тогда иронически заметил, что, возможно, «уважаемый» историк сомневается в реальности съезда. Этот визит оставил у Трифонова острое воспоминание: «Я покинул его с ощущением тонущего: я внезапно осознал, как много времени и усилий потребуется, чтобы разрушить глубоко укоренившуюся ложь и как много людей защищают ее, защищая тем самым сами себя»[20]. Впрочем, в 1966 году у Трифонова появляется слабая надежда после того, как исследователь из Ленинграда В. Старцев использовал некоторые материалы его отца в своей книге о Красной гвардии.

Красная гвардия была создана большевиками в 1917 году, чтобы поддержать военное выступление против Временного правительства. Организация была поручена «инициативной пятерке»: братьям Трифоновым, В. Павлову, И. Жуку, А. Кокореву. Красная гвардия сыграла ведущую роль в Октябрьской революции, и в начале 1918 года она была ядром создаваемой Красной Армии.

У самого В. Трифонова не было возможности оставить записки о тех революционных годах. О деятельности своего отца в это время Юрий узнал из разных косвенных источников. Известно, что правдивым источником информации для него были дневники его дяди Павла, которые тот вел с 1917 по 1921 год. В 1917 году Павлу было только четырнадцать, но — сын Т. Словатинской — он с ранних лет вошел в революционное движение. В марте 1917 года Павел вступил в большевистскую партию, посещал множество важных собраний. Слышал Ленина в Петрограде, во время провозглашения им Апрельских тезисов. Павел ходил на вокзал встречать Ленина из эмиграции и был воодушевлен его выступлением. Записи в дневнике Павла, краткие, пунктирные, воспроизводят атмосферу и дают представление о ситуации в столице в те революционные дни. Но мальчик подмечал и будничные события, которые происходили наряду с историческими потрясениями. Когда Валентин уезжал на Восточный, Южный, Юго-Восточный и Кавказский фронты, он брал с собой Павла в качестве адъютанта, и мальчик продолжал аккуратно описывать все события.

Юрий также узнал от Павла многое о Филиппе Миронове (1872—1921). В. Трифонов работал вместе с этим казачьим вожаком на Южном фронте около двух недель в 1919 году. Миронов был легендарным вождем, очень популярным, особенно среди казаков. Зажигательные речи этой сильной личности производили такое впечатление, что многие немедленно вступали в его армию. Сам Миронов был казаком из станицы Усть-Медведицкая, участвовал в русско-японской и первой мировой войнах. После февральской революции он стал командиром 32-го Донского казачьего полка, помогавшего устанавливать советскую власть в районе Дона. Миронов командовал различными казачьими формированиями, а в 1920 году был назначен командиром Второй Конной армии, принимавшей активное участие в боях против Врангеля. Блестящая карьера казачьего вождя трагически завершилась в 1921 году. Он пал не от белогвардейской пули, а от красного террора. В результате ложных обвинений его посадили в Бутырскую тюрьму, где он был убит предательским выстрелом в спину. Его имя было изъято из советских исторических трудов или же сопровождалось такими эпитетами, как «изменник», «авантюрист», «бунтовщик». Героические деяния Миронова и его армии были приписаны Семену Буденному (1883—1973), который командовал Первой Конной армией.

Буденный и Ворошилов, ставшие маршалами СССР, активно противостояли реабилитации Миронова, которая все же состоялась в 1960 году. В своих воспоминаниях 1958 года Буденный именует Миронова «изменником». Не только Ю. Трифонов, но и многие соратники Миронова выступили против такого искажения правды. Сергей Стариков, комиссар одной из дивизий Миронова, попытался воссоздать истинный характер командарма на основании широкого привлечения архивных материалов. Старый большевик, отсидевший семнадцать лет в лагерях, он получил возможность работать в архивах ЧК и установил, что Миронов был одной из центральных фигур в эпоху гражданской войны. Стариков замечает, что «многие процессы в революционной России могут быть поняты» в свете его трагической судьбы. Миронов был, вне сомнения, воплощением идеалов и мечтаний казачества. История лидера красных казаков дает хорошую возможность понять суть ошибок и просчетов большевиков, центральных и местных органов советской власти по отношению к казачьему населению.

Стариков, которому помогал в исследованиях Рой Медведев, отмечал, что историки — и отечественные, и зарубежные — не разобрались в удивительной и трагической судьбе Филиппа Миронова. Они обращались к Трифонову как к первому писателю, сказавшему правду о Миронове в своем «Отблеске костра». Трифонов ездил в Ростов-на-Дону и обнаружил достаточно материалов в местных архивах, чтобы полностью реабилитировать казачьего лидера.

Рой Медведев вспоминал, что Трифонов очень вдохновил его своей книгой на исследования о Миронове. Юрий познакомил его со Стариковым, который собирался писать большой роман о Миронове, но работа не получалась, поэтому друзья посоветовали ему обратиться к Трифонову с просьбой написать такую книгу. Стариков предложил все свои архивные материалы автору «Отблеска костра», но Трифонов в это время писал роман «Нетерпение» и обещал помочь Старикову несколькими годами позже. Однако старый казак, которому в это время было уже за восемьдесят, не мог и не хотел ждать. Тогда Трифонов и познакомил его с Роем Медведевым, высоко оценившим представленные архивные материалы. Вместе они написали книгу «Жизнь и трагическая смерть Филиппа Кузьмича Миронова», вышедшую в 1978 году за границей под названием «Филипп Миронов и Русская гражданская война». Авторы справедливо решили, что главная цель их книги — восполнить пробел в большом списке литературы о революции и гражданской войне[21].

К сожалению, внезапно умерший Стариков не успел увидеть первые экземпляры своего труда. Медведев подарил Трифонову рукопись своей книги. Поэтому автор «Старика» смог использовать эти материалы в своем произведении. Трифоновское изображение Миронова (Мигулина) показывает, что автор поднялся на новую ступень в психологическом и философском проникновении в суть явления. Трифонов соотносит судьбу Миронова с судьбой казаков вообще. Еще в «Отблеске костра» Трифонов замечал, что в судьбе Миронова отразились все противоречия казачьей проблемы, одной из наиболее острых проблем революции.

Большевики попытались заставить казаков жить по-новому путем их «расказачивания». Местные партийные лидеры, ничего не понимавшие в независимом характере и образе жизни населения, начали устанавливать порядок с помощью террора. Миронов решительно выступал против репрессий, за что его и подозревали в нелояльности. Партийные чиновники были уверены, что как атаман он готовит восстание казачьих войск против советской власти. Такие бунты были весьма часты в то время, но мироновские действия противоречили всем подозрениям. Миронов сам поднял войска усмирять беспорядки на Дону. На самом деле руководители армии не знали, как относиться к этому человеку. Евгений Трифонов, работавший вместе с Мироновым в 1918 году, описывал его как мечтателя: «Кочевой романтизм бродит в его угарной крови. Непостижима степная стратегия красного атамана… Реального мира не замечает товарищ Миронов, поглощенный какой-то неистовой идеей». Некоторые вспоминали, что Миронов был поглощен мечтой о справедливом мире и боролся за «триумф правды и социальной справедливости». Он писал о своих мечтах в письмах, воззваниях к казакам и с яростью защищал их публично. Миронов считал, что казаки должны поддержать социалистическую систему, при которой трудящиеся массы сами смогут контролировать средства производства.

Но многие руководители государства, включая Свердлова и Троцкого, не верили в его искренность. Красным казакам часто мешали, сам Миронов не получал требуемого количества людей и снаряжения.

Однако он был рад, когда Валентин Трифонов поддержал его в противодействии политике "расказачивания". Последний спорил с Троцким и в своих донесениях отмечал незрелую политику партии в казачьих районах, но Троцкий не прислушался к замечаниям, что привело к конфликту между ними. В 1919 году в статье «Фронт и тыл», опубликованной в четырех номерах «Правды», Трифонов обрушился на бюрократические методы центрального командования, далекого от фронтов и слабо представляющего реальную ситуацию на местах, в результате чего армия терпела поражения. Орджоникидзе тоже отмечал в письме к Ленину, что Троцкий буквально разваливает Южный фронт. Сам Валентин именовал Троцкого «бездарнейшим организатором» военного дела. Как и отец, Юрий Трифонов не питал симпатий к Троцкому и вывел его в «Отблеске костра» в несомненно отрицательном свете.

Все армейские командиры сходились тем не менее в одном: победа может быть достигнута только благодаря строгой дисциплине. Но внезапно в августе 1919 года Миронов, командир формируемого в Саранске конного корпуса, нарушил военный порядок. Его реакция была вызвана мощным прорывом Деникинской армии на Дону. Ситуация показалась Миронову столь критической, что он, не ожидая приказов от вышестоящих инстанций, самовольно отправился на фронт с четырьмя тысячами человек, из которых две тысячи были вооружены. Перед отправкой импульсивный Миронов объяснил причины своего эффектного поступка: «Я задыхаюсь, меня ждет фронт. Не могу видеть гибель революции». Армейское командование восприняло его поступок как мятеж. Миронова арестовали 14 сентября конармейцы Буденного. Вместе с тысячами повстанцев его переправили в Балашов, где их судьбу должен был решить суд. Троцкий надеялся, что Миронова приговорят к смерти, и спешно опубликовал серию статей, где казаки описывались как «одиозные искатели приключений», «подлые изменники». Кампания Троцкого не принесла ожидаемого эффекта. Правда, Миронов был приговорен к смертной казни 7 октября, но ВЦИК на следующий день отменил приговор.

Миронов снискал уважение Ленина после их встречи в Москве той осенью. В январе 1920 года он стал членом партии, принял командование Второй Конной армией. В сентябре 1920 года он разгромил врангелевскую конницу, гнал Белую армию до Перекопа. Награжденный вторым орденом Красного Знамени, удостоенный

Почетного революционного золотого оружия, Миронов оказался на пике славы, что, естественно, вызывало у многих зависть. Через несколько месяцев судьба нанесла ему еще один удар. В феврале 1921 года он был арестован Донским отделом ЧК и как «предатель» советской власти отправлен сначала в Лубянскую, затем в Бутырскую тюрьму. Лишенный свободы, он продолжал бороться за свою невиновность. 30 марта 1921 года Миронов написал длинное и драматичное письмо М. Калинину, копии адресовал Ленину, Каменеву, Троцкому. Письмо заканчивалось словами: «Я продолжаю глубоко верить в справедливость». Он был уверен, что его авторитет среди казачества и крестьянства Дона был основан на убеждении, а не на жесткости, когда он призывал народные массы принести новые жертвы.

Неизвестно, какое впечатление произвело его письмо на тех, кому оно было адресовано. Неизвестно также, кто дал ЧК приказ арестовать Миронова. Судя по всему, Ленин сначала не знал об этом, хотя Троцкий явно знал. Еще меньше мы знаем, кто убил Миронова 2 апреля 1921 года, когда он занимался гимнастикой один во дворе Бутырской тюрьмы. Очевидно лишь, что более сорока лет он считался «предателем». Трифонов, Стариков, Медведев сумели показать, что Миронов тратил все силы на установление справедливого общества, в котором будет господствовать правда. Миронов сам четко выразил свое мировоззрение в незаконченных мемуарах: «Как всем нам известно, правда — это социальная необходимость. Без нее жизнь непостижима, поскольку она является главной силой лучших и возвышенных сторон человеческой души, правда должна быть защищена от прикосновений грязных рук... Всю свою жизнь я сражался за идеал. Я падал, снова вставал, снова падал, больно ушибался, но продолжал борьбу... На этой земле нет совершенства, но мы обязаны добиваться его, если мы не эгоисты...»[22]. Миронов посвятил себя идеалу, сформулированному Валентином Трифоновым в 1919 году: «Коммунизм — это символ кооперации, любви, братства, всеобщей взаимопомощи...»[23]. Следует сказать и еще об одном человеке — Борисе Мокеевиче Думенко, как и Миронов, попавшем в «стык двух мощнейших грозовых разрядов веры и неверия» в 1920 году. Борис Думенко (1888—1920) был организатором и командиром первых частей и соединений Красной конницы. Он пятым в стране получил орден Красного Знамени за мужественную борьбу на Дону с деникинскими войсками. Но известность Думенко, как и Миронова, была источником зависти для менее одаренных командиров, начавших грязную кампанию по «превращению» Думенко в скрытого врага советской власти, только и ждущего случая для перехода к белым.

Как и Миронов, Думенко был человеком независимым, своими резкими манерами отталкивавшим от себя многих людей, его враги только и ждали удобного момента, чтобы скинуть его с поста. Возможность представилась, когда Думенко стал сотрудничать с комиссаром Микеладзе. Между ними установились добрые отношения, но после того, как в ночь со 2 на 3 февраля 1920 года комиссар был застрелен, Думенко и его штаб были обвинены в организации убийства. Знаменитый командир был прежде убит морально, потом, опозоренный, расстрелян. В результате ложного обвинения тридцатидвухлетний герой гражданской войны был казнен в ростовской тюрьме 11 мая 1920 года. До 1964 года он считался «врагом народа».

«Во время следствия по делу Думенко В. Трифонова на юге не было — он находился в Москве, как делегат IX съезда партии, и вернулся в Ростов лишь во второй половине апреля», — писал Ю. Трифонов в «Отблеске костра». Действительно, В. Трифонов, как член РВС фронта, руководил и Ревтрибуналом, находящемся в Ростове. Но документы судебно-следственного дела, проверенные историками, показывают, что никакой прикосновенности Трифонова к делу Думенко не было. Это «дело» создали член РВС армии А. Г. Белобородов и член РВС фронта И. Т. Смилга.

Созданный Трифоновым в 1965 году образ Думенко вызвал сенсацию. Автора забросали письмами, в которых об этом человеке отзывались по-разному. Ветераны гражданской войны, и среди них генерал Б. Колчигин, обвинили Трифонова в превращении Думенко в «идеального героя». Реакция Юрия была решительной. Он действительно нарисовал реалистичный портрет: «...Он был просто героем гражданской войны». И он мог с удовлетворением заявить: «Так или иначе добрая слава Думенко возвращена. Его именем названа улица в Новочеркасске». Трифонов был удивлен, что и ветераны, и новые историки были так яростны в своих спорах, как будто они «в атаку идут». Однажды Трифонов заметил философически: «Наверное, ничто не добывается с таким трудом, как историческая справедливость»[24].

Писатель осознал, что только время как высший судья высвечивает правду. В повести «Долгое прощание» он опишет свое страстное желание: «Правда во времени — это слитность, все вместе... Ах, если бы изобразить на сцене это течение времени, несущее всех, все!» Мы знаем, как Трифонова мучила мысль о том, что «время — таинственнейшая вещь, понять и вообразить его так же трудно, как вообразить бесконечность».

Он хотел, чтобы его читатели поняли, что «слепая нить времени» проходит через каждую жизнь. Он видел в этом «физическую силу истории». Говоря о времени как об одной из главных тем в своей литературной работе, Трифонов заметил, что он мог бы вынести слово «время» в заголовок многих произведений. Когда Трифонова однажды спросили, соответствует ли прустовский образ «утраченного времени» его представлениям, он ответил утвердительно. Однако заметил, что французский писатель изобразил одиночную судьбу, тогда как он пытается разобраться в русской истории, изображая разных персонажей[25].

Трифонов предпочитал описывать прошлое с точки зрения современности. Диалектика прошлого и настоящего так увлекала его, что он бесконечно мог разрабатывать эту тему. Своеобразные связи между прошлым и настоящим спровоцировали специфическое построение «Московских повестей». Его изображение влияния истории на современного человека придает больше глубины характерам персонажей. Он придерживался мнения, что «тот, кто не чувствует истории, не может узнать в современности то, что ей предшествовало, не может разобраться с современностью»[26]. Для трифоновских героев-идеалистов, которые живут в сегодняшней России, история революции — это убежище, которое дает им возможность, может быть только в их воображении, ухода от прозаичности повседневной жизни. Для них революционеры — «настоящие герои», потому что они знают, как человек «должен жить». Автор сказал об этом типе людей: «…был исполнителем… Исполнял волю собственной совести… гигантская сила»[27].

Трифонов считал, что его отец, Миронов, Сольц и любой подобный им человек поступают в соответствии с собственной совестью. В его произведениях конфликт часто разгорается между человеческой совестью и силами, стремящимися удовлетворить свои мелкобуржуазные интересы. Совесть — ключевой образ в авторском мировидении. Голос совести или голос правды часто слышится в его полифонических произведениях как своеобразный лирический аккорд. Герои, подавляющие в себе этот голос, поддаются враждебным силам.

§ 2. «Нетерпение»

В конце 60-х годов Трифонов женился на Алле Пастуховой, редакторе «Политиздата». Это издательство выпускало серию книг «Пламенные революционеры». Алла знала, что книги о народниках будут иметь успех. Среди русской молодежи был велик интерес к идеологии и методам борьбы, исповедуемым этими революционерами, обсуждали их и на Западе.

Когда «Политиздат» обратился к Трифонову с просьбой написать книгу об Андрее Желябове, легендарном руководителе движения «Народная воля», совершившем покушение на царя 1 марта 1881 года, тот воспринял это предложение без особого энтузиазма, но, возможно, под влиянием своей второй жены, начал понемногу собирать материалы о народниках. Это увлекало его тем больше, чем глубже он проникался атмосферой 70-х годов прошлого века. Документы, найденные им в исторических архивах Москвы, дополнялись материалами из его собственной библиотеки. Я своими глазами видела, какую богатую коллекцию воспоминаний, дневников, периодики имел Трифонов в своем распоряжении во время работы над романом. Автор обстоятельно изучал материал, использовав для книги более 450 источников, и это вызвало уважение историка Роя Медведева и немецкого писателя Генриха Белля[28].

В «Нетерпении» Трифонов описывает революционное движение народников, рассматривавших образование как необходимый шаг в просвещении крестьянства и повышении политического сознания. Наивысшего расцвета это движение достигло в 1874 году, когда молодые люди, в основном студенты, отправились в деревню учить народ читать и писать и одновременно распространять среди крестьян свои политические взгляды. Народники хотели мирной пропагандой утопических социалистических теорий превратить Россию в социалистическое аграрное государство, где крестьяне владели бы землей. Движение возникло как реакция на реформы Александра II, считавшиеся слишком умеренными. Народники верили, что крестьяне смогут стать движущей силой революции, если им предложить эффективную организационную структуру. Однако такое отношение к крестьянам со стороны молодых интеллектуалов, некоторые из которых происходили из дворянских фамилий, было подозрительно, непонятно и враждебно. Вмешалась полиция: наиболее активные из народников были арестованы, осуждены и сосланы.

Эти грубые репрессии спровоцировали резкую реакцию. С 1876 года народники пытаются использовать другие методы для достижения своих целей. Они учреждают общество «Земля и воля», создают разветвленную подпольную сеть, провоцируя массовые беспорядки, дабы расшатать государственные механизмы, организуют покушения на царя и других высокопоставленных чиновников. Вопрос о терроре как о методе революционной борьбы, однако, приводит к расколу. В 1879 году «Земля и воля» распадается на террористическую организацию «Народная воля» и не-террористическое крыло «Черный передел». Члены «Народной воли» приговорили царя к смерти, так как были уверены, что после успешного покушения на его жизнь возникнет новая либеральная Россия. Но царствование его преемника, Александра III, показало, что террористическая деятельность вызывает еще более тяжелый период жестокой реакции. Революционная верхушка была обезглавлена, а в среде либеральной интеллигенции исчезла вера в возможность коренного улучшения русского общества. Апатия, упадок духа, смирение множества интеллигентов правдиво отразились в чеховских произведениях.

Равнодушие русского народа, во имя которого приносились в жертву собственные жизни, тоже способствовало разочарованию среди народников. Роман «Нетерпение» заканчивается картиной огромной, молчаливой, равнодушной толпы во время казни покушавшихся на царя. Трифонов не выносит приговора, но показывает, как революционеры, вначале отвергавшие терроризм, «потому что народ не сможет понять и тем более принять этот путь», в итоге приходят к выбору политического убийства как способа ведения войны. Об этом ужасном методе сказано: «В том-то и ужас: убийство и кровь становятся обыкновенностью, бытом русского вольнодумца»[29]. В «Нетерпении» трагическая диалектика разуверившихся народников показана совершенно отчетливо. Потеряв надежду и отчаявшись, они отошли от пути мирной пропаганды и тем самым разрушили свои моральные принципы. Народников ввела в заблуждение их наивная вера в близость революции и готовность народа к ней. Писатель показывает это в изображении жарких споров, страстных речей и пламенных аргументов «нетерпеливых» революционеров. Сам Трифонов утверждал в разговорах, что члены «Народной воли» сами не понимали, что Россия не готова к осуществлению их целей. В результате этой ошибки они превратились в «группу террористов и бомбометателей, которые едва ли могли изменить социальный порядок»[.]

В «Нетерпении» эволюция «Народной воли» происходит в наэлектризованной атмосфере. Роман так увлекателен, что знакомые уверяли Трифонова в его способности писать детективы. Однако автор заявлял, что собирался показать в первую очередь психологическое состояние, образ мыслей и чувств молодых революционеров, чьими моральными качествами и преданностью делу он восхищался. Сам тип существования этих молодых людей можно охарактеризовать как «бескорыстие», и роману вполне можно было бы дать название «Бескорыстие», но в итоге он решил, что название «Нетерпение» лучше всего характеризует мироощущение революционеров, которых часто обуревало желание «подтолкнуть историю»[30]. Они мечтали превратить «больную Россию» в здоровую. Роман начинается так: «К концу семидесятых годов современникам казалось вполне очевидным, что Россия больна. Спорили лишь о том, какова болезнь и чем ее лечить?»[31] Общее разочарование в реформах и война на Балканах вынудили многих потерять надежду.

Впрочем, Трифонов неоднократно подчеркивал, что его роман злободневен: «Я... хотел написать современную книгу языком современного писателя... хотелось показать слитность времен»[32]. Наступившее разочарование из-за недостатка свобод после смерти Николая I (1855), «жандарма Европы», половинчатые реформы его наследников напоминают состояние русской интеллигенции после сталинской смерти. Впрочем, либералы нашего времени не могли ответить террором на репрессии брежневских времен, хотя 22 января 1969 года и произошло покушение на его жизнь[33]. Сопротивление интеллигенции в основном приобретало формы растущего диссидентского движения и эмиграции на Запад.

Трифонов использовал «эзопов» язык, чтобы показать сходство между умонастроениями русской интеллигенции прошлого и настоящего. Впрочем, он не скрывает своих чувств, когда описывает террористические методы, которые он безусловно осуждает. Во время создания романа в 1972 году он читал о Красных бригадах, группе Баадер-Майнхоф и прочих террористических группировках. Когда «Нетерпение» было опубликовано, многие западные журналисты спрашивали его, видит ли он сходство между русскими террористами прошлого века и современным терроризмом. Автор подчеркивал их принципиальную разницу. Террористы прошлого времени в Ирландии, Франции, Германии имели социальную мотивацию, их целью была антибуржуазная революция. Они жили с иллюзией, что могут изменить историю. «Кинь бомбу — и социальные отношения изменятся!» — вот их лозунг. Но история везде показывает, что террористы не приносят абсолютно никакого добра. Автор «Нетерпения» констатирует: «Своим романом я хотел доказать, что никакие справедливые социальные цели не могут быть достигнуты террором»[34].

Трифонов категорически осуждает современный терроризм как «бандитизм» и «гангстеризм». Он считает современных террористов людьми без моральных принципов или социальной вовлеченности. Они не испытывают уважения перед человеческой жизнью, терроризируя целые группы невинных людей, используемых в качестве заложников. Их цель — создать атмосферу страха в публичных местах, самолетах, поездах. Своих целей они пытаются достичь всеми имеющимися в их распоряжении средствами, не останавливаясь даже перед убийством собственных товарищей, как это произошло в случае с Ульрихом Шмюкером из банды Баадер-Майнхоф. Эти псевдореволюционеры размахивают флагом революции, но «в действительности являются выражением самого большого человеческого эгоизма». Трифонов считал преувеличенным интерес западных средств массовой информации к этим «современным демонам», признавал ужасным, что снимки террористов распространяются так, как будто они являются настоящими героями. Это потворствует их болезненной потребности в самоутверждении, провоцируя на новые террористические акты. Писатель считает, что террор должен быть лишен публичности. «Терроризм выродился в мировое шоу. Бесовщина стала театром, где сцена залита кровью, а главное действующее лицо — смерть. И есть подозрение, что это именно то, к чему террористы, сами того не сознавая, стремились». Современные террористы напоминали Трифонову анархиста Сергея Нечаева (1847—1882), изображенного в «Нетерпении» как фигуры явно демонической. Его фанатические взгляды обобщены в пресловутом «Катехизисе революционера», защищающем обман и убийство как действенные средства борьбы. Последовательная реализация этой теории привела к убийству одного из последователей Нечаева, студента Иванова, в Петровском парке в 1869 году. Суд над преступниками происходил в 1871 году в отсутствие Нечаева, бежавшего за границу. Только позже он был признан виновным и приговорен к пожизненному заключению в Петропавловской крепости. «Дело Нечаева» вызвало такую сенсацию, что побудило Достоевского написать роман «Бесы» (1871—1872).

Трифонов считал роман «Бесы» блестящей книгой, разоблачающей псевдореволюционеров, в частности Нечаева и его последователей. В Нечаеве революционный идеализм сменился дьявольским стремлением к власти. Фанатиком Нечаевым двигало не сострадание к обездоленным, как, например, членами «Народной воли», но стремление воплотить принципы маккиавелизма. Движимый безумной гордыней и полным презрением к товарищам, Нечаев, помешанный на власти, был воплощением зла. С точки зрения Трифонова, никто не описал его лучше, чем Достоевский в «Бесах». «Достоевский расщепил, исследовал и создал модель зла»[35].

Драматическая эволюция народников прослежена в «Нетерпении» через меняющееся отношение героев к Нечаеву. Вначале он осуждается ими как «иезуит революции», но постепенно между Желябовым и Нечаевым устанавливается род дружественных взаимоотношений. Лидер «Народной воли» даже навещает Нечаева в тюрьме. На самом деле этой встречи не было. Однако Трифонов считал, что в историческом романе «может быть место вымыслу», так как это создает «атмосферу подлинности», хотя как автор он старался по мере возможности придерживаться реальных событий и даже сохранил настоящие имена героев[36].

В романе, состоящем из двенадцати глав, повествователь, говорящий от третьего лица, по мере возможности избегает комментариев. Однако короткие главки, прерывающие ход повествования, содержат приговоры, произносимые разными голосами. Под заголовками «Голос», «Забытый голос», «Клио-72» и другие участники или свидетели народнического движения рассказывают о событиях после 1881 года. Клио-72, названная так по году создания романа, символизирует музу истории, следящую за общим течением событий и предвосхищающую современную точку зрения. Так, в конце первой главы говорится о желябовской казни. Этот лидер «Народной воли» — главный герой романа, в образе которого выведена целая галерея исторических лиц, среди них появляются даже писатели Толстой и Достоевский.

История Андрея Желябова начинается в первой главе, где описаны детство и юность сына крепостного из южной России. Андрей начинает осознавать несправедливость крепостничества в возрасте восьми лет, когда видит, как его тетку, красивую молодую женщину, заставляют «ходить» к помещику. Душераздирающий крик беззащитной крепостной проник глубоко в душу мальчика, и он дает клятву посвятить свою жизнь изменению судьбы угнетенного народа. Повзрослев, он приезжает в Одессу учиться в университете, где сходится с радикальными кружками. Как и его товарищи, он обвиняет: «Причина революционного движения — беспредельные страдания народа и его неудовлетворенность нынешними условиями существования». Желябовский лозунг «Помоги народу» звучит на собраниях, где у него сложилась репутация блестящего оратора. Власти арестовывают пламенного агитатора за его революционную деятельность и помещают в тюрьму в Петербурге. Андрей женится на Ольге, хорошенькой, музыкально одаренной дочери влиятельного либерального члена Одесского земства. Молодая пара страстно влюблена друг в друга, но Андрей полностью погружен в революционную работу, а любовь Ольги смешивается с состраданием. Однако, когда ее муж, одержимый идеей развязывания революционной войны, предпочитает мирной агитации террористические акции, между ними растет отчуждение, что в конце концов приводит к полному непониманию между когда-то очень близкими людьми. Ольга инстинктивно противится террору и остается вместе с маленьким сыном, когда Андрей уходит из дома. Но перед этим в Андрее происходит тяжелая изнурительная внутренняя борьба.

Изображение развала желябовской семьи Трифонов использует, чтобы показать степень насилия героя над его собственной натурой. С того момента, как Андрей покидает свою жену, он вступает на путь нелегального существования. Он ломает свою честную натуру, чтобы стать двуличным и даже отречься от собственного имени. Разрыв с Ольгой, таким образом, имеет символическое значение. Трифонов видит в этом конец желябовской личной жизни: «Он преступил через личное, стал на путь самопожертвования, револю-ции»[37]. Драму женитьбы героя, о которой исторические источники не говорят почти ничего, автор использует как отправную точку его истории. Когда историки укоряли Трифонова: «Не доказано, что было», он парировал: «Не доказано, что не было»[38]. Личность Желябова претерпела такие изменения, что сделала его чужим для собственной жены: «Он не мог вернуться к Ольге, как не мог вернуться к себе старому».

Желябов идет к своей цели хладнокровно, упорно, неумолимо, фанатично. Некоторые товарищи упрекают его в стремлении к са-моутверждению, в желании стать «новым Пугачевым», но автори-тетный руководитель «Народной воли» не разрешает себе увлекаться кем-то или чем-то в своей революционной борьбе. Эта сила, движу-щая им, столь сильна, что он говорит Перовской: «Знаешь, Соня, ничто не может помешать нам. Даже если мы сами себе попытаемся помешать». Нерушимая вера в свои действия в интересах людей не дает членам «Народной воли» бояться даже смерти. Презрение к смерти — одна из важных черт желябовской неустрашимой нату-ры. Он может хладнокровно наблюдать смерть товарищей, так же спокойно он смотрит в лицо собственной смерти: «Он даже думал о посторонних вещах, практически до конца... он копал вниз к дну, к последней черте. И он видел эту черту. Он говорил вполне спокой-но, как они его повесят и даже описывал свою казнь».

Движимый чувством нетерпения, Желябов пытается изменить ход истории, тщательно планируя покушение на царя. Как Дон-Кихот, он убеждает своих товарищей: «История движется слишком медленно. Ее нужно подстегивать. Иначе нация выродится». И Желябов, который начал с того, что «учил людей», пришел «к вы-воду, что он должен учить историю, что ей делать»[39]. Но хотя исто-рия может покарать его за высокомерие, она дает ему еще один шанс — он будет арестован за несколько дней до покушения на Александра II и не примет участия в убийстве, главным организато-ром которого он был. Однако он требует, чтобы его судили как участника покушения и умирает вместе со своими товарищами на эшафоте 3 апреля 1881 года. Позади него стоит Софья Перовская, первая русская женщина, приговоренная к смертной казни за поли-тическое убийство. После многих сомнений Софья, двадцатилетняя студентка, решает вступить в «Народную волю». Аристократка по рождению, дочь бывшего генерал-губернатора Петербурга, она при-шла в революцию из-за «ненависти к деспотизму», который видела всюду вокруг себя — и дома, и в обществе. Маленькая, худенькая, незаметная девушка, почти ребенок с «наивным маленьким лицом», Софья удивляет всех своим бесконечным мужеством, хладнокровием и целеустремленностью. Сперва только Желябов заметил необычайно сильную личность Софьи. С самого начала проникающий пристальный взгляд этой хрупкой девушки произвел на Желябова сильное впечатление. Двое молодых людей сошлись очень тесно, и между ними разгорелась страстная любовь. Софья становится главным помощником Андрея, она заменяет его после ареста, становится «рукой судьбы» и подает сигнал к покушению на царя.

Перовская — настоящая героиня романа, в котором появляется еще так много революционерок: Вера Фигнер, Геся Гельфман, Анна Корба. Трифонов глубоко изображает личности этих героинь, тем самым продолжая тургеневскую традицию. Тургенев обессмертил тип женщины-революционерки в ряде своих романов, за что участники «Народной воли» были очень ему благодарны. Стихотворение «Порог» (1878) производило на них чрезвычайно сильное впечатление. Они считали это стихотворение в прозе памятником революционной молодости, которую Тургенев назвал «святой». Вместе с прокламациями «Народной воли» это стихотворение разбрасывали на похоронах Тургенева в 1883 году. Автор написал «Порог» под влиянием Веры Засулич, покушавшейся на жизнь генерала Ф. Трепова 24 января 1878 года. Это покушение положило начало волне политических покушений. Тургенев, либерал, инстинктивно сторонился террористических актов, но был поражен огромным самопожертвованием и моральной силой юных революционеров. В «Пороге» он разворачивает революционное действие в форме диалога между скучным голосом судьбы и ярким голосом неустрашимой девушки-революционерки. На вопросы, заданные ледяным голосом — непроницаемым, мрачным, перечисляющим все грядущие беды, безымянная девушка дает окончательный ответ. Она знает, что ее ждет: «Холод, голод, ненависть, насмешки, презрение, оскорбления, тюрьма, болезнь, одиночество, преступление и, наконец, смерть». И когда девушка переступает порог, отделяющий ее от нормальных людей, голос восклицает: «Глупая!», тогда как другой голос говорит: «Святая»[40].

В романе «Нетерпение» Тургенев упоминается мимоходом в связи с рассуждениями о русском крестьянстве. Тем самым Трифонов показывает, что ему не очень интересен автор «Накануне» (1860). Он говорил мне, что этот роман не произвел на него сильного впечатления, он находил его слишком «романтическим», а манеру письма «старомодной»[41]. Несмотря на это, «Накануне» явно можно считать одним из источников романа Трифонова. Впервые в русской литературе Тургенев изобразил молодую революционерку: она порывает с аристократической средой, чтобы помогать болгарину Инсарову в борьбе за освобождение его родины от турецкого ига.

Любовь играет в романе решающую роль. Подобным же образом Трифонов считает, что большая любовь Софьи к Андрею дает ей силы продолжать борьбу после его ареста. Однако трифоновский строгий реализм существенно отличается от тургеневского поэтического изображения любви. Это проявляется в изображении первой близости между Софьей и Андреем: «И в этой комнате была любовь, не имеющая ни прошлого, ни будущего, ни надежды, ни рассвета. Отделенная ото всех, она была, как снег, и судьба ее была судьбой снега — растаять».

Под влиянием своей любви оба лидера «Народной воли» превращаются в чувствительных, нежных людей, желающих быть вместе и в жизни, и в смерти. Вместе они принимают смерть, но перед тем, как приговор произнесен, Софья с восторгом слушает страстное обращение ее возлюбленного к суду. Перед переполненным залом Андрей провозгласил: «Крещен в православии, но православие отрицаю, хотя сущность учения Христа признаю... Я признаю, что вера без дела мертва и что всякий истинный христианин должен бороться за правду, за права угнетенных и слабых, и, если нужно, то за них и пострадать: такова моя вера». Желябов был убежден, что, как «учитель из Назарета», он приносит себя в жертву во имя человечества.

Желябов внезапно почувствовал тесное родство с Достоевским и неожиданно присоединился к погребальной процессии 3 февраля 1881 года. Вначале он враждебно относился к автору «Бесов», проповедовавшему, что «суть русской революционной идеи лежит в отрицании чести». Позже Достоевский скажет, что это важнейшая черта всех русских. Но для Желябова значение революционеров и заключается в том, что они возрождают чувство чести в людях. Более того, он укорял Достоевского в «незнании современных молодых людей». Только после смерти Достоевского Желябов вспоминает революционную молодость писателя, сказавшего ему, что он «старый нечаевец». В «Нетерпении» Трифонов показывает, как к Достоевскому возвращаются воспоминания о его революционном прошлом, когда он присутствует при казни террориста Млодецкого, приговоренного к смерти за покушение на жизнь министра Лорис-Меликова: «Писатель Федор Достоевский внезапно увидел себя, но не в будущем, скором или дальнем, а в прошлом, почти забытом, никогда не забываемом». Достоевского поражает «нечеловеческое спокойствие» осужденного человека, и, когда Млодецкий покидал земной мир с криком «Я умираю за вас», Достоевский ощутил острую вину, будто он услышал голос Алеши Карамазова, который «мог крикнуть именно эти слова».

«Конец страданий» — это цель, к которой стремятся и Достоевский, и Желябов, но если автор «Братьев Карамазовых» хочет достичь этого покорностью, то Желябов убежден, что человечество не обладает такими запасами терпения. Толстой тоже отрицает террористические действия «Народной воли». Он называет их «богохульством», но тем не менее в длинном письме новому царю просит о помиловании для покушавшихся на царя, включая и Желябова, заявившего суду в своем заключительном слове, что он сможет отвергнуть терроризм, когда изменятся социальные обстоятельства. Но толстовская мольба за подсудимых была отклонена.

В создании исторических фигур Трифонов мог легко подчеркнуть только их героизм, но он хотел, чтобы читатели видели в зеркале истории и в различных характерах свои собственные проблемы, конфликты, мечты, надежды, разочарования, успехи, страдания и т. д. Мужество перемежается с малодушием, героизм с мелочностью, самопожертвование с эгоцентризмом, скромность с высокомерием, честность с лживостью. Народники вовсе не были однородной массой, как их представляла официальная советская историография. Трифонов стремился изображать каждого из них как индивидуальность со своим характером, достоинствами и недостатками. Жизнь показывает, что полной погруженности в идею или дело вовсе не достаточно, если не обладаешь моральной силой для ее реализации. Мы видим это в отношении некоторых членов «Народной воли» к покушению на царя. Схваченные секретной полицией, многие из них оказываются слабыми и безнадежно наивными. Измученный страхом смерти, Русаков, бросивший фатальную бомбу в царский экипаж, предал своих товарищей, чтобы спасти себе жизнь. В обмен царская полиция обещала ему свободу. Даже на эшафоте девятнадцатилетний Русаков все еще верил в свое освобождение.

Импульсивный Гриша Гольденберг тоже дал поймать себя в полицейскую ловушку. Сильного Гришу не смогли бы сломить даже пытками, но он не был готов к «мягким» методам допроса. Полиция, конечно, пыталась получить признание террориста, покушавшегося на жизнь харьковского генерал-губернатора князя Кропоткина, но Гриша поверил «обаятельной» манере генерального прокурора Добржинского. Тот обращался с ним «понимающе» и незаметно выудил у него нужную информацию о тактике террористов, изложенную даже в письменном виде. Добржинский умело сыграл на самолюбии молодого человека. Он заставил его поверить, что тот один сможет остановить кровопролитие, помогая достичь примирения между властями и террористами. Добржинский убедил Гришу, что тот совершает предательство «во имя величайшего дела».

Убежденный в своей исторической роли единственного спасителя русского народа, Гриша начинает исступленно рисовать себе апокалипсические образы. Он — «мессия», спустившийся с небес, дабы примирить враждующие лагеря. Революционеры становятся жертвами его самовозвеличивания, корни которого кроются в его болезненной гордыне. Его товарищи уже замечали в нем эту черту. Гольденберг любил вставать в позу «героя» революции. Он мог хвастать, что «во всей России вряд ли найдется человек, более Гришки Гольденберга прикосновенный к революционной кухне». Герой мечтает о создании «музея исторического материала» и о том, как этому музею будет подарено его, Гришино, использованное оружие. Члены «Народной воли» описывают его точно: «Гриша говорил обо всем глубоко и отчаянно, но производил меньше всего впечатления. Все было хрустящим и сверкающим, как фейерверк. Слова "кровь", "месть", "казнь", "суд" так и слетали с его уст».

Видимо, сознание террориста было так отравлено гордыней, что он превратился в Иуду «Народной воли». Когда старые товарищи приводят его в чувство, доказав ему, что он «полный идиот», сыгравший роль «палача», Гольденберг сходит с ума. Мысль, что внезапное понимание неприглядной правды о себе может привести к сумасшествию и даже к самоубийству, Трифонов иллюстрирует фактом смерти молодого человека. Сломленный ужасающей реальностью своей непоправимой вины, Гриша ищет последнего спасения в длинной письменной исповеди, адресованной «друзьям, приятелям, товарищам, знакомым и незнакомым честным людям всего мира». В завершение признания Гриша теряет всякое желание жить и кончает жизнь самоубийством. Когда царь узнал об этом, он отреагировал на это так: «Очень жаль!» Но соратники по «Народной воле» вздохнули с облегчением, потому что «казнь совершилась». Единственный комментарий повествователя: «На суде от несчастного предателя останутся одни бумажки». В противовес экстравертированному, шумному, эгоцентричному Гольденбергу выведен скромный замкнутый Николай Клеточников. Тем не менее этот тихий человек наряду с Желябовым оказывается настоящим героем «Народной воли». Его действия превосходят все ожидания его товарищей. Он становится одним из чиновников Третьего отделения полиции. Эту работу он находит через племянника вдовы, на которую Клеточников произвел сильное впечатление. Ничто, однако, не предвещало этому человеку из Симферополя такую опасную жизнь. После преждевременной смерти родителей он прервал учебу в Медико-хирургической академии и начал вести бродячую жизнь, хотя придерживался строгого образа жизни. Он не курил, не пил, избегал шумных компаний, предпочитая чтение философских трудов. Выглядел Клеточников, как монах. Он жил в большом доме, по соседству со студентками, с которыми он встретился в Ялте. Девушки вытащили не располагающего к себе человека из провинции, он приехал в Петербург «изменить свою участь», примкнул к революционному движению. Михайлов, один из руководителей «Народной воли», убедил Клеточникова найти работу в Третьем отделении, где бы никто не знал о его двойной игре. Тот умело втерся в полицейскую организацию, стал отличным чиновником, в котором есть «что-то вазелиновое, позволяющее скользить и проникать».

Повествователь сатирически изображает атмосферу в секретной полиции. Так, он показывает первый визит Клеточникова к начальнику. Странный человек не способен вести обычный разговор. Его беседа превращается в «дознание», развивается «неприятно-многозначительно». Спрашивающий имеет одну цель: разоблачить, проникнуть предательски в мысли человека, с которым он имеет дело. Господин Кириллов кажется абсолютно безжизненным: бескровный», «мертвенный», «бесцветный», «подземный», «бледный» — эти эпитеты используются для его описания. Он производит отталкивающее впечатление на Клеточникова.

У другого офицера, Соколова, внимание привлекают безжизненные глаза. В «Московских повестях» Трифонов сравнит бесстрастный, ледяной, бесчеловечный взгляд героя со взглядом шпика, но такие фантастические портреты у писателя встречаются редко. Соколов останавливает свои выпуклые глаза на заключенном Желябове, и тому становится не по себе: «Андрей никогда не видел людей с глазами как у тюремщика, они были самой безжизненной и неподвижной частью лица. Андрей поглядел в его глаза. Да, там был отблеск жизни, но какой-то странной, отталкивающей жизни каких-то амфибий или тритонов». Характерным для секретных агентов оказывается их умение меняться. Так Добржинский внезапно превращается из «обаятельного» господина в «другого человека» с «новым холодным блеском в глазах». Коварство обнаруживается в том, что глаза эти «похожи на кошачьи». Это слово используется, чтобы описать технику допроса Лорис-Меликовым. Портрет этого министра напоминает Сталина: «Граф был темным кавказцем с большими висящими черно-седыми усами. Он был похож на кота. И говорил он по-кошачьи…»

Безжалостность и неумолимость государственной полиции резко контрастирует с нерешительностью и непостоянством царя. В «Нетерпении» Александр II изображается как человек странный, сентиментальный, постоянно сомневающийся, неспособный принять радикальные решения. Повествователь замечает с юмором: «Царь сомневался и намеревался сомневаться еще долго». Нерешительность императора, не доверяющего даже собственным сыновьям, поразила все его царство. Это было замечено и террористом Халтуриным, проникшим в Зимний дворец в феврале 1881 года, чтобы совершить покушение на Александра II. Царь, однако, остался невредимым. Как ему и было предсказано гадалкой в Париже в 1866 году, он пережил семь покушений, но восьмое стало для него роковым. Александр II поделился этим со своей молодой любовницей Екатериной Долгорукой. Пара, имеющая маленькую дочь, мечтает пожениться, но только после смерти законной супруги Марии Александровны им удается соединиться.

Трифонов, читавший дневник царя и его преемников, предпочел изобразить Александра II в интимном семейном кругу. Проницательный писатель повседневной жизни, он искусно вводит нас и в жизнь двора, и в жизнь революционеров. Так он рисует идиллическую жизнь царя с любовницей на юге России. Тот счастлив. Дела государства тяжко давят на него, и он мечтает о возможности омоложения с помощью какого-нибудь волшебного эликсира. Царь очень суеверен и всегда находится под властью каких-либо предзнаменований. В этом он поощряется всеми. Когда 1 марта 1881 года Александр нерешительно раздумывает, «пойти или не пойти» на военный парад, его молодая жена, обуреваемая опасными предчувствиями, умоляет его не ходить. Его министр, Лорис-Меликов, пытается уговорить царя, только что подписавшего указ о выборных людях, не выходить из дворца, потому что боится покушения, но повествователь лаконично замечает: «Страх стал для Петербурга таким же привычным, как сырой климат».

В итоге царь все же принимает роковое решение — присутствовать на параде, в этом его поддерживает жена брата, так как ее сын впервые принимает участие в параде. После парада царь отправляется на чаепитие в приятной компании великой княгини Екатерины Михайловны. По пути домой его убивают роковой бомбой, брошенной террористами, не знающими ни страха, ни сомнений. Революционная цель не была, впрочем, достигнута: «Громадная российская льдина не раскололась, не треснула и даже не дрогнула. Впрочем, что-то сдвинулось в ледяной толще, в глубине, но обнаружилось это десятилетия спустя» [42]. Так говорит голос Клио-72, описывая драматический конец участников «Народной воли». Только некоторые из них остались живы. Одним из них был Окладский, служивший тайным осведомителем полиции до 1917 года. В 1925 году он был арестован и осужден судом под председательством Арона Сольца.

Неизвестно, узнал ли Трифонов от Сольца что-нибудь о «Народной воле», или ограничился теми материалами, которые долго изучал в Государственном Центральном архиве на улице Пирогова. Автор «Нетерпения» приводит своих читателей в архив одним солнечным августовским днем и показывает им подлинные предметы, которые были использованы Андреем Желябовым во время неудачного покушения на царя в Александровске. Когда он изучает материалы, он слышит звук троллейбуса, идущего на стадион. Сегодня и вчера перекрещиваются и побуждают автора и его читателей думать о ходе истории. Но вне зависимости от того, какие связи может найти современный читатель, для Трифонова прошлое — ценный источник, так как в нем он обнаруживает нравственные ценности, столь нужные сегодня. Беззаветное служение делу политической, социальной, экономической и духовной свободы было неотделимой частью революционной этики. Это соответствовало трифоновскому пониманию этических норм, это же приводило его к отрицанию террора в любой форме.

Глава вторая. БЫТ КАК ИСПЫТАНИЕ

§ 1. Пассивное сопротивление

Когда в 1966 году Трифонов стал сотрудничать с «Новым миром», начался новый период в его литературной работе. Сам писатель считал, что в его повествовательной технике появилось нечто новое, — попытка выразить «в кратком бесконечное». В этом он следовал чеховскому правилу: «Надо писать просто: о том, как Петр Семенович женился на Марье Ивановне. Вот и все»[1]. В своих зрелых произведениях Трифонов описывает обычные события повседневной жизни, то, что называется «бытом». Как только «Московские повести» («Обмен», «Предварительные итоги», «Долгое прощание», «Другая жизнь», «Дом на набережной»,) стали известными, автор приобрел славу отличного «бытописателя», хотя сам он редко использует слово «быт» в своих книгах. Его раздражало, когда критики употребляли слово «бытописатель», подчеркивая социальное значение его произведений и не замечая их художественных достоинств. «Я пишу не о "быте", а о человеческой жизни», — негодующе говорил мне Трифонов[2].

Ясно, что трифоновская концепция быта претерпела значительные изменения. В 1972 и 1976 годах он так высказывался по этому поводу: «В то время я еще терпел это слово, оно не раздражало меня так сильно». В 1976 году проблема быта как одна из важнейших в современной русской литературе активно обсуждалась на Шестом съезде советских писателей, и Трифонов обратил внимание на сложность этого «резинового» эмоционального слова, которое, в зависимости от обстоятельств, используется то «в виде спокойной информации», то «в виде упрека, осуждения или даже насмешки».

С его точки зрения в русском языке больше нет слова столь загадочного, многозначного и непостижимого: «...недаром ни в одном языке такого понятия не существует, и перевести слово "быт" невозможно... Иностранцы, по-видимому, сделают вывод, что таинственный "bit" — какая-то особая форма русской жизни»[3].

Полемика о понятии «быт» имеет долгую традицию в истории русской литературы. Спор начался еще с Пушкина, которого укоряли за слишком прозаическое изображение реальности. Его как художника обвиняли в том, что он использует материал, лежащий за пределами настоящей литературы. Совершенно не ценилось, что реалистическое изображение «быта» может вдохновить на создание высокохудожественных произведений. Когда Гоголь, в свою очередь, погрузился в изображение жизни обычного человека, его тоже упрекали в том, что это не материал для художника. Толстой и Достоевский также обращались к «быту», но он для них был звеном в цепи проблем жизни и смерти. Когда в конце прошлого века появились произведения Чехова, проницательного наблюдателя «быта», ему тут же навесили ярлык «бытописателя». Символисты полностью отрицали этот аспект чеховских рассказов и пьес. Проблема «быта» вызвала жесткую полемику в художественном мире начала века. Во время революционных изменений чуть ли не каждый писатель говорил о создании нового быта, отделенного от банальной повседневности. Этот конфликт между старым и новым бытом бушевал в двадцатые годы. Многие художники задавали вопрос, в какой степени должен меняться художник под влиянием нового социального устройства. Произведения таких влиятельных писателей, как юморист М. Зощенко, философ М. Булгаков, романтик Ю. Олеша иллюстрируют мысль, высказанную Трифоновым в семидесятые годы: «Человеческий характер не меняется так быстро, как города и русла рек»[4].

После революции первым писателем, изобразившим ежедневный круг обычной жизни, был Зощенко. С блистательным чувством юмора и редкой иронией он описал в своих маленьких рассказах беды маленького человека, не слишком хорошо понимающего, что такое «новый быт». Превосходный мастер интонации, этот художник оказал влияние и на трифоновский стиль. Трифонов также восхищался Булгаковым, показавшим, как в московский «быт» проникли дьявольские силы, хотя сам он не верил в дьявола. Олеша, чье отношение к новому быту было иронически-романтическим, не привлекал Юрия так сильно[5].

Во время сталинской диктатуры споры о быте прекратились. Глубокому анализу проблем частной жизни не было места в «лакировочной» литературе. Создавалась литература «безбытная». Но как только закончился период тирании, «быт» вернулся на литературную сцену в произведениях В. Аксенова, А. Битова, Д. Гранина, И. Грековой, С. Крутилина, В. Пановой, С. Залыгина. Трифонов, впрочем, обращается с «бытом» в чеховской традиции. Он тоже изображает период стабилизации русской жизни. Его герои могут только вспоминать грандиозные битвы, но Трифонов обнаруживает в повседневной жизни такие силы, которые вынуждают героев каждый день вести все новые и новые маленькие войны. В 1972 году писатель так описал этот феномен: "Быт" — это великое испытание. Не нужно говорить о нем презрительно как о низменной стороне человеческой жизни, недостойной литературы. Ведь "быт" — это обыкновенная жизнь, испытание жизнью, где проявляется и проверяется новая, сегодняшняя нравственность»[6].

Благодаря трифоновским произведениям мы получаем возможность проникнуть в глубь проблем, перед которыми стоят советские горожане. Использование специфической «бытовой лексики», отражающей тревоги, связанные с жильем, едой, отсутствием модной одежды, карьерой и т. д., создает мощное впечатление. Как писатель интеллигенции Трифонов предпочитает касаться проблем, с которыми сталкиваются интеллектуалы Москвы. Основным героем чаще всего оказывается человек средних лет, не ладящий со своими близкими, от которых ему хочется убежать. Сломленный чеховский интеллигент страдал от ужаса ежедневной банальности, о которой говорил: «Мне страшна главным образом обыденщина, от которой никто из нас не может спрятаться»[7]. В противоположность герою Достоевского, который живет со своими полными страха видениями в пограничном мире, герой Трифонова угнетен повседневностью. Трифонов замечал, что одну из своих зрелых повестей он писал как обвинение «ужасу обычной жизни, с которой мы можем никогда и нигде не примиряться, но должны жить всегда»[8].

Повседневность для рефлексирующих трифоновских интеллектуалов — источник бесконечных напряжений, конфликтов, споров, непониманий, бед, болезней. Ему кажется, что единственным спасением от всего этого является путешествие. Так думает персонаж рассказа с символичным названием «Путешествие» (1969). Когда герой-журналист однажды апрельским утром размышляет о своей жизни, он внезапно испытывает страстное желание вырваться из привычного московского окружения. Он измучен бессонницей, болью в груди, ощущением, что его мозг «обескровел», ему кажется, что он близок к удушью. С отвращением анализирует он свое окружение: «...если я не вырвусь завтра же из этой клетки, из сухой штукатурки... лакированных книжных полок... жидкого чая, газет, разговоров, звонков, квитанций, болезней, обид, надежд, усталости, милых лиц — я умру»[9]. Эта жесткая реакция на окружающее, поглощающая все силы души, похожа на приступ гнева у Гурова в «Даме с собачкой»: «...и в конце концов остается какая-то куцая, бескрылая жизнь, какая-то чепуха, и уйти и бежать нельзя, точно сидишь в сумасшедшем доме или в арестантских ротах»[10]. Гуров тоже надеется на путешествие как способ убежать от привычного, но мы знаем, что причина его неудовлетворенности — «тайная» любовь к Анне Сергеевне.

Конечно, мы ничего не знаем о частной жизни героя «Путешествия». Женат ли он? Есть ли у него дети? Нам известно только, что его беды стали причиной «вегетативного невроза» и что он живет на шестом этаже многоквартирного дома. Мы не знаем точно, чем он занимается как журналист, хотя есть намек, что он пишет репортажи с промышленных предприятий. Но машины его больше не интересуют, и по этой причине он отказывается от командировки. Он хочет «изучать людей», чтобы попытаться через проникновение в их внутренний мир понять свои собственные конфликты. Для этого вовсе не обязательно ехать в далекое путешествие: «Это вы найдете где угодно», — говорят ему в газете. Ничего не решив, он возвращается домой. Когда он идет по улице, глядя на густую толпу, то впервые осознает, что не знает свой родной город, родной район. Придя домой, он случайно проходит мимо зеркала: «...мелькнуло на мгновение серое, чужое лицо: я подумал о том, как я мало себя знаю»[11].

Открытый финал рассказа становится началом «Московских повестей», в которых важнейшим элементом содержания оказывается самонаблюдение лишенного иллюзий интеллектуала. Он пытается понять свою личность и причины своих поступков с помощью глубокого самоанализа. Главный герой приходит к печальному выводу, что, будучи человеком среднего возраста, он достиг мало или ничего из того, о чем мечтал в юности. Сломленный герой Трифонова задает себе мучительный вопрос: как он сможет продолжать свою жизнь, что ему делать? На вопрос: «Кто виноват?» в повестях даются самые разные варианты ответов. Часто во всех бедах обвиняются окружающая среда или «быт»: «...Не надо искать сложных причин! Все натянулось и треснуло оттого, что внезапно напрягся быт», — считает Геннадий Сергеевич, главный герой «Предварительных итогов» (1970)[12]. Под тяжестью повседневности он преждевременно стареет, страдает от множества психологических и физических недугов. Трифонов проникает в его внутренний мир, как виртуозный психиатр, показывающий, как сложно провести черту между физическим и психическим состоянием. «Я плохо зарабатывал, было туго с заказами, и я болел», — говорит Геннадий Сергеевич. Он успокаивает себя мыслью: «У нас есть некоторое оправдание: мы люди больные»[13].

Трифоновские герои всегда заболевают, когда оказываются в трудной ситуации. Они пытаются бороться с сердечными недомоганиями, гипертоническими кризами, вегетативными неврозами, припадками слабости, лихорадкой, применяя все виды лекарств. Но настоящие названия их болезней, как догадывается читатель, другие. Апатия, пессимизм, вялость, невроз, общая усталость — вот что характерно как для трифоновских, так и для чеховских героев. Трифонов сам признавал это сходство, когда утверждал, что мысли и чувства героев Чехова очень современны, несмотря на большие изменения, произошедшие в мире[14].

Усталость, витающая в атмосфере конца века, была понятна: приходящее в упадок дворянство было поражено ленью и скукой. Трифоновские же герои существуют в условиях динамичной городской жизни и тем не менее удивляют своей меланхолией и унынием. Как и чеховским героям, трифоновским не хватает необходимых сил, чтобы признать: уже сама жизнь награда. Неудовлетворенность окружающим типична для лишенной иллюзий современной русской интеллигенции. Пассивное сопротивление этой социальной группы обсуждалось в русских средствах массовой информации в течение ряда лет. Так, в 1985 году много откликов вызвала опубликованная в «Советской России» статья «Новый Обломов?». В статье говорится о том, что многие выпускники ведущих вузов страны после окончания учебы не идут работать по специальности, а устраиваются сторожами, лифтерами, только чтобы избежать обвинений в тунеядстве. К этому их приводит разочарование в окружающей действительности.

Как и Обломов, современный интеллигент страдает апатией и равнодушием. Обломов не находит смысла в жизни из-за отсутствия подходящего занятия, и понятие «обломовщина» в России стало синонимом застоя, пассивности и бездеятельности. Впрочем, во времена Гончарова критик Добролюбов придавал этому понятию более широкое значение, применяя его к любому человеку, не исполняющему честно своих обязанностей, добровольно выбранных или навязанных ему обществом. Добролюбов писал об этом пороке обломовых, не знающих, как взяться за дело, но старающихся скрывать это от внешнего мира: «Это значит, что все, о чем они говорят и мечтают, — у них чужое, наносное; в глубине же души их коренится одна мечта, один идеал — возможно — невозмутимый покой, квиетизм, "обломовщина"»[15]. Если трактовать понятие «обломовщина» так расширительно, как это сделал Добролюбов, то окажется, что оно применимо не только к герою-идеалисту, страдающему от «обломовщины», но и к армии бюрократов, запрещающих и подавляющих всякую новую инициативу. Об этом же говорил и профессор психологии А. Асмолов, принявший участие в дебатах об обломовых. Он охарактеризовал этих чиновников как «роботов, чьи лица превратились в маски», душащих любую инициативу. В то же время он упрекнул разочарованных интеллигентов в том, что они слишком заняты собой и обвиняют других в своих неудачах. Писатель Александр Рекемчук обвинил даже всю советскую систему, поощрявшую ненависть по отношению к талантливым людям, которые «из-за творческой дерзости призывают пересматривать существующие порядки и нормы», вследствие чего «спокойное существование» некоторых социальных групп нарушается. Когда же под давлением установленного порядка новаторские силы сдавали свои позиции, они именовались «ренегатами, трусами или паразитами», а причины явления моментально затушевывались. Но даже Рекемчук считал, что были идеалисты, которые в самых «сложных обстоятельствах» достигали победы, и поэтому он предлагал разочарованным интеллигентам «пересмотреть и переоценить многое в себе самих»[16].

Трифонов никогда не употреблял слова «обломовщина», но часто показывал, как разрушительны действия чиновников, в своих собственных интересах стремящихся сохранить существующую систему. Трифоновские герои никогда не обращались к любимому герою Гончарова, но они упоминают дядю Ваню и профессора Серебрякова. Надо напомнить, что последний — это тип псевдоученого, пишущего об искусстве двадцать пять лет и ничего в нем не понимающего. Дядя Ваня, чувствительный человек, разобрался в этом интеллектуальном маскараде слишком поздно, когда уже посвятил большую часть своей жизни фальшивому идолу.

Другая важнейшая тема зрелой прозы Трифонова — духовная инерция псевдоинтеллигенции. В противоположность чеховскому времени, это явление получило большее развитие в советский период. Погоня за университетским дипломом идет не только вследствие мощного развития науки и техники, но и потому, что диплом дает материальные преимущества. Кандидатский диплом превращается в нечто престижное, он дает большую квартиру, более быстрое продвижение по службе, лучший круг общения, желанные путешествия и так далее. Борьба за обладание степенью часто иронически и язвительно описывается в произведениях Трифонова. «Ученый», обладающий в основном «энергией действия», точно знающий, как проскользнуть через университетское сито, — такой карьерист, названный Трифоновым «джентльменом удачи», готов к любому компромиссу с любым режимом. Для него цель оправдывает средства. Человек, тратящий все свои силы на создание и укрепление нужных связей, просто не имеет возможностей для самостоятельной научной работы. На языке деляг это значит «жить как все». Тех, кто не плывет по течению, но пытается сопротивляться ему, считают «мечтателями», «фантазерами», «чудаками», «не умеющими жить».

Трифонов срывает маски с псевдоинтеллектуалов с их абсурдным желанием приобщиться к интеллигенции, более всего мечтающих о материальном комфорте. Он показывает их потребительскую сущность, все шире распространяющуюся в современной жизни. Мелкобуржуазные элементы прочно укореняются в ней, но автор не любит, когда применительно к его книгам употребляют понятие «мещанство». Как и в случае со словом «быт», он считает, что критики употребляют его, чтобы «загнать его в рамки». Тем не менее он снова и снова описывает мелкобуржуазность с ее эгоизмом, бездушием, разнузданным словоблудием.

Настоящие интеллигенты часто оказываются бессильными перед могуществом псевдоинтеллектуалов, которые «устраиваются в жизни идеальным образом» и для которых «быт» не испытание, а вид спорта. В повседневной борьбе слабовольные интеллектуалы страдают от нерешительности и недостатка жизненных сил. Трифонов обнаружил самые болезненные точки современной интеллигенции. Он был убежден, что настоящий интеллигент — это носитель духовных и интеллектуальных сил, имеющих важнейшее значение для человеческого общества. Беззаветная преданность идее, делу, окружающим были, помимо хорошего образования, отличительными чертами русской интеллигенции девятнадцатого века. Трифонов был уверен, что «эгоизм исчезает там, где возникает идея». Для него такие фигуры, как Дон-Кихот, Гамлет и дядя Ваня символизировали «бунт против эгоизма», который он считал «самой старой из всех человеческих болезней». Автор видел в эгоизме движущую силу большинства человеческих поступков, причину почти каждого конфликта. Он соглашался с Толстым, который в свое время замечал: «Нынешнее устройство общества поддерживает эгоизм людей, продающих свободу и честь за маленькие материальные выгоды». Для Трифонова современный эгоизм был помимо всего прочего «приспособлением для устройства "Ego"». Он видел серьезную опасность для человеческих отношений именно в эгоизме, бурно развивающемся в потребительском мире. Это угроза не только искренним человеческим отношениям, но также человечности, о которой Трифонов говорил, что она — кислород, позволяющий человеку жить[17].

«Мир выживет благодаря альтруистам». Это было убеждением Трифонова. Но современная интеллигенция не может больше выполнять своей традиционной альтруистической роли. Страдая от болезни бессилия, она предала этические принципы и позволила себе заразиться потребительством. Правда, за всю историю своего существования русская интеллигенция имела возможность подтвердить свою способность победить быт. Ее «дух» был в состоянии побеждать «материю», но, как заметил критик Л. Аннинский, «реализоваться духу более негде, как в реальности обстоятельств, в "соре" повседневья». Изобразив эту драму, Ю. Трифонов занял уникальное место в современной русской литературе[18].

Многим эмигрантам было знакомо такое состояние трифоновской разочарованной интеллигенции. Это выразил критик И. Померанцев: «И вместе с героями Трифонова ты начинаешь задыхаться, и руки твои непроизвольно начинают расстегивать верхнюю пуговицу на рубашке. Такая жизнь невозможна. Она душит. Мы можем понять сами себя. Трифонов говорит нам об этом. Но как мы будем жить?»[19]. Трифонов отвечал на этот вопрос: нельзя забывать, что любое действие соотносится с совестью. «Жить в соответствии с правдой, значит, жить в соответствии с совестью», — так писатель определяет основы своей этики. Для того, чтобы быть в состоянии знать правду, человек должен уметь ее узнавать. Узнать для Трифонова всегда означало проникнуть в суть бытия, в котором нерасторжимо соединились добро и зло.

Такое неудержимое стремление проникнуть в суть вещей Трифонов видел в произведениях Л. Толстого: «Автор "Анны Карениной" был безжалостен в требованиях к самому себе... Совесть Толстого беспощадна — в той степени беспощадности, которая присуща природе, естественному ходу вещей». Толстой помогает понять сущность самоанализа, позволяющего ему жить в соответствии со своей совестью. Человек должен стремиться улучшить самого себя. «Загляните в себя, ужаснитесь обоям своей души, перемените старую мебель своих привычек, и это поможет всем людям переделать худое устройство мира»[20]. Снова и снова Трифонов призывает людей обращать внимание на нравственные ощущения, присущие каждой личности. Никому не стоит пренебрегать своими чувствами и поступками. Каждый знает, когда он поступает неправильно: «...другое дело, что часто предпочитают об этом не задумываться, находят в себе тысячи оправданий»[21]. Писатель считал, что подобный самообман свойственен нашему времени. Даже тонко чувствующие интеллигенты пошли по этому пути и постарались предать свои дурные поступки забвению, убаюкивая себя мыслью: «Чего не помню, того не было». Но автор любит поставить «забывчивых» героев в ситуацию, когда они вынуждены поднять завесу, прикрывающую их дремлющую совесть.

Подобная повествовательная техника использована во всех «Московских повестях». Обычное событие, которое, однако, касается болезненных точек совести героя, поворачивает память к критическим моментам жизни. Зачастую пунктирные воспоминания касаются все более и более глубоких пластов характера героев и окружения, в котором он формировался. Мысли и чувства, поднятые памятью, создают мощное поле познания героя. В трифоновских лирико-психологических произведениях о самосознании внутренний монолог играет одну из важнейших ролей. Герой обычно говорит о себе в третьем лице. Его голос иногда прерывается голосом объективного повествователя, чей взгляд подобен авторскому. Используя такой тип повествования, автору удается лучше выразить свое миропонимание.

В зрелых работах Трифонов избегает позиции всеведущего автора, описывающего и судящего героя с единственной точки зрения. Богатая повествовательная техника позволяет Трифонову создавать столь объемные характеры, что последние вызывают порой противоречивые мнения у читателей. Это возникает потому, что трифоновский герой и объективный повествователь зачастую только намекают на какие-то отношения, конфликты, события и т. д., которые, предполагается, должны быть известны читателю. При этом повести насыщены многочисленными спрятанными от цензуры намеками на политические, социальные, исторические явления. Когда я спрашивала Трифонова о его художественном методе, он говорил о важнейшей роли подтекста в его произведениях. Под описанием повседневной жизни кроются значимые нравственные, философские, социально-политические, исторические и даже экономические проблемы. Не случайно слово «незаметно» так часто встречается в «Московских повестях». Трифоновская повествовательная техника, полная намеков, содержит в себе значительный заряд критицизма. Его укоряли за нежелание выражать свои взгляды прямо и ясно. В Москве я часто слышала: «Трифонов останавливается на полпути». На это он всегда отвечал: «Как художник я сказал все. Вам надо учиться читать». Он не был уверен, что стоит «нагло» выражать свою этическую позицию. Часто прибегая к аллюзиям, метафорам, символам, аллегориям, выделяя ключевые слова, автор высказывает, может быть косвенно, свою точку зрения. Как и Чехов, Трифонов был убежден, что писатель должен выражать свои взгляды «гомеопатическими дозами», смехом или даже улыбкой, молчанием или паузами. Внимательный читатель сегодня «настолько намагничен всякого рода ассоциациями, что ему достаточно сказать одно слово — и он все остальное тут же допишет в своем воображении». Он в состоянии заполнить «пробелы» в тексте. Читатель не должен надеяться, что ему все разжуют, ему стоит использовать свое «серое вещество», чтобы сделать собственные выводы[22].

Трифонов намеренно оставляет «пробелы» в судьбах своих персонажей. В своем последнем интервью он заметил, что «пульсирующая жизнь» не идет прямо, практически невозможно дать полное объяснение ее. «Читатель должен все это довообразить. Пробелы — это вольтова дуга. У читателя же должно возникать ощущение непрерывности жизни»[23]. Литературные герои могут помочь читателю лучше понять себя, «каков ты есть и каким ты можешь быть». Трифонов видел в этом одну из важнейших задач литературы, способной заглянуть в потаенные уголки человеческой души, заставить человека задуматься «о таких вещах, о которых он не задумывался или, может быть, избегал задумываться»[24].

Как и Чехов, Трифонов был убежден, что человек станет лучше, если показать ему, каким он на самом деле был, а потому задачей писателя должно стать «анатомирование сути человека». Он хотел показать, снимая слой за слоем, что герой чувствовал — сознательно или бессознательно, что грузом оседало в нем. Писатель, в первую очередь, старается, «изображая человека, вытащить все его внутренние слои, все слои, которые в нем уже перемешались, слились каким-то образом в единое целое... Я должен понять, что в нем из 40-х годов, что из 60-х»[25].

С одобрением было встречено определение критика А. Бочарова, назвавшего трифоновский метод «рентгеновским анализом»[26]. Впрочем, трифоновская повествовательная техника глубже проникает в бессознательное, чем любые рентгеновские лучи. Ведь именно на уровень бессознательного загоняют герои Трифонова свои страхи, разочарования, срывы, трусость, нерешительность и т. п. Несогласие со своими прошлыми деяниями, часто противными их собственной совести, вызывает у героев нравственный кризис. Герой заглядывает в глубину самого себя, и в нем, как в зеркале, отражается человек, колеблющийся в момент принятия ответственного решения. Оглядываясь в прошлое, он возвращается к своей вине, неправильному выбору, противоречащему требованиям его совести, от чего он страдает и физически, и морально. В такие критические моменты человек пытается забыться во сне, мечтах, болезнях и т. п. Трифонов не прощает своих героев, но показывает нам, как часто человек позволяет манипулировать собой под давлением горя, трусости, бессилия, равнодушия.

§ 2. Мир Трифонова

Трифонова, как в свое время Чехова, многие критики и читатели упрекали за слишком пессимистический взгляд на современника. Ему часто приходилось слышать: «Вы пишете о плохих людях. Вы напоминаете о неприятных вещах. Вы не можете быть счастливым». Даже его мать однажды спросила: «Почему ты не пишешь о хороших людях?» На что Юрий ответил: «Ну, я не думаю, что я предпочитаю плохих людей. Мои герои — результат, художественно сконцентрированный итог моего взгляда на мир вокруг меня»[27]. Чехов тоже говорил, что его герои — результат его наблюдений над жизнью[28]. Недовольных такой позицией Трифонов любил отсылать к Лермонтову, который в «Герое нашего времени» (1840) писал, что автору «было весело рисовать современного человека, каким он его понимает, и, к его и вашему несчастью, слишком часто встречал. Будет и того, что болезнь указана, а как излечить — это уж Бог знает!»[29]

Многие критики, однако, не разделяли взглядов Трифонова. В опубликованном посмертно интервью Л. Аннинскому писатель отмечал, что созданный им герой «разорван и противоречив» и состояние это «неизлечимо». Такому пессимистическому взгляду на человека критик противопоставил позицию оптимистическую, воплощенную в ряде произведений «деревенщиков», стремящихся обнаружить в человеке изначально хорошее и цельное. Но такие персонажи живут в единстве с природой, тогда как Трифонов погружает своих героев в круговерть городской жизни. Аннинский своими рассуждениями напоминает Ж.-Ж. Руссо: «... вы в городе не видите цельного и естественного человека и не верите в его существование». Трифонов, естественно, не соглашался с такой односторонней оценкой его позиции. Он заявлял, что, во-первых, каждая личность вне зависимости от места ее проживания «внутренне разорвана и противоречива», что прекрасно показано в произведениях таких, скажем, «деревенщиков», как В. Распутин, В. Шукшин, В. Белов, Ф. Абрамов, к которым Трифонов испытывал искреннее уважение за их готовность касаться самых сложных проблем. Трифонов считал, что у него много общего, например, с Распутиным, и в первую очередь из-за их общего понимания глубокой ценности человека. Естественно, герои разных писателей, как и их создатели, формировались в разных условиях. Для «деревенщиков» жизнь, судьба, страдания, радость и любовь с самого детства связаны с деревней. Они открыто заявляли, что многочисленные беды современного крестьянина происходят еще со времен коллективизации, когда к крестьянам относились как к скоту, и они так и не увидели эксспроприированную землю в своей собственности. Но этой драме не нашлось места в советской литературе, так как писатели были обязаны изображать довольных жизнью здоровых крестьян и крестьянок, празднующих перевыполнение плана по надоям молока от колхозных коров.

В современной «деревенской прозе» писатели стремились к изображению правдивой картины жизни села, писатели давали возможность критически взглянуть на прошлое. «Живи и помни» — это не только название повести Распутина, но и лейтмотив трифоновской прозы. Как писатель, говорящий о городе, который он знал лучше всего, с которым был связан всеми корнями, Трифонов считал, что в «деревенской прозе» идеализируется природа. Он отрицательно относился к тем «деревенщикам», кто считал, будто природа — место для счастливой жизни. Его раздражало стремление «мерить человека природой — сосной, волком, собакой», ведь в подобной литературе царь природы — человек отходит на второй план. «Я ведь природу тоже не отбрасываю. Я ее люблю, но не делаю из нее фетиша. Естественно, не делают этого и мои герои». Поиск идеального человека Трифонов считал «бессмысленным», но «надо искать идеальное в человеке». В ответ на вопросы критиков он отвечал, что изображал не плохих людей, а «такие черты человеческой души, которые стояли на пути полной победы человечности». Он соглашался, что городской человек более сложен, потому что «гораздо больше магнитов его разрывает»[30].

Трифонов рассматривает проблемы природы и деревни с точки зрения городского жителя. Действие в «Московских повестях» часто развивается то в городе, то на даче в окружении поэтической природы. «Певец города» лирически изображает свежую красоту природы. Дача в его произведениях становится символом поэзии, юности и покоя. Здесь уставший горожанин «отходит» и снова становится нормальным человеком. Для некоторых трифоновских героев дача — единственное место, куда можно скрыться от давления городской жизни. Для многих из них с дачей связаны самые поэтичные страницы жизни. Они провели на даче — как и их создатель — беззаботные годы детства. Возвращение героев в места детства часто причиняет им боль из-за непоправимых перемен, происшедших и с этими местами, и с населяющими их людьми. «Захватнический» характер города, постоянно расширяющего границы за счет окружающей природы, накладывает свой отпечаток на его обитателей: горожане тоже стремятся расширить границы своего жизненного пространства за счет других.

Опасение, что «хищный» характер Москвы заразит всю страну, прямо не выражено, но автор с печалью описывает, как гибнет прекрасная природа под натиском огромного города. Москва развивается мощно, гигантскими шагами, разрушая без следа все новые и новые поэтические места. Трифоновские герои часто говорят о беспощадности этого явления, которое составляет часть безжалостной природы самой жизни. Человек чувствует вину, корни которой в самой жизни. Трифонов понимает условия существования человека так хорошо, что не судит его слишком строго. «Я испытываю сострадание к своим героям и героиням», — сказал однажды писатель. Важнейшим компонентом трифоновского взгляда на человека как раз и является сострадание, столь проникновенно описанное писателем в «Другой жизни»[31]. «Сострадание» — ключевое слово в «Московских повестях». Как бы сильно ни обострялись отношения между персонажами, какими бы острыми ни были вспыхивающие конфликты — все равно должно быть сострадание. Это то, что автор дарует своим героям (за исключением, может быть, сотрудников охранки).

Сострадание играет важнейшую роль и в любовных отношениях. Супружеские пары, которые описывает писатель, женаты уже более десяти лет. За это время обычно нарастает отчуждение. «Он жил своей жизнью», — вспоминает Ольга Васильевна своего преждевременно скончавшегося мужа. Переводчик Геннадий Сергеевич мечтает о разводе, чтобы начать новую жизнь. Причина разрушения браков — и в быте, и в разнице характеров, темпераментов, взглядов на жизнь и, конечно, в действии времени. Но все же главная причина семейных конфликтов — в эгоизме, порожденном «недостатком любви. Несчастье происходит от такой простой причины». Автор рассказывает о «столкновении двух эгоизмов» и считает, что «у всякого эгоиста один выход. Найти человека, который простит ему все».

В трифоновском мире, где супружество и семейные конфликты — главная тема, прощение — основа любви. Его героини-идеалистки помимо прочего наделены даром всепрощающей любви. Они пытаются спасти своих любимых, стать для них «защитницей, матерью и женой». «Как ему можно помочь?», «Что можно для него сделать?» — вот вопросы, которые не дают покоя жене, понимающей, что у мужа упадок духа. «Мне сорок один, но выгляжу я на десять лет старше», — печально констатирует Геннадий Сергеевич. В большинстве трифоновских произведений женщина сильнее мужчины. Это проявляется даже в их внешнем облике: женщины выглядят моложе своих лет. Женщины — сила, подгоняющая нерешительного, часто непостоянного мужчину, побуждающая его к действию, поддерживающая его. Жена обычно более реалистична и практична. Она лучше приспособлена к ежедневной рутине. Сильная женщина и слабый мужчина, изображаемые Трифоновым, типичны для русской классической литературы, где этот контраст обыгрывали все, начиная с Пушкина. Но встает вопрос, насколько автобиографичны были трифоновские героини?

Трифонов был женат три раза. Его первая жена Нина Нелина была сильной женщиной с энергичным характером. Писательница Инна Гофф, бывавшая у Трифоновых, отмечала, что у Нины был «несчастный характер». Она была задиристая, несдержанная, раздражительная женщина, легко обижавшая людей. Между мужем и женой было много разногласий. Но при этом Гофф считала, что Нина была подходящей женой для Юрия, она его стимулировала, следовательно, была ему абсолютно необходима. Писательница даже считала, что без первого трифоновского брака не были бы написаны «Московские повести», так как в них речь идет именно о возможности сосуществования двух разных миров.

Трифоновский первый брак продлился шестнадцать лет до Ниной смерти при загадочных обстоятельствах на прибалтийском курорте в октябре 1966 года. Юрий, прибывший на побережье уже после смерти жены, остался с маленькой дочерью. И. Гофф была у Трифоновых накануне Нининого отъезда и довольно ярко описала ее душевное состояние. Нина говорила, что неважно себя чувствует и очень устала. К этому моменту Нинина карьера певицы подходила к концу. Она нигде не работала. Страдала ли Нина от этого? Во всяком случае, Гофф вспоминала Нинины слова: «Я отказалась ехать с компанией в Коктебель и собралась ехать одна. Разве я не героиня?» И. Гофф вспоминала, как глубоко был потрясен Трифонов смертью жены. Жизненные силы он черпал в творчестве. Только мать как-то успокаивала его: она вела дом и помогала ему чем могла[32].

Известно, что в конце 60-х годов Юрий женился вторично, на сей раз на Алле Пастуховой, сыгравшей свою роль в написании романа «Нетерпение». Но этот брак не был продолжительным. Разногласия возникали по разным поводам. Рой Медведев, бывший свидетелем этого, видел, как распадался этот брак. В трифоновских произведениях он увидел, сколь многое из частной жизни писателя вошло в его произведения. Аркадий Ваксберг говорил, что Алла тоже была женщиной волевой, энергичной, в чем-то властной. Юрий посвятил ей повесть «Другая жизнь». В ней выведен образ женщины, которая хочет, чтобы жизнь мужа развивалась в соответствии с ее представлениями.

С третьей женой Юрия Ольгой Мирошниченко я познакомилась в их московской квартире весной 1979 года. Нина Нелина была красавицей-блондинкой, и у Ольги были длинные светлые волосы, заплетенные в косу. Ей было сорок два года. Она говорила, что закончила энергетический институт в Москве, но стала писательницей. У нее вышли три книги и сценарий. Ольга познакомилась с Трифоновым в Центральном доме литераторов еще в 1965 году. В это время она была замужем за Г. Березко, автором официозных военных романов. В 1979 году она вышла замуж за Трифонова. Юрий шутливо сказал ей: «Ты вышла за меня, потому что я писатель». Мне показалось, что он вообще любил немного поддразнивать ее. Так, однажды за завтраком в их квартире он неожиданно заявил, что она не работает достаточно как писатель, так как всю энергию отдает работе мужа. Когда я была у нее в мае 1981 года после смерти Юрия, она говорила мне, что он был человеком непрактичным. Когда она поняла это, то стала всячески помогать ему. Практичная и энергичная женщина, Ольга существенно улучшила жизнь Трифонова в последние годы.

Я тогда вспомнила свою первую встречу с Юрием в сентябре 1976 года. Он поил меня кофе на маленькой кухне своего московского дома, выглядевшего необжитым. Каким контрастом был красиво сервированный в просторной комнате стол в апреле 1979 года. Запомнилась и счастливая атмосфера за столом, и наслаждение Юрия вкусной едой, множеством овощей и фруктов. Писатель, о котором по Москве шла слава как о человеке замкнутом и необщительном, предстал милым, обаятельным собеседником. Он шутливо демонстрировал свой творческий процесс: «Вы видите этот лук? Сейчас я скажу о нем все. У вас есть что добавить?» Шутя, он обратился ко мне: «Вы как человек западный считаете, что это легко — приехать из родной Бельгии к нам, а потом перебирать философские впечатления о нашей жизни». А затем добавил: «Люди на Западе не могут понять нашей жизни». Он считал, что своеобразие современной русской жизни недоступно пониманию людей из других стран, и предлагал поразмыслить над вопросом: «Почему быт играет такую важную роль в России? Почему он так прочно зажал всех в свои тиски?» И сам отвечал: «Ужас нашей жизни — рост буржуазности».

Хотя Трифонов и критически относился к западным оценкам русской жизни, он с интересом следил за тем, что там писали о его творчестве. Я сама видела папки со статьями о нем. Он также собирал издания переводов своих книг. И в Москве, и в поездках он любил давать интервью. С западными журналистами можно было более свободно говорить о том, о чем нельзя с советскими. Когда на Западе его спросили, кто он — диссидент или официальный писатель, он ответил, что он «критик общества». В 1980 году он сказал мне, что на Западе не знают, к какой категории его отнести. В шутку он заметил: «Вы считаете, что в России сначала идет "самиздат", потом "диссиденты", потом "официальные писатели". И вы спрашиваете: "Кто же Трифонов?" Западная пресса высказывает обо мне очень разноречивые суждения. Хвалят они меня или нет, они подозревают, что мне не разрешают писать обо всем. В этом случае всегда хочется процитировать Чехова, который говорил о современной ему критике: "Они непременно хотят, чтобы в конце рассказа о конокраде было четко сказано: воровать лошадей дурно"». Он снова подчеркнул принципиальную важность в его произведениях философского, социального, политического, исторического и экономического подтекста и добавил: «Если бы я жил на Западе, я писал бы такие же книги. Я говорил бы то же самое».

Диссидент Лев Копелев, хороший друг Трифонова, говорил, что для публикации в собственной стране автору нужна осторожность. Рецензируя «Дом на набережной», он заметил: «Автор вложил в эту повесть все. Он не упомянул только вещей, абсолютно запрещенных, но предоставил читателю догадаться, на что он намекает»[33]. Нечто подобное было сказано и Василием Аксеновым в связи с рассказом «Игры в сумерках» (1968): «Не сказав ни единого слова о терроре 1937 года, Трифонов сказал все о том, что он называет "трудной и невыразимой темой". Это советский способ говорить о литературе». Аксенов, о котором Трифонов при мне отзывался только дружески, признавал, что вся трифоновская проза может быть определена как «игры в сумерках»[34]. Московский корреспондент «New York Times» пришел к заключению, что «трифоновские произведения кое-что приоткрывают в конфликтных вспышках этого общества, которое иногда не столь монолитно, как хотелось бы думать его руководителям»[35].

Когда Трифонов бывал на Западе, его спрашивали о плеяде русских писателей, добровольно выбравших эмиграцию или, как Солженицын, «вытолкнутых» в нее. Так, Т. Ротшильд из «Frankfurter Rundschau» задал ему вопрос: «Как вам кажется, существует ли одна современная русская литература вне и внутри СССР или это две разных литературы?» На что писатель ответил: «По-моему, есть одна современная русская литература, как есть и одна классическая... Все это русская литература»[36]. Трифонов, однако, выражал свое сочувствие русским художникам, вынужденным уехать за рубеж, так как считал, что для плодотворной деятельности писатель нуждается в своих корнях[37].

В противовес Солженицыну и многим другим художникам, Трифонов вел свою борьбу способом, более приемлемым для его собственной натуры. Ему не нужна была трибуна. Как заметил Рой Медведев, Трифонов в 70-е годы не прибегал к хитростям и интригам. Он сохранял независимость, не вступал в КПСС. Среди его друзей были диссиденты, публиковавшие свои произведения за границей, некоторые из них потом эмигрировали. Но сам Трифонов был убежден, что честная книга, опубликованная в своей стране, более полезна народу, чем множество эмигрантских книг, не известных никому. Трифонов хорошо знал русскую эмигрантскую литературу. Благодаря Р. Медведеву, получавшему книги от брата Жореса из Лондона, Трифонов читал Е. Замятина, А. Ремизова, Н. Бердяева, В. Ходасевича, В. Набокова и других.

В брежневскую эпоху Трифонов создал свою собственную систему нравственности. Можно говорить о своеобразном духовном сопротивлении, которое было присуще ему и столь часто изображалось им через его героев. При этом он опасался резких выпадов против литературного официоза, стремящегося уничтожить его с помощью «злобных, несправедливых, ядовитых статей». «Литературная газета» неоднократно начинала кампании против «Московских повестей». В презрительном тоне говорилось о «замкнутом маленьком мирке», об «отсутствии примет большого мира», бывшего синонимом изображения действительности в соответствии с требованиями социалистического реализма. Когда в 1979 году Трифонов был в Германии с циклом лекций, репортер «Frankfurter Rundschau» попросил его высказать свое мнение о социалистическом реализме в литературе. Трифонов ответил достаточно тонко: «Вы знаете, этот вопрос — загадка для меня, так как наш литературный народ спорит и не может прийти к единому мнению о том, что есть в действительности соцреализм. Я всегда чувствую себя немного неловко, когда требуются литературоведческие изыскания». Затем он дал свое определение задачи писателя: «Я знаю только, что должен писать честно, реалистично и — если использовать банальное выражение, а другого нет — гуманистично. То есть с интересом, любовью и состраданием к человеку. Как все это будут называть, меня не очень интересует»[38].

Очевидно, что Трифонов избегал обсуждения специальных литературоведческих проблем. Но безжалостная кампания против его произведений продолжалась. Официальные круги не хотели, чтобы «точка зрения таракана», с которой Трифонов смотрел на советский мир, была признана «подлинной». Это опосредованно подтверждается историками, которые на мой вопрос, чем они могут объяснить такой успех произведений Трифонова на Западе, ответили: «Как вам всем хотелось бы, чтобы то, что описывает Трифонов, на самом деле существовало в нашей стране».

Трифонов вел свою тихую войну с литературными бюрократами. Он рассказывал, в частности, о таком телефонном разговоре с «Литературной газетой»: «"Юрий Валентинович, не могли бы Вы высказаться по такому-то вопросу? — Почему Вы обращаетесь ко мне? — Потому что Вы писатель, — и дальше что-то лестное обо мне. — Да, но Вы всегда на меня нападаете". Это очень хороший аргумент, после него немедленно — отбой»[39]. Трифоновское сопротивление властям было зачастую жестче, чем это принято считать. Так случилось, например, когда писатель выражал свой гнев по поводу цензуры: «Они выстригают суть работы, как будто стригут ногти»[40]. Я знаю из трифоновских писем, что он не позволял властям манипулировать собой, боролся со «стрижкой» своих сочинений. Прежде чем его работу печатали, приходилось проявлять много терпения. В одном из последних писем в связи с возможной публикацией «Времени и места» он пишет: «Надо ждать, и посмотрим, что получится».

Он часто с волнением писал о своем маленьком сыне Валентине. Ребенок родился преждевременно в апреле 1979 года, два с половиной месяца был между жизнью и смертью. Мальчик находился в клинике, посещения были запрещены даже матери. Но когда я увидела Валентина на трифоновской даче в Красной Пахре в декабре 1979 года, он выглядел здоровым жизнерадостным младенцем. Под заботливым присмотром старой няни, не отходившей от него ни днем ни ночью, Валентин что-то радостно лепетал. Он был отцовским любимцем, хотя последний не показывал своих истинных чувств. Только Ольга знала, как сильно Юрий был привязан к мальчику. Последний раз Ольга повезла сына в больницу к отцу в субботу двадцать восьмого марта 1981 года. Она не знала, что Юрий умрет в этот день.

Жизнь не дала Юрию возможности написать о последней женитьбе, но ясно, что его частной жизнью управляла практичная, деятельная женская рука. Впрочем, Трифонов не слишком походил на своих слабовольных героев. Ольга признавала, что у ее мужа был сильный характер. Он ничего не боялся, даже операции на почках, которая и привела его к смерти. Но даже если бы Юрий был уверен, что смерть приближается, возможно, он проявил бы столь присущие ему мужество и мудрость. Он мог сказать слова, которые вложил в уста своему герою Дмитриеву из «Обмена»: «В мире нет ничего, кроме жизни и смерти. Все, что подвластно первой — счастье, а все, что принадлежит второй — несчастье»[41].

Трифонов использует тему смерти в «Московских повестях», чтобы обозначить вину, страх, ужас, конфликт, вырастающие из самой жизни. Философски настроенный писатель пытается сказать нам, что на всем протяжении нашей жизни мы в глубине сознания должны помнить о конце нашего краткого существования, и тогда люди смогут лучше понять, насколько тесно все они связаны общей судьбой. Только тогда человек, может быть, будет в состоянии жить, сострадая ближнему, примиряя себя с последним очищением. Трифонов говорит о смерти как о части жизни, связанной с идеей гуманизма: «Человек может ослабеть, человек может провести целую жизнь, работая над чем-то ненужным, но важно, чтобы он почувствовал себя человеком. И для этого необходима только одна вещь: атмосфера простой человечности — просто, как арифметика. Никто не может выработать это чувство автономно, только для себя: оно растет из других, из их любви». Трифонов противостоял любой форме презрения к ближнему. Так, в связи с псевдоученым профессором Серебряковым в «Предварительных итогах» сказано: «Профессор Серебряков тоже человек. Зачем уж так презирать его?.. нельзя же корить людей тем, что они не Львы Толстые и не Спенсеры»[42].

Это было всегдашней мечтой Трифонова — описать течение целой жизни через исторический портрет одного человека. Он обращался к рисункам средневековых мастеров. На их триптихах можно увидеть одного и того же человека в трех состояниях: детстве, зрелости, старости. В «Московских повестях» мы видим нечто подобное, так как писатель изображает детали процесса формирования главного героя, начиная с юности. Раздражение на быстротекущую жизнь, безжалостное старение вызывают у героя печальные чувства. Трифонов ощущает себя тесно связанным с человеком, потертым жизнью, сопоставляющим свое прошлое и настоящее. Он говорит об этом в посмертно опубликованном рассказе «Кошки или зайцы», посвященном его жизни в Риме в 1978 году. Восемнадцать лет назад он был в этом городе на Олимпийских играх в качестве спортивного журналиста. Воспоминания вынуждают его сравнивать себя нынешнего с собой бывшим. «Тогда мне было тридцать пять. Я бегал, прыгал, играл в теннис, страстно курил, мог работать ночами, теперь мне пятьдесят три, я не бегаю, не прыгаю, не играю в теннис, не курю и не могу работать ночами».

Время приносит стареющему Трифонову материальный достаток, но за это приходится расплачиваться жизнью. Молодой нищий журналист, бегавший пешком, чтобы сэкономить лиры, «со жгучей тоской» смотревший в витрины книжных магазинов, превратился в зрелого преуспевающего писателя, который ездит на такси и может купить любую книгу. Детский восторг перед жизнью сменился спокойствием, о котором сказано так: «...ничто не ошеломляет и не слишком хочется писать. Тут много причин. Не стану о них распространяться. Скажу лишь: жизнь — постепенная пропажа ошеломительного». Воспоминания о пьянящем чувстве, дававшем ощущение «свободы, молодости, распахнутости, всечеловечности», вызывают ностальгию. Возвращение в прошлое невозможно, «потому что всею кожей и задохнувшимся сознанием вдруг почуял разницу между нами: мною тем и сегодняшним». «Счастливое время не может повториться» — звучит, как лейтмотив, в рассказе[43].

Ностальгия по «единственному, раз и навсегда», о чем начинаешь сожалеть, только когда оно безвозвратно уходит, звучит и в рассказе «Самый маленький город» (1967). В этом рассказе от первого лица с явными автобиографическими мотивами герой скорбит о преждевременной смерти жены, вспоминая былое счастье. Личное горе соотносится с историческими трагедиями болгарского народа в далеком прошлом. Герой приехал в Болгарию вместе с маленькой дочерью, и они оба слушают рассказ о страданиях тысяч солдат войска царя Самуила, ослепленных в плену по приказу императора Василия Второго. Когда этот «болгароубийца» отпустил их, они, уцепившись друг за друга, встали длинной цепью и побрели домой. Когда дочка повествователя заметила, что она лучше бы умерла, чем так страдать, рассказавший эту историю Пенчо замечает: «Нет... человек может пережить все... Какой-то слепой солдат был, может быть, мой предок. Если бы он упал духом от горя и бросился в реку, я бы не был на свете»[44]. Мужество слепых солдат нерушимой цепью через века соединило поколения.

Смысл этого рассказа вначале не был понят редакторами «Нового мира», которые нашли его односторонним, лишенным «так называемой социальной подоплеки». Трифонов ответил, что социальное в глубочайшем значении этого слова может быть понято как «изображение общества в форме внутренней связи характеров»[45].

§ 3. Прелюдия к «Московским повестям»

Во второй половине 60-х годов Трифонов написал несколько коротких рассказов, которые можно считать своеобразной прелюдией к «Московским повестям». Основная тема в них — повседневная жизнь столичных жителей. События разворачиваются полностью в бытовой обстановке, но тем не менее героям удается ярко проявить свои характеры. Так, в рассказе «Вера и Зойка» речь идет о двух молодых работницах прачечной, отправившихся, чтобы подработать, мыть дачу к преуспевающей даме. Происходит встреча двух миров. Лидия Александровна замужем за ученым, она принадлежит к обеспеченному классу, тогда как Вера и Зойка с трудом сводят концы с концами. Генеральная уборка дачи, в которой Лидия Александровна тоже принимает участие, дает возможность трем женщинам пообщаться друг с другом. Сорокачетырехлетняя Лидия Александровна рассказывает о своей жизни после смерти первого мужа, умершего от туберкулеза, тоже ученого, оставившего ее с маленьким сыном. Трудная жизнь закончилась, когда она снова вышла замуж. Жизнь двух других женщин была еще печальнее. Зойку с детьми муж бросил пять лет назад. Она часто болеет, и ей трудно приобрести на свою зарплату даже самое необходимое. Незамужняя Вера влюблена в мужчину, который внезапно бросил ее, чтобы жениться на другой.

Описывая столь разный жизненный опыт каждой из трех женщин, автор размышляет о неустойчивости браков и любовных связей в современной городской жизни. Тон рассказа становится лирическим, когда женщины мечтают о счастье, которое может дать им только любовь. Но суровая реальность возвращает всех на землю, когда выясняется, что муж и сын за Лидией не приехали, и ей даже нечем расплатиться с женщинами. Зойка сердится и требует денег, а Вера жалеет Лидию и отдает ей все, что у нее есть, оставив себе шестьдесят копеек на возвращение обратно в Москву.

Этот рассказ демонстрирует тонкую разработку характеров и плотность зрелого стиля Трифонова. Американский критик Джордж Гибиэн справедливо замечает о «Московских повестях»: «... две или три страницы у Трифонова соединяют такое множество судеб, дают спрессованный рассказ о столь разнообразных событиях, что другому писателю этого бы хватило на множество рассказов»[46]. Сам Трифонов считал, что такая компактность довольно трудна для чтения. Действительно, многим казалось, что размер «Обмена» гораздо больше, а один читатель говорил Трифонову о «Предварительных итогах»: «Я читал ваш рассказ, тогда как все мне говорили о романе». Трифонов отвечал на это так: «Я, например, не знаю, чем по существу — а не по размеру — отличается рассказ от романа». И ссылался на опыт Чехова, чьи рассказы можно назвать «спрессованными романами», а также Достоевского и Хемингуэя, чьи «многостраничные романы есть как бы развернутые вглубь и вширь рассказы («Преступление и наказание», «По ком звонит колокол»), где действие вращается вокруг одного события, все происходит в один или несколько дней». Динамичная структура текста, то, что Трифонов именовал «завершенностью движения», «делает ровнями пухлую эпопею и рассказ в пять страниц»[47].

Трифонов в зрелости научился мастерски концентрировать длинные отрезки времени в лаконичный текст путем отбора соответствующих деталей. Он избегал частого употребления диалога, предпочитая ему повествование от третьего лица, так как считал, что длинный диалог вполне можно уложить в два-три предложения. Он даже нашел шутливое объяснение любви советских писателей к длинным диалогам: «... оплата у нас исчисляется полистно, а диалог очень удобен для разгонки листажа». Трифонов указывал, что есть авторы, достигшие огромных успехов в «спрессовывании» диалога, в частности Хемингуэй: «...у него... поразительная спрессованность, сжатость и одновременно какое-то волшебное правдоподобие диалога»[48].

В рассказе «Был летний полдень» (1966) всего несколько диалогов. Автор доверяет повествование Ольге Робертовне, старухе, позже передает его «старику». События в этом рассказе развиваются в двух временных пластах: современность и революционное прошлое. Субъект повествования один. В семьдесят четыре года Ольга Робертовна, уже много лет живущая в Москве, решила посетить город своего детства в неназванной прибалтийской республике. Она садится в ночной поезд, ее провожают живущие с ней невестка и внучка. Ее отношения с родственниками, особенно с невесткой, женщиной ограниченной, только намечены. Постепенно выясняется, что сын старухи покончил жизнь самоубийством, когда в 1939 году ее внезапно посадили в лагерь. Муж умер. После возвращения она застала только двоих дочерей, которые обращались с ней холодно и разглядывали ее «чужими глазами».

Путешествие в родной город вызывает у нее прилив воспоминаний о героическом прошлом. Ольга Робертовна вовсе не собиралась ничего вспоминать, но прошлое нахлынуло на нее после пробуждения и разговора, встреч с несколькими стариками. За пять дней пребывания в родном городе она вспомнила и свою первую встречу с русским студентом Сергеем Ивановичем, который впоследствии стал ее мужем. В начале века он учился в университете Санкт-Петербурга и принимал участие в революционном движении. Ольга во всем поддерживала своего мужа. Во время гражданской войны он был видным революционером, воевал на Южном фронте. Но Сергея Ивановича ждала та же трагическая судьба, что и множество других исторических деятелей, чьи имена были изъяты из официальной истории.

В рассказе постоянны намеки на половинчатость реабилитации революционеров, имена которых по-прежнему замалчивались. Однако прибалтийский историк Никульшин нарушил молчание вокруг имени Сергея Ивановича, написав брошюру, в которой сказал о нем «хорошие вещи». Он также написал сценарий фильма о революционерах, в котором фигурирует и Сергей Иванович. Сценарий отвергли, преждевременно состарившийся сорокапятилетний историк заболел.

Отношения Ольги Робертовны с историком складываются неоднозначно. С одной стороны, она благодарна ему за книгу о муже, с другой — ей не нравятся высокопарный тон и напыщенность его работы, написанной так, как принято было писать о революционерах. Она сомневается, что кто-нибудь в состоянии описать то, что было на самом деле. Сам Никульшин показался ей весьма навязчивым, надоедливым, недалеким человеком, занятым в основном своими собственными делами. Столь критическое отношение к историку, посвятившему себя поискам правды, удивительно, учитывая трифоновскую симпатию к таким людям. Кто или что привело автора к созданию такого характера? Хотел ли он таким образом перехитрить цензуру? Или боялся кого-то скомпрометировать? Осторожность писателя и в самом рассказе, и в комментариях к нему поражает. В повествовании не названа ни одна географическая точка, кроме Москвы, не обозначено время событий. У большинства героев не названы фамилии, и только из контекста и упоминающегося акцента Ольги можно понять, что она из прибалтов. Сам Трифонов говорил, что прототипом главной героини была вдова известного революционера, но упоминал только ее инициалы — Е. А. и национальность — эстонка. И добавлял, что сюжет этого рассказа зрел у него давно. Тем не менее он долго сомневался в своем праве писать об этом, но однажды почувствовал атмосферу времени, «цвет и запах долгой пятидесятилетней жизни» и написал рассказ. Достаточно странно, что Трифонов обозначил сюжет как встречу двух старушек, подруг детства. Очевидно, что он ни в чем не хотел скомпрометировать Е. А.[49] Вывод, следующий из этого рассказа, таков: неважно, насколько активным участником истории был человек, повседневность берет его в свои сети. Так, возвратясь из поездки, Ольга Робертовна стоит в очереди за молоком в гастрономе и рассказывает знакомой о погоде в Прибалтике: «...все пять дней почти сплошь дожди»[50]. Стороннему взгляду может показаться, что это единственное впечатление, которое она вынесла из этой поездки. В этом рассказе Трифонов немного приподнял завесу и показал, насколько глубоко связана с историей жизнь его современников. Это, впрочем, подтверждает и его отношение к истории, которая неизменно и обычно невидимо «присутствует в каждом сегодняшнем дне, каждой судьбе». Изображение такого феномена — одна из наиболее сложных задач литературы: «... в литературе это, кажется, сложнее всего: рассказывая о том, как сегодняшние Анатолий Иванович и Инна Петровна живут на двенадцатом этаже блочного дома где-нибудь в Нагатине, помнить о том, какие бездны прошлого скрыты у них за плечами»[51].

Московская повседневная жизнь в перенаселенных домах изображается в рассказе «Голубиная гибель» (1968). Один из персонажей рассказа Сергей Иванович полжизни проработал на заводе. Он и его жена привязались к голубям, поселившимся в конце зимы на карнизе комнаты дружелюбной семейной пары. Вместе с соседями они с нежностью наблюдают за голубями, «получившими» бесплатную квартиру от Моссовета. Но однажды сын соседей начал стрелять по голубям из рогатки с соседнего балкона. А через некоторое время его мать, элегантная молодая женщина «в шуршащем плаще», требует «убрать» голубей. Она пугает супругов домкомом, они не обращают на это внимания, но на всякий случай Сергей Иванович отвозит их к сестре, живущей в ста пятидесяти километрах от Москвы, однако голуби возвращаются. Тогда домком обязал Сергея Ивановича убить птиц. Несколькими годами позже, в 1956—1957 годах, когда в связи с подготовкой к Всемирному фестивалю молодежи и студентов была объявлена «амнистия» голубям, власти — о, ирония судьбы! — вменяют людям в обязанность разводить как можно больше голубей. Одна из соседок Сергея Ивановича тоже оказалась жертвой властей. Голуби становятся своеобразным символом жертв режима, их история развертывается одновременно с ночным арестом библиотекаря Евгения Ивановича. Воплощением карающей силы становится отставной полковник Брыкин, уничтожающий на своем пути всякое проявление жизни.

Мрачный тон рассказа поразил многих читателей. Даже жена Твардовского заметила, что конец у этого рассказа «такой грустный», что «жить не хочется»[52]. Критик Т. Патера объясняет пессимизм рассказа влиянием общей атмосферы брежневской эпохи. Трифонов опасался возможности возвращения сталинизма, особенно после дела Синявского—Даниэля. Однако, как справедливо замечает критик, автор предпочитает использовать «эзопов язык», говоря об этом страшном явлении[53]. В «Московских повестях» автор тоже избегает прямого разговора на щекотливые исторические темы. Он пишет об этом между строк. Например, особое значение приобретает, в каком месяце происходит действие, при какой погоде.

Рассказ «В грибную осень» (1968) начинается с описания светлого сентябрьского вечера, когда Надя, рабочая завода, приезжает на дачу с двумя ребятами из Москвы. Она обнаруживает, что ее старая мать умерла. Надя мчится на почту, автоматически говорит телеграфистке: «Девушка, мне нужно срочно в Москву, человек умер!» В ужасе Надя спрашивает себя, почему она называет свою мать «человеком», как будто она — некая безымянная фигура. Она искренне любила свою мать, но только сейчас начинает осознавать, насколько больше любви она могла бы проявить к ней. Но даже в эти драматические минуты быт захлестывает ее. В день похорон родственники заводят разговор о возможном обмене квартир, но Надя, подавленная горем, не реагирует на это, тихо сидя на кухне. Хуже всего ведет себя тетя Фрося. Она укоряет Надю, что та «заез-

...ена, сопровождаемого острым семейным кон...

...лжена в одноименной повести, написанной

...ОСКОВСКИЕ ПОВЕСТИ»

...роизведениях Трифонов часто касается про-
...ватки жилья в Москве. Он знал это на со-
... как сталкивался с неудобствами коммуналь-
... московскую квартиру на улице Георгиу-Деж
...а[1]. Поэтому он с полным знанием вопроса опи-
...у и перечисляет необходимые документы. Но
...о одноименной повести тесно связана с семей-
...ов говорил мне, что эта повесть и о супружес-
ком конфликте, и об умирающей матери мужа, и о проблеме, как
людям жить друг с другом.

Конфликтная ситуация задается с самого начала повести. Матери тридцатисемилетнего Дмитриева сделали операцию, во время
которой стало ясно, что у нее рак. Ксения Федоровна не знает об
этом, тем более что, когда ее выписывают из больницы, она чувствует себя намного лучше. Но, узнав о болезни, ее невестка Лена
излагает своему мужу план о «съезде» с его матерью. Таким образом они смогут обменять две комнаты на двухкомнатную квартиру.
Лена делает это не из соображений гуманности, так как отношения
между ней и свекровью оставляют желать лучшего. Лена решила,
что раз Ксения Федоровна все равно скоро умрет, то можно, воспользовавшись этим, улучшить жилищные условия своей семьи.
Дмитриева, естественно, коробит план жены. Вначале он даже пытается сопротивляться, но под Лениным нажимом постепенно сми-
ряется с этой идеей. Бездушие жены не вызывает у него чувства
гнева или боли, но заставляет печально рассуждать о «безжалост-
ности жизни». Этими размышлениями герой убаюкивает свою совесть и сообщает о плане обмена матери. Вскоре после обмена, который успели даже отпраздновать, Ксения Федоровна умирает.
После смерти матери у Дмитриева «сделался гипертонический криз,
и он пролежал три недели дома в строгом постельном режиме».

Повесть заканчивается вопросом, который задает повествователь,
друг детства Виктора: «Что я мог сказать Дмитриеву, когда мы
встретились с ним однажды у общих знакомых и он мне все это
рассказал?» Читатель может только догадываться, почему Дмитри-

ев позволяет собой распоряжаться. После четырнадцати лет брака он превратился в мужа-подкаблучника, единственной мечтой которого является покой. Во имя этого он забывает свои этические принципы, изменяет идеалам своих предков. В начале своей супружеской жизни он пытался сопротивляться и помирить жену и мать. Но постепенно устает от бесконечной борьбы. Эволюция Дмитриева суммирована в начале повести: «Мучился, изумлялся, ломал себе голову, но потом привык. Привык оттого, что увидел, что то же — у всех, и все — привыкли. И успокоился на той истине, что нет в жизни ничего более мудрого и ценного, чем мир и покой, и его-то нужно беречь изо всех сил»[2].

Выводы, к которым приходит Дмитриев, косвенно соотносятся с политикой его страны, тоже превыше всего ставившей защиту мира и безопасности. Происходящее в жизни Дмитриева с 1954 по 1968 год свидетельствует о его духовном упадке. Прямых конфликтов нет, но идет постоянная «холодная война» между матерью и женой — представительницами двух абсолютно противоположных взглядов на жизнь. Дмитриев вырос в интеллигентной семье, где этические ценности уходят корнями в гуманистические традиции русской интеллигенции. Лена Лукьянова вышла из мелкобуржуазной семьи, живущей погоней за материальными благами, социальным положением и престижем. Лукьяновы чувствуют себя в бытовых вопросах как рыба в воде. Они люди «другого сорта», чем Дмитриевы, и прекрасно умеют устанавливать нужные связи. То есть «знают, как жить».

В мире Трифонова слово «связи» имеет едва ли не магический смысл. Все его герои уверены, что без связей жить невозможно, они — важнейшая составляющая общественных отношений. В рассказе «Возвращение Игоря» говорится: «Ты не представляешь, как живет Москва. Надо иметь очень большие связи или очень большие деньги»[3]. Трифоновские герои легко подразделяются на тех, кто умеет устанавливать нужные связи, и на не умеющих это делать. О Ленином отце говорится, что он могущественный человек, так как имеет широкий круг старых связей и может, таким образом, помогать дочери. Лена унаследовала от родителей это качество, что производит сильное впечатление на Дмитриева, не имеющего практической сметки. Русская интеллигенция традиционно презирала излишний «материализм», Дмитриев же считает это невыгодным. Он пытается найти компромисс между традициями двух «кланов». Ему кажется, что связи с людьми «другого сорта» даже полезны, так как в семью вливается свежая кровь. Кроме того, лукьяновские практические способности приносят пользу Дмитриевым.

Под влиянием жены Дмитриев начинает ценить бытовые удобства. Он восхищается легкостью, с которой свекор организует ремонт старой дмитриевской дачи и установку там телефона. Пользуясь своими связями, Ленин отец пристраивает дочь на работу в престижный Институт международной координированной информации. Он вступает в дело, когда Лена решила перетащить своего мужа в Институт нефтяной и газовой аппаратуры. Эта идея возникла, когда стало ясно, что Дмитриев так и не напишет кандидатскую диссертацию, о которой Лена столько мечтала. Даже на эту ненаписанную диссертацию Дмитриевы и Лукьяновы смотрят по-разному: для первых она — форма повышения интеллекта, для вторых — способ улучшить свое материальное положение.

Сам Дмитриев не видит необходимости прилагать усилия к защите диссертации. У него не хватает сил работать вечерами после основной службы, когда его преследует одно желание — упасть в постель или смотреть по телевизору старые комедии и футбольные матчи. Понимание, что диссертацию ему не написать, заставляет его ненавидеть «всю эту муть», ради которой надо «мучиться, надрывать здоровье и унижаться перед нужными людьми».

Автор не объясняет, почему Дмитриев охладел к диссертации, над которой некоторое время увлеченно работал. Герой успокаивает себя мыслью, что «поезд ушел». Вообще образ поезда часто встречается в произведениях Трифонова, где он имеет двойственное значение. Дмитриев как-то размечтался о путешествии в Туркмению, но Лена осадила его: «Зачем ты себя обманываешь? Ты же не можешь никуда от нас. Я не знаю, любишь ли ты нас, но ты не можешь, не можешь! Все кончено! Ты опоздал!»[4]. Но так же, как и в произведениях классической русской литературы, поезд у Трифонова — символ движения жизни. Пропустить поезд — значит упустить свой шанс.

Только в конце повести становится очевидно, что герой изменил себе. Он понял это после решительного разговора об обмене с матерью на даче в Павлиново, где провел детские годы. Готовясь к этому разговору, он думает о жене, матери, сестре, любовнице, родственниках, друзьях, проблемах учебы, работы, жилья. Именно эти размышления и составляют основу повести. Они субъективны, так как Дмитриев не может быть объективным, он взволнован, обо всем судит со своей колокольни. Но это позволяет понять, как он оказался в столь драматичном положении. Вспоминая, мечтая, рассуждая, герой постепенно рассказывает историю своей жизни. Внешнее действие, укладывающееся в один день и одну ночь, подчинено внутреннему. В Павлинове Дмитриев вспоминает свое увлечение искусством. С детства ему нравилось рисовать и писать красками.

Его мечта стать художником провалилась, когда он не поступил в институт. Это не значит, что ему было отказано в приеме из-за того, что семья пострадала от сталинских репрессий, но Дмитриев был так разочарован, что вычеркнул все, связанное с искусством, из своей жизни.

Расстроенный, он бросился в мир техники, но с этих пор в жизни его важное место стали занимать рассуждения о том, что было бы, если бы... Трифонов часто использует оборот «если бы», чтобы показать движение мысли своих разочарованных героев, которые постоянно думают о тех путях, по которым могла бы пойти их жизнь. Только спустя какое-то время они понимают, что, сделав однажды неправильный выбор, они сами закрыли себе дорогу к «другой жизни».

Трифонов считал, что очень важно правильно определить свое призвание и следовать ему. Мы постоянно слышим голос писателя, говорящего нам о том, что мог бы сделать человек, занимайся он тем, к чему его искренно влекло. Не случайно в «Долгом прощании» следует ремарка: «Ведь у каждого из вас есть свое, кровное, что дорого до слез, как у Чехова — его дяди Вани, доктора Астровы»[5]. Как и Чехов, Трифонов тоже понимает, как важна для человека вдохновенная и творческая работа.

Характерно, что отец Дмитриева тоже выбрал неправильную профессию. Он стал инженером, хотя призванием считал совсем другой род деятельности: писание юмористических рассказов. Отец умер внезапно от апоплексического удара во время сталинского террора, когда Дмитриев был еще маленьким. Его мать, занимавшая пост старшего библиографа в солидной академической библиотеке, воспитывала сына и дочь Лору в тяжелых условиях. Известно, что Трифонов наделил Ксению Федоровну некоторыми чертами своей матери. Характер героини отличается добросердечием, интеллигентностью, высокой культурой, стремлением помочь людям в беде. Она даже селила знакомых в своей квартире. Но с тех пор, как Дмитриев стал считать себя членом лукьяновского клана, его отношение к матери становится резко критическим. Он начинает думать, что она творит милосердие, желая утвердить себя в качестве образца добродетели: «Но в этом-то и была корысть: делая добрые дела, все время сознавать себя хорошим человеком». Дмитриевский приговор можно считать своеобразной самозащитой человека, избравшего в жизни путь эгоцентризма. Альтруизм в других кажется ему просто невозможным. Лена, естественно, поддерживает своего мужа в оценке его матери, которую она считает ханжой. Это утверждение вначале удивляет, но из комментариев ее сына и рассуждений объективного повествователя мы понимаем, что черты лицемерия все же проявляются в глубине характера Ксении Федоровны. Это становится очевидным, когда старая женщина выражает свое презрение к людям, чья позиция расходится с ее собственной. Когда ее отец, известный революционер, назвал это презрение «глупостью», она ответила, что это «оружие», которое должно быть использовано. Но добавила: «Пусть это чувство будет внутри нас и абсолютно невидимо со стороны».

Как интеллигентка, воспитанная в революционных идеалах, Ксения Федоровна не одобряет мелкобуржуазных Лукьяновых. С самого начала она указывала сыну на принципиальные расхождения в их жизненных позициях. Дмитриев вспоминает слова, сказанные ею с предупреждением по поводу его предстоящей женитьбы на Лене: «Ты хорошо подумал, сынок?» Как голос его совести в конце повести звучат слова матери, когда он сделал ей предложение об обмене: «Ты уже обменялся, Витя. Обмен произошел. Это было очень давно. И бывает всегда, каждый день... Просто так, незаметно...» Понятие «обмен» переходит из сферы «быта» в сферу внутренней жизни человека, поменявшего свои нравственные принципы на растущий материальный комфорт. Но такой этико-идеологический обмен не приносит героям желанного мира. Во всех повестях показано, как трифоновские интеллектуалы, потеряв свои принципы, превращаются в невротиков, «придавленных своей участью». Даже традиционная медицина не способна им помочь: «Когда хирургия бессильна, в дело вступают другие силы», — говорится в «Обмене».

Как и Чехов, Трифонов предпочитает использовать какое-либо особенное событие, чтобы высветить характер героя. Таким событием оказываются похороны Федора Николаевича, деда главного героя, прекрасно понимавшего степень деградации Дмитриева. Дмитриев, погрязший в трясине мирских проблем, проявляет себя на похоронах почти гротесково, так как все время думает о толстом желтом портфеле, в котором лежат несколько банок консервов, случайно купленных им по дороге: «Лена очень любила сайру». Дмитриев все время помнит, что надо не забыть забрать этот портфель, спрятанный им за одной из колонн крематория, чтобы его кто-нибудь не увидел. Эта сцена едва ли не бурлескная, но в контексте данной повести она приобретает драматический характер, так как позволяет читателю понять процесс деградации человека, для которого мертвая рыба дороже смерти близкого родственника. Только когда, по иронии судьбы, портфель был все-таки забыт в крематории, и Дмитриев вынужден за ним вернуться, он осознает случившееся, размышляя об этом в одиночестве. На минуту ледяная корка, нараставшая годами, треснула, но моментально застыла вновь.

Тем не менее во время этих ярких мгновений пробуждения совести Дмитриев был захвачен ощущением опаляющей вины, вызванной чем-то, что безвозвратно оборвалось. Трифонов использует свой любимый образ «нитей», которые соединяют родственников: «Вместе с ним (дедом. — *К. М.-С.*) исчезало что-то, прямо с ним не связанное, существовавшее отдельно: какие-то нити между Дмитриевым, и матерью, и сестрой».

Трифонов придает этому семейному событию большое значение. Смерть Федора Николаевича означает уход человека, честность и принципиальность которого воплощали идеалы революционной интеллигенции. Студент Петербургского университета, позже юрист, он все время участвовал в подпольной борьбе. При царском режиме сидел в крепости, был вынужден эмигрировать в Бельгию и Швейцарию, был знаком со знаменитой революционеркой Верой Засулич. При Сталине его отправили в лагерь, из которого он вернулся только в 1954 году. Трифонов наделяет деда Дмитриева многими чертами своего отца. Перед нами предстает благородный, не увиливающий от трудностей старик, который не боится смерти, так как сделал все, что мог: «он выполнил, что ему было назначено в этой жизни».

Сила революционной морали производила большое впечатление на Дмитриева, который ребенком находился под сильным влиянием деда. Старик был всегда верен своим этическим принципам, крайне далеким от современного «быта», в котором он ничего не понимал. Все связанное с «лукьяноподобием» ему чуждо. В свою очередь выскочки Лукьяновы называют его «хорошо сохранившимся монстром», говоря о нем как о некоем доисторическом животном. Нежелание деда понять современное потребительское общество Дмитриев приписывает его преклонным годам — ему семьдесят девять. Дмитриев замечает, что пожилой человек с таким богатым историческим прошлым — редкость в России (намек на сталинские репрессии над старыми большевиками). Дмитриев не способен понять, что его дед осознает процесс обретения советским обществом буржуазных черт, но как широко мыслящий человек не осуждает новые времена. Он может понять новое поколение. Федор Николаевич считает, что не нужно оглядываться назад на идеалы прошлого, надо смотреть в будущее, в котором он «к сожалению, увидит немногое».

В противоположность Чехову, чьи идеалистически настроенные персонажи находят утешение и поддержку в мыслях о лучшем будущем, Трифонов не наделяет своих героев оптимистическими надеждами. Их единственное убежище — революционное прошлое, в котором лукьяновы и им подобные не видят ничего интересного.

Они втягивают Дмитриева в погоню за материальными благами, среди которых и хорошая работа. Ради них Дмитриев даже предает друга детства и дальнего родственника Левку Бубрика. Под влиянием жены и с помощью свекра он занимает вакансию в институте, предназначенную для Бубрика. Он надеется, что никто не заметит этой грязной проделки. Вначале совесть его противилась, но, как обычно слабовольный, он поступает так, как настаивает жена, и соглашается с тем, против чего восставал его инстинкт. Наконец, он попадает в ситуацию, когда все происходящее с ним становится очевидным. Повествователь иронически описывает страдания Дмитриева: «...три ночи не спал, колебался и мучился, но постепенно то, о чем нельзя было и подумать, не то что сделать, превратилось в нечто незначительное, миниатюрное, хорошо упакованное, вроде облатки, которую следовало — даже необходимо для здоровья — проглотить, несмотря на гадость, содержащуюся внутри. Этой гадости никто ведь не замечает. Но все ведь глотают облатки».

Когда Федор Николаевич узнал об этом случае, он потерял всякое уважение к своему внуку. Однажды он сказал ему: «Мы с Ксеней ожидали, что из тебя получится что-то другое. Ничего страшного, разумеется, не произошло, ты человек не скверный. Но и не удивительный». Мысль, что дед невысокого мнения о нем, расстроила Дмитриева. Трения между двумя семьями стали очевидными на похоронах деда, когда Лора спросила, поедет ли он на поминки. «Вопрос был задан бегло, но как много он означал!» — замечает повествователь, подчеркивающий это замечание восклицательным знаком. В произведениях Трифонова этот пунктуационный знак употребляется много реже, чем вопросительный, заставляющий читателя думать.

Под предлогом, что у Лены болит голова, Дмитриев отказался ехать на поминки, где собирались родственники и друзья деда. Поступив так, он окончательно порвал свои связи с прошлым и примкнул к Лукьяновым. Именно Лора первая заметила, какое влияние оказывают Лукьяновы на брата. Однажды она заметила ему: «Витька, как же ты олукьянился». Это слово вошло в русский язык для обозначения мелкобуржуазного стиля жизни и образа мысли. Дмитриев был оскорблен этим словечком. Более того, сестра раздражала его своим неприятием Лены. Еще в самом начале его семейной жизни, когда все вместе жили на даче в Павлиново, Лора указала Дмитриеву на бестактное поведение его жены. В то время он не придал никакого значения ее словам и назвал ее негибкой и вмешивающейся не в свое дело, хотя признавал, что Лора очень добра к больной матери. Чтобы ухаживать за ней, она прервала свою работу геолога в Средней Азии.

Лора была изумлена, глубоко задета и потрясена бесчеловечностью брата, услышав об обмене. Но отступать Дмитриеву было некуда. Лена руководила им как некая движущая сила, которой он не в силах сопротивляться. Только один раз возникает намек на протест: «...он, как обычно, почувствовал жар под ключицей». Когда он думает о предстоящем разговоре об обмене, его беспокойство принимает прямо-таки гамлетовские очертания: «Звонить иль не звонить?» Перед решающим разговором его одолевают сомнения. Но когда он уже приехал к матери, ему позвонила жена и спросила, взял ли он ключ. Он же утешает себя тем, что способен поступать независимо: «Он один мог решить: спрашивать ключ или нет».

Драма Дмитриева, о которой он только частично догадывается, заключается в том, что он позволяет манипулировать собой женщине, про которую сам говорит, что у нее «душевный дефект». Когда он выслушивает Ленин дьявольский план обмена, он говорит ей в лицо: «Ей-богу, в тебе есть какой-то душевный дефект. Какая-то недоразвитость чувств. Что-то, прости меня, недочеловеческое». Это обвинение становится резче, когда звучит характеристика Лены — «умение добиваться своего». Чувствительный трифоновский герой оказывается беспомощным перед грубой силой ее души. В этой женщине сильно животное стремление отвоевывать себе территорию, не считаясь с ближним. Дмитриев иронически говорит о Лене: «Она вгрызалась в свои желания, как бульдог. Такая миловидная женщина-бульдог с короткой стрижкой соломенного цвета и всегда приятно загорелым, слегка смуглым лицом. Она не отпускала до тех пор, пока желания — прямо у нее в зубах — не превращались в плоть». Ленин «триумф», увенчавший ее стремление попасть в вожделенный «Институт международной координированной информации»(ИМКОИН), изображен явно иронически. Упрямство, с которым Лена добивается этой работы, подчеркивается постоянным повторением аббревиатуры ИМКОИН, которая мелькает перед глазами читателя, как во время рекламной кампании: «ИМКОИН стал плотью и хрустел на зубах, как хорошо прожаренное куриное крылышко»[6].

Образ Лены у Трифонова явно восходит к образу Наташи, жены Андрея Прозорова из пьесы Чехова. Многообещающий образованный брат «трех сестер», относящийся к истинной интеллигенции, превращается своей мелкобуржуазной женой в мужа-подкаблучника. Эта внешне привлекательная женщина заставляет своего разочарованного мужа горько воскликнуть: «...в ней есть... нечто принижающее ее до мелкого, слепого, этакого шершавого животного. Во всяком случае, она не человек»[7].

Как и Наташа, Лена воплощает энергию и жизненную силу безжалостного существа. Ей разработана тончайшая сеть приемов воздействия на мужа. Как опытная актриса, она в зависимости от обстоятельств применяет то резкий, то приказной, то умоляющий, то примиряющий, то льстящий тон, великолепно регулируя его в голосе. Дмитриев, относящийся к своей жене двойственно, думает и действует под влиянием ее искусной игры. В такие минуты для него нет женщины мудрее, тоньше, красивее, энергичнее и интеллигентнее ее. Никто так не умеет подметить слабое и смешное, как Лена. Но если это пленительное создание встречает сопротивление, мужа возвращают на землю взглядом ведьмы с «синими ласковыми глазами». Она применяет разнообразную тактику, используя оскорбления, ссоры, слезы и мнимые болезни. В такие минуты Дмитриев успокаивает себя одним: «Приходилось мириться с Леной, как с плохой погодой».

В противовес Дмитриеву, которого мы узнаем изнутри, Лена, как и другие герои, показана и глазами мужа, и глазами повествователя. Ее внутренний голос не слышен, но ее поступки и мысли описываются ими самими. Впрочем, в жизни героя есть еще одна женщина, в известной степени противостоящая Лене. Это Таня, тридцатичетырехлетняя женщина, экономист из одного с Дмитриевым института. Она стала любовницей Дмитриева в одно долгое лето, когда Лена с дочерью были на юге. Их страстный роман привел Дмитриева в состояние полного блаженства и заставил его впервые задуматься о сущности любви. Писатель показывает настоящую любовь как возвышающую силу, способную сопротивляться истощающим будням. Трифонов высказывает свое понимание любви в этом случае. Этот взгляд подобен тому, что описан в «Даме с собачкой». Как эхо чеховского рассказа, звучат слова Дмитриева об отношениях с Таней: «... казалось ему, он лишь приобщился к тому нормальному, истинно человеческому состоянию, в котором должны — и будут со временем — всегда находиться люди».

Хотя в целом контекст рассказа Чехова иной, печальное понимание невозможности настоящего счастья преобладает и у Трифонова. Тонко чувствующая, романтическая Таня вызывает сочувствие. Она широко начитанна, много знает наизусть из Цветаевой, Пастернака, Блока, Мандельштама, но всем своим существом привязана к человеку, недостойному ее бесконечной любви. Дмитриев понимает, что «она не разлюбит его никогда», хотя он часто поступает по отношению к ней бестактно. Поглощенный своими заботами, он не может проникнуться проблемами своей бывшей любовницы, покинутой мужем и живущей с маленьким сыном. Слабый и трусливый, Дмитриев отказывается от ответственности за нее, оправдывая себя тем, что не в силах ничего изменить. Всегда готовая помочь Таня нужна ему для поддержки в трудные минуты, как, например, накануне разговора с матерью. Но чуткая Таня создает у Дмитриева ощущение, что она была бы для него гораздо лучшей женой. Эта мысль проходит лейтмотивом через размышления героя о ней, посещая его даже ночью, когда он остается с больной матерью, любившей Таню. Но Таня не больше, чем его мать, может помочь человеку в конфликте с его собственной совестью.

Во время поездки от Тани к матери в Павлиново Дмитриев полон печали. Он вспоминает поэтичное дачное местечко «Красный партизан». Еще мальчиком он жил там со своей семьей, приглашенной братьями отца, бывшими красными партизанами. Отец часто ссорился с братьями, но Ксения Федоровна считала, что истинной причиной споров была мелкобуржуазность их жен. Юный Дмитриев был счастлив в Павлинове. Но счастье закончилось, когда отца на улице хватил апоплексический удар, а семью разметал страшный ураган истории. Сталинский террор описан лаконично: «В этом мире, оказывается, исчезают не люди, а целые гнездовья, племена со своим бытом, разговором, играми, музыкой. Исчезают дочиста, так, что нельзя найти следов».

Сталинский режим косвенно упоминается в «Московских повестях». Об одном из дядьев сказано, что у него были «неприятности». Его тетя «исчезла», но ее судьба как бы вписана в общий природный процесс: «Как исчез песчаный откос на берегу реки». Дмитриев думает об этом, идя по изменившемуся берегу реки, ведущему в Павлиново. Он печально думает о своем любимом песчаном береге, где он играл ребенком, об исчезнувшей поэтичной природе, разрушенной наступлением города. Сидя на берегу реки — символе течения времени — размышляя о своей жизни, он сравнивает изменения, произошедшие в нем, с изменениями в окружающем мире. Во всем современном мире Дмитриев видит оправдание его собственных изменений: «Все изменилось на том берегу. Все "олукьянилось". Каждый год менялось что-то в подробностях, но, когда прошло четырнадцать лет, оказалось, что все олукьянилось — окончательно и безнадежно. Но, может быть, это не так уж плохо? И если это происходит со всем — даже с берегом, с рекой и с травой, значит, может быть, это естественно и так и должно быть?»[8].

Вопросительная форма и слово «возможно» показывают, что происходящие в обществе процессы не самоочевидны для Дмитриева. Осознание героя во многом вызвано созерцанием разросшегося города. Как во всех «Московских повестях», жизнь и судьба героев тесно срослись со столицей. Герои и события постоянно изображаются на фоне картин Москвы. Преимущественно город изображен с точки зрения живущей в нем интеллигенции. Москва не только побуждает их к действию, но и постоянно присутствует в их философских рассуждениях, мечтах и воспоминаниях. Город изображен как свидетель времени, начиная с Октябрьской революции до сегодняшнего дня. Изменяющееся восприятие атмосферы и климата Москвы обусловлено состоянием мысли персонажей. В зависимости от своих ожиданий, настроений, надежд, радостей, успехов, горестей, разочарований они видят город то в положительном, то в отрицательном свете, но во всех случаях автор изображает Москву как магнетическую силу, которая так влияет на своих обитателей, что они неминуемо притягиваются к ней, куда бы они ни пытались убежать. Символично, что действие почти всех повестей начинается и заканчивается в Москве; только в «Предварительных итогах» события начинаются в Средней Азии, куда герой приезжает в надежде сбежать от гнетущего окружения. Но даже там картина Москвы внезапно приходит ему на ум. Неважно, что временная необходимость спасаться бегством гонит их прочь, неважно, куда они бегут, все равно герои Трифонова всегда возвращаются в свою обычную, любимую, хотя иногда и ненавидимую ими повседневность.

Очевидно, что писателя увлекает бесконечно меняющееся лицо громадного города. До своих последних произведений Трифонов передавал атмосферу родного города во все времена дня и ночи, изображая мельчайшие детали его ежедневной жизни, его меняющегося ритма. Мы легко узнаем улицы, бульвары, площади, здания, парки, магазины, рестораны, театры, гостиницы, кинотеатры и т. д., которые всегда даны под своими настоящими именами. Мы видим нескончаемые толпы в метро и автобусах в час пик, идем в море народа по главным улицам после работы. Мы ощущаем в его стиле нервный ритм московской жизни и вместе с горожанами участвуем в их ежедневных поисках провизии. Из этих походов они часто возвращаются разочарованными, что приводит к напряжению и конфликтам. Сам Трифонов говорил, что это «охотничье» существование угрожает человеческим отношениям. Под воздействием урбанизированного, стандартизированного житья человек превращается в автомат. Истинные чувства улетучиваются, нет времени для настоящих человеческих контактов, в результате рождается отчуждение.

Дмитриев тоже приходит к этому печальному выводу, и в конце истории предстает перед нами поверженным. Трифонов не осуждал его, он был не согласен с теми критиками, которые утверждали, что автор отрицательно относится к своему герою. Например, М. Синельникову он возражал, что у него нет никакой особой злобы по отношению к герою, это обычный человек, подобный многим. Однако автор признает, что кое-что в Дмитриеве раздражает его: «Мне не нравились его слабохарактерность, безволие, склонность к самооправданию». Но трифоновский тон становится мягче, когда он показывает, что Дмитриев испытывает раскаяние. Это чувство было подчеркнуто А. Вилькиным, первым исполнителем роли Дмитриева в театре на Таганке. Трифонов вместе с Ю. Любимовым переложил эту повесть для сцены в форме длинного монолога Дмитриева. Герой мучил сам себя вопросом: «Что случилось с моей жизнью? Как мне все понять?» Он честно рассказывал, что случилось, иногда плакал, страдал от своей слабости и ошибок. По мере рассказа его охватывало отчаяние. Трифонов говорил, что, когда человек в чем-то раскаивается, это характеризует его в целом хорошо. Недаром в религии ритуал раскаяния играет очень важную роль. Это род освобождения души. Дмитриев иногда бывает плохим, но то, что он понимает это, говорит, что еще не все потеряно[9].

Когда я смотрела пьесу в Москве, меня охватило острое чувство тоски. Гнетущее впечатление создавалось большой сценой, на середине которой в одиночестве сидел Дмитриев среди окружающего его беспорядка с молчаливым свидетелем своего горя — телевизором. В тот же день вечером в том же театре я смотрела спектакль по роману М. Булгакова «Мастер и Маргарита». Драматическая атмосфера фантасмагорического действа не перерастала, однако, в подавленность. Дуэль между Добром и Злом велась здесь открыто, тогда как в трифоновском мире все конфликты спрятаны от внешнего мира, но от этого они становятся только сильнее и больнее ранят тех, кто в них участвует. «Конфликт "ушел вовнутрь"», как это справедливо описано в «Доме на набережной»[10].

Многие критики односторонне подходили к характеристике героев «Обмена». Трифонов же не хотел, чтобы сложный характер раскладывали по полочкам и навешивали ярлыки. Он не соглашался с теми, кто называл Лену отрицательной героиней. Этот тип женщины имел черты, которые он ненавидел, но образ состоял не только из них. Интересно проследить, как в своих комментариях Трифонов превращается едва ли не в защитника Лены, как бы не замечая мелкобуржуазной сущности ни ее, ни ее семьи. Это находится в резком противоречии с тем, что изображено в повести. Трифоновские уклончивые комментарии были, на мой взгляд, направлены против критиков, приписывавших автору односторонность в изображении персонажей.

Писателя куда больше вдохновляли письма читателей, которые он во множестве получал после выхода повести. Многие старые люди писали ему о том, как они были оскорблены своими детьми. Они рассказывали ему о своих семьях, друзьях, судьбах, просили у него помощи и совета. Его близкая знакомая рассказывала ему, как пыталась просить своего сына съехаться с бабушкой, чтобы приглядывать за ней. Но сын внезапно ответил: «Я прочитал повесть "Обмен" и не могу съезжаться с бабушкой. Ну, не могу». Его мать была потрясена этим, но «потом, кажется, сын согласился, и они обменялись». Трифонов говорил, что его порадовал этот случай. Самым важным он считал то, что «читатель начал задумываться — пусть хотя бы на минуту». Он считал, что писатель не должен терять надежду «исправить человеческие пороки», надо стремиться «хоть бы на минуту сделать человека лучше», так, «чтобы, прочитав рассказ, читатель пошел бы в гастроном и купил бабушке бутылку молока, а дедушке двести граммов российского сыра»[11].

§ 2. «Предварительные итоги»

Когда повесть «Предварительные итоги» в декабре 1970 года появилась в «Новом мире», Твардовский уже не был его главным редактором. Литературные чиновники искусно убрали его, просто назначив на его место В. Косолапова, чиновника, до того руководившего издательством, с которым Твардовский не мог сотрудничать. Перед этим власти пытались подорвать авторитет Твардовского, затеяв грязную кампанию по обвинению его в публикации своих произведений на Западе. Партийные функционеры надеялись, что, убрав Твардовского, будет проще осуществлять жесткий контроль над литературой. Когда годом позже Твардовский умер, многие, в частности А. Солженицын, считали, что его убили, отняв у него журнал. Историческое значение работы редактора «Нового мира» было подчеркнуто Ж. Медведевым, заявившим: «Смерть Твардовского была поворотным пунктом в культурной жизни страны»[12]. Последняя надежда на либерализацию была утрачена, прогрессивная интеллигенция ответила на это по-разному. Целая плеяда художников, включая В. Некрасова, А. Зиновьева, В. Войновича, Е. Эткинда, В. Максимова, А. Тарковского, эмигрировала, другие — В. Аксенов, А. Солженицын, М. Ростропович — были высланы из страны. Те, кто пытались продолжать борьбу дома, притеснялись.

В «Предварительных итогах» Трифонов проницательно рисует образ сломленной интеллигенции. Пессимистический тон повести обусловлен тем, что она построена в форме признаний интеллектуала, безуспешно пытающегося порвать со своим окружением. Сорокавосьмилетний Геннадий Сергеевич, — переводчик, человек сломленный. За два года до момента действия он перенес гипертонический криз. В начале истории мы застаем его в Туркмении, куда он сбежал от надоевшей жизни в Москве. В столице у него остались жена Рита и семнадцатилетний сын Кирилл, с которым он в ссоре. Геннадий начинает свою историю с рассказа о бессоннице из-за боли в груди и страха смерти. Герой возвращается в прошлое и пытается глубже заглянуть в себя и окружающих. Слово за слово он описывает жену, сына, домработницу, широкий круг знакомых. В противовес фаталисту Дмитриеву Геннадий способен к безжалостному самоанализу: «Тип: средний интеллигент конца шестидесятых годов. Род: литературный пролетарий. Вид: из неудачников, умеющих устраиваться»[13]. Самообвинения Геннадия не лишены сарказма. «Никто», «простое насекомое», «неврастеник», «таракан» — это только некоторые из определений, которые он дает самому себе. Подобная резкая самооценка не свойственна трифоновским персонажам.

Геннадий сам рассказывает о себе. Повествование, что не характерно для Трифонова, ведется от лица самого героя. Читатель таким образом погружается в глубину внутреннего мира героя, описывающего свой мучительный опыт и рассуждающего в форме длинного внутреннего монолога. Как обычно в трифоновском мире, прошлое в рассказе превалирует над будущим, а время действия занимает короткое время. Геннадий живет далеко от Москвы, погрузившись в себя. Его признание — одна длинная жалоба человека, находящегося в поисках своей истинной сущности. Он постоянно спрашивает сам себя: «Кто я? какой я?» И когда чувство вины побеждает, слышится: «Что я могу сделать?» Он подавлен пониманием того, что у него нет сил сопротивляться своему образу жизни. В своих критических рассуждениях он пытается понять, кто или что стало причиной его разочарования в жизни. Он хочет подвести «предварительные итоги» своей жизни. Мысль о возможной смерти преследует его. Трифонов действительно писал повесть, имея в виду смерть героя: «Почти всю повесть я писал, держа в уме эту печальную концовку, а когда осталось написать три или четыре последних страницы, вдруг понял, что умирать он не должен. Он должен жить и тащить свою тяжелую ношу. Можно было завершить повествование смертью, но это был бы все-таки какой-то рывок из образа жизни, своего рода катарсис, очищение. Между тем замыслу более отвечала жизнь без катарсиса»[14].

Это объясняет, почему Геннадий так неустанно искал смысл своего существования. Понимание, что у него нет ни сил, ни времени исправить непоправимое, придает его признаниям драматический тон. Почему его жизнь стала столь несчастной? Он пытается найти объяснения этому в своей юности. Ему было семнадцать, когда его отец, военный инженер, был убит в 1939 году. Его мать долго болела и лежала по санаториям. Когда его отправили на фронт, он был ранен и долго лечился. После возвращения погрузился в университетскую жизнь. Он рано женился, но у них с женой оказались разные интересы. Прожив около двух лет, имея сына, они развелись, Геннадий Сергеевич порвал всякие отношения с сыном, который стал геологом и работает в Средней Азии.

Анализируя беды своей жизни, он приходит к горестному выводу, что «всю жизнь делал не то, что хотелось, а то, что делалось, что позволяло жить». Он первоклассный переводчик, но постоянно вынужден переводить всякую ерунду, навязанную литературными чиновниками. Ради приличных денег он переводит высокооплачиваемую макулатуру, раздражающую его и не вызывающую даже подобия вдохновения. Во время повествования он делает с подстрочника литературный перевод пространной поэмы туркменского писателя Мансура «Золотой колокольчик». Геннадий пытается прочитать автору отрывок перевода, но тот остается равнодушным к собственному бездарному творению. Тем не менее поэма эта должна быть опубликована в Туркмении, Москве и Минске. Сарказм по отношению к бездарным произведениям очевиден. Геннадий, для которого его работа — каторга, признается: «Ведь я в капкане. И все движения, которые я делаю будто бы независимо, на самом деле движения существа, находящегося в капкане. В радиусе не длиннее собственного хвоста».

Ситуация кажется герою безнадежной. Он пытается уйти от всего этого, но не может. Его страдания так подавляют его, что превращаются в исходящие из подсознания ночные кошмары. После дней безрадостной работы ради заработка в своих снах он видит бесконечную лестницу, своеобразный символ грубой реальности: «...будто поднимаюсь по каким-то бесконечным ступеням, каждый шаг все тяжелей, все невозможней, не хватает дыхания — и когда уж, кажется, конец, асфиксия, — вдруг просыпаюсь».

Трифонов ставит своего героя в ситуации кафкианские. Геннадий считает, что в мире Кафки все «реально», кроме «превращения» Замзы в насекомое. Тем не менее Геннадий, считающий себя «простым насекомым», чувствует, как тесно связан он с героем «Превращения». В дополнение к Кафке, десятилетиями клеймившемуся советскими чиновниками «буржуазному мыслителю», Трифонов в своей повести упоминает и Ницше. Геннадий даже выбрал название книги «Also sprach Zaratustra» в качестве одной из своих любимых цитат: «Изумительно точная цитата. Одна из тех, что сопровождает меня всю жизнь. В ней есть философское отношение к жизни, начитанность, интеллигентность, знание языков»[15]. Это восхваление, впрочем, сглаживается замечанием, что в этой цитате есть «также — ерунда и обман». Автор, частично из-за цензуры, заставляет Геннадия Сергеевича щедро приправлять свои выводы иронией, он даже называет себя псевдоинтеллектуалом с поверхностными знаниями, никогда серьезно не читавшего Ницше. Тем не менее герой постоянно упоминает название книги, в которой Ницше изложил доктрину Сверхчеловека, которую советский критик А. Михайлов считает «типичной для буржуазного индивидуалистического сознания», а Геннадий комментирует в обычной саркастической манере: «... свободный выбор. Общество не нуждается в нем, но индивидуум»[16]. Но несмотря на это он презирает правила игры для масс. Его жена Рита однажды уязвила его, сказав, что он жертва среды, которая его породила. Его работа переводчика — это только способ приспособиться к обстоятельствам, которым он противостоит в своем сознании, но из которых не пытается выйти. Его сын Кирилл говорит ему презрительно: «Ты производишь эту муру, а твоя совесть молчит».

Геннадий плохо переносит эту критику, он больше не чувствует себя свободным в собственном семейном кругу. Он поясняет: «...если уж дома, в своем скворечнике, в том, до чего никому нет дела, кроме меня, я не могу быть независимым, не имею права совершать поступки, тогда я ничтожество, насекомое». Намекая на недостаток свободы личности в обществе, Трифонов продолжает традиции русской классической литературы. Общественное и личное переплетаются в его изображении семейного конфликта. Большое внимание уделяется анализу причин неурядиц в супружеской жизни, того, что писатель называет «распадом семьи». Это одна из основных тем повести, хотя она и является только одним из звеньев цепи, которая привела Геннадия Сергеевича к депрессии.

Мужчина чувствует себя неудачником, потому что не смог сохранить гармоничные когда-то отношения со своей второй женой, потому что плохо воспитал сына. Недостаток понимания между супругами, прожившими вместе двадцать лет, не связан с материальными проблемами. Хотя Геннадий часто жалуется на недостаток денег, семья живет вполне благополучно. У них приличная квартира. Рита, более пяти лет назад бросившая работу, может содержать домработницу, что является редкостью в России. Отчуждение супругов вызвано различными причинами, в частности, вялостью и неврастенией Геннадия, который преждевременно состарился и почувствовал себя чужим в собственном доме. Его постоянные жалобы на всевозможные психологические и физические недуги раздражают жену, которая в свою очередь тоже начинает донимать его различными жалобами. У них неисчерпаемые запасы лекарств, которые идут в ход, когда что-то неладно на работе или в домашних делах. Ни в одной из трифоновских повестей так не подчеркивается связь между психологическими проблемами и физическим нездоровьем. «Я плохо зарабатывал, было туго с заказами, и я болел», — признается герой.

Его жена разочарована, потому что «она всю жизнь надеялась на что-то во мне, но ничего нет, я пустое место, профессор Серебряков». Человеку больно от этого понимания, потому что его жена знает его возможности лучше, чем кто-либо еще. Но, как это часто бывает в ссорах между супругами, один защищает то, на что нападает другой. Геннадий считает, что профессор Серебряков вовсе не заслуживает нашего презрения, потому что он «не гангстер, не половой психопат». Более того, он годами без устали работал, как и Геннадий, над своими переводами. Эта защита делает очевидным то, что трифоновский герой чувствует сходство с чеховским героем. Душевное родство основано на том, что Серебряков в своей работе всегда идет проторенными дорогами и получает стереотипные результаты. Но причины этого разные. Если у профессора — явный недостаток таланта, то Геннадий растратил свой настоящий талант, разменивась на переводческую поденщину и все сваливая на заевший его быт: «... не надо искать сложных причин! Все натянулось и треснуло оттого, что внезапно напрягся быт».

Отношения Риты и ее мужа напоминают отношения между Серебряковым и его второй женой. Под влиянием мужа Елена тоже становится ленивой, неудовлетворенной женщиной, ведущей полусонную жизнь. Впрочем, по сравнению с чеховским временем брачные узы стали менее прочными. Как замечает герой, «современный брак — нежнейшая организация. Идея легкой разлуки — попробовать все сначала, пока еще не поздно — постоянно витает в воздухе, как давняя мечта совершить, например, кругосветное путешествие...» Герой признается, что за годы брака «не было, наверно, ни одной недели, чтобы я так или иначе не касался мыслями этой темы». Он обобщает свое миропонимание: «Идея разлуки сидит потаенно в каждом из нас, как дремлющая бацилла. Не надо спорить, это истина. Загляните в себя».

Но герой не может дойти до развода или разрушить гнетущий его образ жизни. Он не может сделать ничего, только думает о том, что не случилось. «Мы не должны были жить вместе двадцать лет... Двадцать лет! Период, когда могли разрушиться все надежды». Все могло бы быть другим, если бы... Но внезапно Геннадий осознает, что жена — неотъемлемая часть его существования. Без нее он чувствует себя еще более несчастным. Это отчетливо показано в начале повести, когда он звонит Рите из Туркмении после двухмесячного молчания, чтобы объявить о своем возвращении.

Эгоизм играет в семейном конфликте решающую роль. Все три члена семьи поражены этим, по выражению Трифонова, «самым старым человеческим недугом». Рита говорит об этом ясно: «Когда три эгоиста живут вместе, ничего хорошего быть не может». Для Геннадия эта проблема решается так: «У каждого эгоиста есть выход... Найти доброго человека, который будет ему все прощать». Семья находит такого доброго человека в лице домработницы Нюры. Эта тридцатидвухлетняя крестьянка, «самая святая женщина на земле», верно служила им десять лет, но однажды заболела. Ее положили в психиатрическую больницу, так как у нее оказался «особый вид шизофрении». После ее выздоровления руководство больницы позвонило, чтобы узнать, когда Нюра может вернуться к месту своей работы. Супруги отказались принять ее. Геннадий даже находит оправдание такому их поведению: «мы люди больные». Но когда он осознает, что они с женой выкинули как ненужную вещь бесконечно преданного им человека, который уже не мог больше работать на них, он впал в панику: «Меня охватила жгучая боль — так было впервые, я не понимал, болит ли сердце или сразило чувство стыда, какое-то отчаяние». Только когда напряжение улеглось, герой понял, что «когда совершается предательство — даже маленькое — всегда потом бывает тошно». Как Дмитриев обнаруживает, что каждое предательство оставляет шрам, так и Геннадий осознает, что «ваша болезнь, к сожалению, не может стереть сделанное вами или страдания, вызванные вами. Все в этой жизни имеет свою цену».

Парадокс ситуации состоит в том, что Геннадий и его жена понимают, что вместе с Нюрой исчезнут уют и тепло, дом развалится. Геннадий считал ее истинной хранительницей дома. В трифоновском мире образ дома часто используется как символ любви, тепла, безопасности и стабильности в противовес разрушению и разорению. Потеря дома означает утрату глубоких человеческих контактов, которые возможны только в атмосфере настоящей человечности. Геннадий начинает понимать это: «... если человек не чувствует близости близких, то, как бы ни был он интеллектуально высок, идейно подкован, он начинает душевно корчиться и задыхаться — не хватает кислорода». Геннадий не может дать этой любви, которой сам так жаждет. Когда лечащий врач Нюры начинает взывать к его совести и человечности — качествам любого истинного интеллигента — он трусливо прячется.

Горожане в изображении Трифонова обделены чувством любви, этим чувством обладает простой человек из народа. В повести это Атабалы, садовник Дома писателей в Туркмении, где остановился Геннадий. Человек, у которого одиннадцать детей, включая приемную дочь Валю, рад помочь всем. Источником этого альтруизма Геннадий считает большую семью Атабалы. Он обнаруживает средоточие добра также и в Вале, которая выражает его собственное ощущение, когда говорит, что его жена и сын любят его и что сам он не сможет жить без них. У Геннадия начинается краткий роман с Валей. Когда они занимаются любовью, на что автор намекает через образы воды и ливня, воспоминания о подобном ощущении счастья со своей женой уносят героя на несколько лет назад. Затем внезапно появляется знакомая картина: бесконечная лестница, на которую невозможно взобраться из-за недостатка воздуха. Этот сон символизирует возвращение Геннадия в Москву. Повесть заканчивается рассказом об отдыхе супругов в доме отдыха в Прибалтике. В «открытой концовке» сообщается, что морской воздух оказал благотворное воздействие на здоровье Геннадия. Ничего не говорится о будущей жизни супругов, но можно предположить, что все пойдет по-старому: он будет переводить ради заработка, она вести свое мотыльковое существование.

Другой источник бед в семье Геннадий видит в том, что его жена катастрофически не желает что-либо делать. Он считает, что она поступила неправильно, бросив работу, потому что «праздный человек теряет устойчивость». Рита окружает себя друзьями, раздражающими ее мужа, — этакими псевдоинтеллектуалами, которые «точно знают, как жить». Эти «джентльмены удачи» описаны явно иронически. Движимые целью «пиратской» наживы, они занимаются делами, модными среди «снобствующих» столичных интеллигентов. Интеллектуальная мода диктует им, за чем надо «гоняться». Это могут быть предметы русской старины: иконы, самовары, работы философов К. Леонтьева, Н. Бердяева, Вл. Соловьева. Спекуляция английскими и американскими товарами (джинсами, виски, сигаретами) тоже в моде, как, впрочем, и джаз, рок и «Битлз», не случайно они часто вставляют в свою речь английские словечки. На первом месте у них стоят связи. Когда Геннадий отказывается использовать некоторые из своих связей, его моментально исключают из дружеского круга как «неврастеника».

Ритины друзья выносят ему приговор как человеку ограниченному. Лидирует в этом кругу Лариса, о которой Рита говорит с восхищением: «Лариса — это не подруга, это — учреждение. Ларисбюро. Все может организовать». Эта приземленная деловитая дама, третирующая собственного мужа, имеет «гигантский диапазон» возможностей. Ее возможности простираются от «доставания» шерстяных рейтуз до путевок, курортных карт, мест в престижных больницах, консультаций лучших врачей, лекарств и вообще встреч с нужными людьми, то есть всего, что недоступно простому смертному.

Законодателем мод в Москве является тридцатисемилетний Гартвиг. Все та же Лариса ввела его в дом Геннадия как одного из лучших репетиторов по истории. Этот человек, который точно знает «все, что нужно знать», должен был подготовить Кирилла к вступительным экзаменам в институт. Ведь, кроме всего прочего, Гартвиг был другом секретаря приемной комиссии института. Появление этого обаятельного, самоуверенного, необычного человека в доме оказывается губительным для и без того не слишком прочных семейных уз. Гартвиг становится «героем» и во всем противопоставляется Геннадию Сергеевичу. Этот энергичный человек имеет кандидатскую степень и работает в исследовательском институте. Он что-то пишет, кого-то учит и «с легкостью достигает... того, из-за чего другие бьются всю жизнь». Геннадий Сергеевич дает исчерпывающий портрет Гартвига.

Гартвиг — оригинал, который любит иногда прервать свои исследовательские труды и поработать моряком или лесорубом во время своих странствий по России. Он был дважды женат — на кинозвезде и цыганской танцовщице. Последней страстью этого разностороннего человека является религиозная история средневековья, в частности, Фома Аквинский. Он увлекается К. Леонтьевым, Н. Бердяевым и Вл. Соловьевым. Гартвиг любит вести схоластические диспуты в дамском обществе. Женщины сходят с ума от этого эрудита, берущего их на экскурсии в святые места: Суздаль, Загорск. Под влиянием его обаяния они впадают в экстаз от распятий, монахов и икон. Даже Рита, бывшая профсоюзная активистка, была обращена Гартвигом в новую веру. Геннадий в раздражении говорит ей, что «ее псевдорелигиозность есть лицемерие и обман, что первой заповедью всякой религии — и уж тем более веры Христовой — есть любовь к ближним. А где она? Равнодушие, бегство из дома, книжное тщеславие. Муж заброшен, сын растет как трава... Не Фома Аквинский, а пешие прогулки и холодные обтирания по утрам»[17]. Геннадий делает вывод, что вся эта псевдорелигиозность на руку в основном спекулянтам, вздувающим цены на редкие издания религиозных и идеалистических философов на черном рынке. Он даже несколько раз «вытурял из дома» книжных маклеров, торгующих редкими книгами и барахлом с небольшой наценкой.

Трифонов ни в коем случае не утверждает, что бывшая профсоюзная активистка не может сменить свои воззрения и увлечься трудами религиозных философов. Геннадий считает это не более чем причудой. Когда он углубляется в рассмотрение этого феномена, он говорит о духовной тоске и катастрофической незаполненности сознания, явно намекая на то, что провозглашаемые атеистические лозунги провоцируют апатию и духовное неблагополучие. Поднимая разговор об этом деликатном вопросе, писатель упоминает имена философов, официально запрещенных в СССР. Впрочем, эти философы, популярные когда-то в кругах русской интеллигенции, могли быть упомянуты только теми, кто читал их работы. Как раз в то время, когда Трифонов писал свою повесть, книги Н. Бердяева с большим интересом читались в Москве[18].

Но писатель показывает, что люди типа Гартвига — это хамелеоны, меняющие свои мысли и поступки в зависимости от желаний и указаний то партии, то оппозиции. Это объясняет, почему он одновременно изучал книги отцов церкви и писал вполне официозные труды по социологии, разоблачая «товарища Баха» и «товарища Моцарта». Гартвиг в своем стремлении «завести досье на каждого» больше похож на человека из КГБ, чем на ученого. В его холодном изучающем взгляде Геннадий видит пренебрежение циничного, равнодушного существа, для которого вся жизнь не более чем объект изучения, как, скажем, муравей или лягушка. Автор явно намекает, что гартвиговская жажда информации — это охота за материалом разоблачительным. Когда он начинает спрашивать Геннадия о мельчайших подробностях его личной жизни и работы, тот не случайно говорит ему, что он напоминает врача, допрашивающего больного.

Одновременно показывается, что сноб Гартвиг не знает некоторых элементарных вещей. Так, например, выясняется, что ему неведомо, героями какого произведения были Печорин и Грушницкий. Гартвиг считает, что они из романа Тургенева. Любовь к иконам он превращает в охоту на эти произведения искусства. Рите удается вынудить домработницу Нюру выпросить у тетки две иконы. Одну из них потом она с гордостью повесила на розовую стену рядом с репродукцией Пикассо. История с иконой приобрела драматический оборот, потому что, когда Нюра заболела и попросила вернуть икону, Рита после колебаний решила сделать это, хотя Гартвиг был против возвращения «музейной вещи» неизвестно кому. Он не в состоянии понять, что значит икона для истинно верующего. Глубокая Нюрина религиозность резко контрастирует с кукольно-бездушным поведением людей, превращающих духовные ценности в модный товар.

Когда Рита попросила Кирилла, которого Нюра выпестовала, отвезти икону в больницу, он продал ее на черном рынке за сто двадцать рублей. Геннадий, который ничего не знал об этом, был вызван в милицию. Подозрение, что внезапно исчезнувший из семейного круга Гартвиг и приглашение следователя как-то связаны, рождает в нем панический страх. Беседа со следователем, стыд, осознание себя плохим отцом и одновременно сострадание к жене и сыну описаны в манере Достоевского. В итоге дело прояснилось, и Кирилл легко отделался.

Возможно, наиболее трогательным в повести является то, что одним из центральных мотивов ее оказывается мотив сострадания. Печаль об обычных недостатках всего человечества, от которых страдают столь многие, звучит сквозь всю эту симфонию разочарования. Геннадий размышляет об этом: «Ведь столько людей не устроены в этой жизни. Стремятся чего-то достичь, но не могут, не в силах»[19]. Возможно, эта атмосфера печали и бессилия так сильно повлияла на Джона Апдайка, сказавшего: «Трифонов унаследовал от русских классиков девятнадцатого столетия их несравненное упругое открытое ощущение человеческой натуры»[20].

Характер Геннадия воспринимался настолько живым, что многие пытались искать его прототип. Критик Татьяна Патера считала, что Трифонов изобразил одного из своих друзей, поэта и переводчика Льва Гинзбурга. Этот одаренный поэт напоминает Геннадия возрастом, профессией, характером, прекрасным чувством юмора, способностью к самоиронии, сердечными болезнями и сложным положением на профессиональном поприще[21].

Трифонов тоже часто говорил о реальных прототипах своих героев, взятых из жизни. Его реакция напоминала чеховскую, когда он утверждал, что никогда не изображает друзей и знакомых. Личный опыт, человеческие связи этих настоящих художников претворялись в образы, трогающие нас. Но все равно иногда возникали неожиданные инциденты. Чехов однажды сказал об этом: «Иногда случается, что мои знакомые по ошибке узнают себя в героях моих рассказов и сердятся на меня»[22]. Трифонов тоже замечал, что друзья и знакомые иногда узнают себя в его литературных героях. Он вспоминал, что его друг Дима, работавший в «Новом мире», однажды спросил его: «Ты знаешь, черт возьми, все говорят, что ты изобразил меня. — Где? — В "Предварительных итогах". — Почему ты так решил? — Ну, я переводчик, не лажу с женой, а мой сын, как Кирилл, играет в какой-то джазовой группе. Ты знаешь любовь молодежи к джазу. — Ты не прав, Дима. У моего героя другой характер, он вообще другой, ты на него не похож. Твоя Светлана не имеет ничего общего с героиней. Героиня интересуется иконами, религиозностью, читает Бердяева, Леонтьева, Розанова…
— Но день рождения у героя девятнадцатого февраля. — Да, ну и что? — У меня тоже. Я сказал: — Боже, но я не знал. — Конечно, знал, ты же был на моем дне рождения. — Когда? — Двадцать пять лет назад»[23].

§ 3. «Долгое прощание»

Когда в повести «Долгое прощание» молодой автор Гриша Ребров кричит: «Моя почва — это опыт России, все, чем Россия перестрадала», кажется, что мы слышим голос самого писателя. Нет сомнения, что в Гришины слова писатель вложил свое страстное желание найти историческую правду. Как и Трифонов во времена подготовки к роману «Нетерпение», Ребров проводит целые дни в библиотеке им. В. И. Ленина, читая о народовольцах и Нечаеве. Готовя первую пьесу, Гриша занят работой о народниках, особенно интересуется он Клеточниковым и сторонником Нечаева Прыжовым. Но если роман Трифонова напечатали без труда, то пьесу Реброва запретили. Руководство театра, с которым сотрудничают он и его подруга Ляля, возвращает пьесу, потому что революционеры в ней не похожи на традиционно изображаемых.

Основное действие происходит в 1951—1953 годах, когда сталинский режим подходит к концу. В это время, как мы помним, Трифонов пробовал стать драматургом и на собственном опыте убедился в законах сталинского театрального мира. В те годы автор описал свой личный опыт существования в московских театральных кругах. Он говорил об этом в ноябре 1973 года, когда замечал, что «Московские повести» писались одна за другой: «Повесть "Долгое прощание" была последней, но первая ее часть — описание театра, премьеры — была написана давно, лет семнадцать назад, точнее, в то время, когда происходило действие повести»[24].

Трифонов создает правдивую картину мира, в котором произведения талантливых драматургов уступали дорогу льстивым пьесам официально признанных авторов. Он приводит стереотипные фразы, используемые властями, чтобы оправдать запрет хорошей пьесы. Одна из любимых формул: «Это никому не интересно». В то же время настоящая вакханалия разыгрывалась вокруг рекомендованных пьес. Так, главный режиссер Сергей Леонидович заинтересовался пьесой Реброва, но тем не менее его обязали ставить скучную утомительную пьесу подхалима Смолянова на производственную тему. Писатель подчеркивает пропасть между властями и театром, показывая, что газеты помещают хвалебные отзывы на спектакль, тогда как публика остается к нему равнодушной.

Сталинская политика привела к драме в приходящей в упадок театральной среде, из которой исключалось все новое. Разрушительные последствия этого чувствовались и после смерти диктатора. Новаторские пьесы запрещались. Это позволило Трифонову сказать уже в 1980 году: «Я вижу похожие пьесы на сцене последние сорок лет»[25]. Это восклицание напоминает чеховское замечание о современной ему драматургии. Утверждение молодого писателя Треплева из «Чайки»: «Нужны новые формы. Новые формы нужны, а если их нет, то лучше ничего не нужно» вполне могло бы принадлежать и Грише Реброву[26].

Как Чехов верил в огромное влияние, которое может оказать хорошая пьеса, так и Трифонов полагал, что непосредственный контакт с публикой — это то, чего лишена проза. Хорошо известно, что Чехов-драматург мучился страхом провала. В ранние годы Чехов несколько раз пытался написать серьезную пьесу, но успеха не имел. Трифоновские отношения с театром, в котором он видел «иную форму диалога» с публикой, тоже были отмечены провалами. Как Чехов познал успех в театральном мире после встречи с основателями Художественного театра К. Станиславским и В. Немировичем-Данченко, так и Трифонов нашел признание после встречи с режиссером Юрием Любимовым на Таганке в 1975 году. Трифонов признавался в 1980 году: «До встречи с Любимовым это была несчастливая безответная любовь»[27]. В отличие от Чехова, писавшего пьесы, Трифонов не чувствовал себя прирожденным драматургом. В 1976 году он даже признавался, что свою первую пьесу писал без особого энтузиазма. Но в 1975 году, когда Любимов предложил ему переложить «Обмен» для сцены, принялся за дело радостно.

Так началось захватывающее сотрудничество между режиссером-новатором и ведущим писателем, обладавшими родственным миропониманием. Как и Трифонов, Любимов, родившийся в 1917 году, был какое-то время законопослушным сыном своего отечества. Он тоже получил Сталинскую премию в 1951 году за игру в пьесах К. Федина и М. Горького. Затем поступил в Вахтанговский театр. В 1964 году он был назначен руководителем экспериментального театра на Таганке, ставшего одним из ведущих московских театров на ближайшие двадцать лет. Именно Любимов открыл блистательного актера и певца Владимира Высоцкого, подобрал блестящую актерскую труппу. Руководство Театром на Таганке привело к кардинальным переменам в его собственной жизни. Лояльный лауреат Сталинской премии превратился в «enfant terrible» советского театра в те же семидесятые годы, так же как и другой сталинский лауреат Трифонов страдал от нападок цензуры. Оба Юрия, каждый по-своему, пытались своими дискуссионными творениями разобраться в жизни. Так же, как Трифонов работал с метафорами, аллегориями, символами, Любимов намекал на современные обстоятельства, используя резкие аллюзии.

Публика восторженно реагировала на блестящую игру этого, как его называл Трифонов, «ассоциативного» театра. Сенсационные премьеры маленького театра были Событиями в московской жизни.

Власти чувствовали себя загнанными в угол и преследовали театр. Любимов не терял бдительности, следя за реакцией официальных кругов. Чиновники всеми средствами пытались закрыть, не пропустить, изуродовать те спектакли, в которых видели критику системы. Многочисленные выговоры, предупреждения, прямые удары, наносимые ими, чтобы помешать Любимову в его работе, не поддаются исчислению. Самые высокопоставленные лица ходили в этот театр, чтобы читать по складам откровения мятежного режиссера.

Спор между тогдашним министром культуры Фурцевой и Любимовым, в котором она тщетно пыталась урезонить его, был памятным. Любимов рассказал о нем и множестве других подобных гротесковых трудностей с властями после того, как был вынужден эмигрировать в 1983 году. В его воспоминаниях я нашла то, что в свое время поразило меня в Москве: власти предпочитали избегать слова «революция». Так, во время работы над постановкой по роману Н. Чернышевского «Что делать?» режиссер получил инструкцию от вышестоящего начальства взять из романа только любовную интригу. Любимовская реакция была хитрой: он сослался на высказывание «товарища Ленина» о том, что роман его «перепахал». Было бы невозможно, чтобы основателя советского государства перепахала простая любовная история![28] Когда я смотрела этот спектакль — не зная интриг вокруг него — я тщетно ждала, когда же герои начнут развивать свои революционные теории. Прождав напрасно, я думала во время антракта, что революционный элемент пьесы разовьется во второй части пьесы, но акцент все время делался на потребительстве капиталистического общества!

Трифонов называл Любимова «настоящим революционером театра» и считал его работы одним из наиболее интересных художественных течений, «противоборствующих с традиционной драмой»[29]. Писатель видел много общего в программе и художественном методе театра на Таганке. Театр ставил кардинальные вопросы в концентрированной форме. Он гордился постановками «Обмена» и «Дома на набережной», сделавшими популярными героев, которых он создал. Сам Любимов говорил мне в Москве, что в постановки вошла только малая толика заложенного в повестях. Когда я посетила его в 1981 году уже после смерти Трифонова, он обдумывал возможность постановки «Другой жизни». Но этому плану, как и многим другим, не суждено было сбыться. В июле 1983 года Любимов поехал в Лондон ставить «Преступление и наказание», его противники воспользовались этим, чтобы «вытолкнуть» его за границу. Запрет возвратиться на Родину ужаснул Любимова, так как в Москве остались все его рабочие бумаги. Даже Ю. Андропов, поддерживавший Любимова, не смог ничего сделать для него и его театра. Театр потерял своего руководителя и интерес публики. Новый главный режиссер А. Эфрос тщетно пытался восстановить невосстановимое. В результате конфликтов с верными Любимову актерами он получил сердечный приступ и скончался[30].

Трифонов подчеркивал, что многие любимовские оппоненты упрекали его в «адаптации». Действительно, многие постановки театра были адаптациями знаменитых прозаических произведений, но это происходило не из-за недостатка хороших пьес. Причиной этого было отсутствие современных пьес, в которых, как в прозе, ощущалась бы новая нота. Как замечал Трифонов: «Проза смелее. Она ближе современной жизни со всеми ее проблемами. Ближе, чем современная драма, которая, как мне кажется, старомодна и менее талантлива»[31]. Писатель признавал, что переделка прозы для сцены была «необходимым переходным явлением», пока не появятся хорошие драматурги. Он называл некоторые театральные студии, следящие за молодыми талантами, в частности, студию Алексея Арбузова. Когда я говорила Арбузову в Москве о сложной ситуации, в которой находится русская драматургия, он отвечал, что есть много молодых талантливых драматургов, но они вынуждены ставить свои пьесы в маленьких окраинных театриках[32].

Трифонов высказал свои претензии к театру в «Долгом прощании», вложив их в уста Сергея Леонидовича, болезненно реагирующего на безжалостное давление чиновников. Поводом к этому послужило подхалимское произведение Смолянова. Старый режиссер делает Гришу Реброва своим доверенным лицом. В долгом страстном монологе он называет главный порок системы: «мы погибнем от лицемерия», хотя и признает, что это проблема всего человечества. Свою критику он направляет против «неправды» в искусстве. Молодые авторы типа Реброва, чтобы заработать, вынуждены писать нелепые пьесы о корейской войне и строительстве университета. Режиссер спрашивает Реброва, зачем тот пишет о том, о чем не имеет ни малейшего представления. Ведь имеет смысл развивать свой собственный талант, писать о «своем, кровном, что дорого до слез, как у Чехова — его дяди Вани, докторы Астровы». При этом режиссер признает талантливость замысла пьесы Реброва о народовольцах.

Используя исторический материал, Ребров, как и Трифонов, создает свою собственную моральную систему, ориентируясь на образы и пример революционеров, особенно Клеточникова. Этот персонаж «исполнял волю собственной совести... совесть — великая сила»[33].

Мы знаем, что Трифонов вложил в Реброва много автобиографического. Так, этот вымышленный персонаж получает от режиссера такой же совет, как в свое время Трифонов от А. Лобанова: «...писать о том, что хорошо знаешь». Лобанов тоже обвинял искусственную систему соцреализма и критиковал молодых драматургов: «...научитесь ставить пьесы о том, как Петр Иванович и Мария Ивановна живут в одноэтажном домике, а потом уж кидайтесь на тридцать пять этажей»[34].

Лирический тон «Долгого прощания» вызван собственным опытом Трифонова, его воспоминаниями и эмоциями. Повесть начинается с поэтического описания садика, полного сирени, стоявшего на этом месте восемнадцать лет назад в тогдашнем почти дачном пригороде Москвы. Этот садик, в котором цвели сорок восемь сортов георгинов, был гордостью и радостью Петра Телепнева, отца Ляли. Десятилетиями этот человек любовно возделывал свой садик. В один прекрасный день чиновники решили вместо этого прекрасного места построить многоквартирный дом. Кусты сирени были срыты бульдозерами, как «Вишневый сад», уничтожены силами нового мира.

Сиреневый сад в повести символизирует не только разрушение цветущей природы под натиском огромного города, но и историю любви Гриши и Ляли. Ребров влюбился в хорошенькую Лялю еще в школе. Тринадцать лет он любил Лялю так глубоко, что мог сказать про себя не «я мыслю, следовательно, существую», а «я люблю, следовательно, существую». В театральных кругах, где над Ребровым посмеивались, Ляля страстно кидалась его защищать. Она оберегала его и от своей деспотичной матери, не жаловавшей Реброва. Ребров жил с Телепневыми, хотя и не был женат на Ляле. Когда молодая женщина сама предложила ему оформить отношения, он отказался под тем предлогом, что не хочет, чтобы его огромная любовь была опошлена обыкновенностью брака. Их попытка соединить свои судьбы, уехав из Москвы в 1950 году, провалилась.

Двадцатипятилетняя очаровательная Ляля мечтала стать блистательной актрисой. Ее звезда начала восходить в то время, когда Гришины пьесы были отвергнуты. Добросердечный по своей природе, Гриша был рад успехам подруги, но, сидя без денег, чувствовал себя очень неловко. Ляля понимает его, сочувствует своему спутнику жизни, называя его «замечательным человеком. Человеком редких качеств и выдающегося ума!» Но Грише не хватает «самого драгоценного таланта», которым драматург-приспособленец Смолянов, тоже Лялин любовник, обладает в полной мере — способности «жизнь устраивать, обставлять, как комнату мебелью».

Контраст между Ребровым и Смоляновым, относящимися к двум абсолютно разным мирам, отмечается и повествователем, и самими Гришей и Лялей, которые получают в повести возможность высказаться. Как человек думающий, Гриша не сосредоточен только на

Лялиной любви. В его характере навсегда отпечатались те трагические времена, когда сталинские репрессии разрушили его счастливое детство. Его отец, ветеран первой мировой и гражданской войн, экономист, был уволен с работы и заболел. Предположение, что он был убит в психиатрической лечебнице, подтверждалось тем, что его не разрешали навещать. Смерть отца была покрыта тайной. Гриша знал, что больница, где содержался его отец во время войны, была эвакуирована под Киров. Оттуда пришло известие, что его отец скончался от воспаления легких. Его мать, умершая в 1943 году от сердечного приступа, знала об этом, но Грише стало обо всем известно двумя годами позже. Сам Гриша воевал и после ранения лежал в госпитале в Сибири. Брат был убит на фронте. Единственным местом, напоминавшим ему о родителях и брате, был старый дом в центре Москвы и квартира на окраине, куда они вынуждены были переехать. Сюжет повести явно перекликается с «Домом на набережной», где описывается переезд семьи из центра на окраину. Ничего не понимающий мальчик был вынужден покинуть школу, друзей и места, где он был так счастлив.

Память о жертвах сталинского террора элегически прорывается, когда Гриша, глядя на падающий снег, думает о доме, где он провел свои детские годы: «Четыре человека жили за этими окнами на втором этаже. Один Ребров остался из четырех — стоит и смотрит в довоенное... Куда ж они делись все? Нет их ни здесь, ни там — нигде. Так получилось. Он их представитель на земле, где сейчас снегопад, где троллейбусы медленно идут с включенными фарами...» За Ребровым сохранилась комната в квартире на Башиловке, куда семья вынуждена была переехать, и он иногда скрывается там. Но даже на это последнее его убежище покушается сосед, доказывающий, что Ребров, постоянно не проживающий на данной жилплощади, должен быть ее лишен. Поэтому тревогу в душу Реброва вселяет мрачная фигура милиционера, появившаяся около Лялиного дома, где он живет без прописки.

Разрыв с Лялей кладет конец мучениям героя. Драма достигает высшей точки, когда Гриша узнает о ее связи со Смоляновым. Лялино ночное признание о своих отношениях с этим приспособленцем ввергло Реброва в отчаяние. Ему «казалось, будто он теперь другой человек, с другой кровью, другим химическим составом молекул». Вывод, к которому приходит герой, напоминает манеру Достоевского: «...этот другой человек мог и вести себя иначе, чем тот, старый, а тот, старый, имел право не отвечать за поступки другого»[35].

Ребров относится к своему разрыву с Лялей во многом как герой Достоевского, в кризисной ситуации воспринимающий мир как сон или ночной кошмар. Действительно, Трифонов иногда обращается к автору «Бесов», с которым он согласен, что человеку для счастья надо столько же несчастья, сколько и счастья. Сила, управляющая Лялей в ее отношениях с мужчинами, тоже восходит к Достоевскому. Добросердечная женщина движима чаще всего чувством жалости или сострадания к несчастному или страдающему мужчине. Слово «жалость» сопровождает действия героини как лейтмотив. Она признается, что любит «слабых мужчин», которым ей хочется быть защитницей, матерью и женой. Однако автор показывает и наивность Ляли, так как кажущийся несчастным и беспомощным Смолянов очень расчетлив. Сам Трифонов считал Смолянова «гадким человеком»[36], но он тонко развенчивает героя, показывая, как меняется отношение к нему Ляли.

Сначала Ляля очарована нежными голубыми глазами доброго, заботливого, преданного человека «с выжидательной улыбкой». Первая встреча со Смоляновым происходит у него дома в Саратове, когда к нему на вечеринку приходит труппа гастролирующего там Лялиного театра. С самого начала Смолянов пытается вызвать сострадание у молодой актрисы, рассказывая ей о своей печальной жизни. Он говорит о смерти первой жены, о неизлечимо больной дочери, о плохих отношениях со второй женой. Повествование ведется от третьего лица, и постепенно открывается противоречие между медоточивыми речами этого героя сталинской эпохи и его поступками. Его действия основаны на лжи, обмане и предательстве. Он прокладывает себе путь в театральном мире, продаваясь сам и продавая других тем, кто влиятелен и значим. Это отчетливо проявляется в эпизоде с Агабековым, одним из столпов режима. Увлеченный Лялей, ставшей с помощью Смолянова театральной звездой, Агабеков приказывает Смолянову отдать ему свою любовницу. Ничего не подозревающая Ляля отправляется со Смоляновым на день рождения в огромную роскошную квартиру. Вечер проходит в традициях грузинского гостеприимства. Немолодой хозяин-именинник одет в национальный грузинский костюм, за столом собралась компания грузин. Ляля не поняла, что она среди высших государственных чиновников. Окруженная восторженными мужчинами, прелестная молодая женщина поет романсы, и вдруг невольно ловит странный взгляд Агабекова, направленный на ее рот: «Что-то неживое было во взгляде лобастого человека с усиками, все больше стекленело, стекленело и превратилось в совершеннейшее холодное стекло, даже страшно на миг, но потом — веки мигнули, стеклянность исчезла».

Как мы уже отмечали, Трифонов использовал подобную характеристику взгляда для обозначения людей из «органов», всегда готовых напасть на свою жертву. Возникает вопрос, кто же был прототипом столь ужасающей фигуры? Об Агабекове говорили, что он очень много работает. После вечеринки, оставшись с еще несколькими гостями (ей сказали, что Смолянов уехал по делам), Ляля невольно слышит разговоры «насчет американского президента, Германии, Югославии». Агабеков изображается как человек всемогущий и явно напоминающий Л. Берия. Агабеков прикидывается больным, чтобы сделать Лялю своей любовницей. Она не испытывает сострадания к этому человеку, пообещавшему сделать ее звездой ведущего театра столицы. Путешествия, отличная одежда, машина, все привилегии номенклатуры открывались перед ней, но она, разгадав игру Агабекова, бежит в панике по пустынным московским улицам ночью в метель. «Этот лгун», «жалкое ничтожество» остается для нее одним из отвратительных воспоминаний. Она немедленно расстается с низким Смоляновым. Всемогущая рука оскорбленного грузина убирает со сцены верноподданические пьесы этого приспособленца. «Планида Смолянова, четыре года круто набиравшего высоту, вдруг замедлила ход».

В эпилоге повести выясняется, что через восемнадцать лет Ляля с трудом вспомнила, кто такой Смолянов. Ребров стал известным сценаристом, вращающимся в довольно высоких сферах, частым гостем зарубежных кинофестивалей. Он был дважды женат и стал донжуаном. Открытый финал не предполагает ответа на вопрос, как началась эта «другая жизнь», о которой восемнадцать лет назад мечтал Ребров, когда он, сломленный, уезжал из Москвы, чтобы начать новую жизнь в Сибири. В поезде, увозившем его на восток, этот тридцатилетний мужчина размышляет: «Одна жизнь кончилась, другая начинается. Собственно любой человек... живет не одну, а несколько жизней. Умирает и возрождается, присутствует на собственных похоронах и наблюдает собственное рождение...»[37] Поезд увозит Реброва в день смерти Сталина пятого марта 1953 года. Отдельные детали указывают на это, панический ужас некоторых пассажиров связан со словами: «умер... в пять утра». Невольно возникает вопрос, о ком идет речь. Некоторые критики считают, что речь идет о ком-то из пассажиров поезда[38]. Но это противоречит описанию атмосферы в поезде: паническое лицо человека, принесшего новость, всхлипывания, рыдания одних и подчеркнутое равнодушие игроков в карты показывают, что случившееся касается всех. Со сталинским преступным режимом соотносится и убийство, свидетелем которого становится Ребров через неделю после приезда в Сибирь. Он думает: «Как легко убить человека, как невозможно трудно убить человека». Сталин, как любой тиран, мог физически уничтожить множество людей, но ему не удалось убить память о мертвых. Через восемнадцать лет Ребров превратился в человека, сменившего свои прежние идеалы на компромиссы с властью, давшей ему возможность вести комфортную жизнь. Но он помнит время, когда жил с Лялей и был бедным молодым человеком с чистой совестью. В это время он не осознавал, как был счастлив в этом садике, который сам был целая жизнь, а затем исчез навсегда. Это были «лучшие годы его жизни»[39]. Ляля тоже не забыла Реброва, но ее жизнь потекла по совершенно иному руслу. Мир театра оставил в ней только смутные воспоминания, которым она не любит предаваться. Ее уволили из театра, она боролась, но потом вышла замуж за военного, преподавателя академии, страстного автолюбителя. У них есть сын, свой круг общения: «военные, инженеры, автомобилисты». В конце повести от прежней театральной подруги Ляля узнает, что Смолянов живет в нищете. Ее равнодушие к судьбе когда-то процветающего драматурга контрастирует с удовольствием, с которым она вспоминает Реброва. Многие такие смоляновы вновь вынырнули в брежневскую эпоху, и, по рассказам самого Трифонова, несколько весьма влиятельных драматургов обиделись на него за изображение Смолянова. Но трифоновская реакция на эту обиду была весьма характерной для писателя, всегда осторожно говорившего о прототипах: «Когда мне говорят "Вы изобразили такого-то", я отвечаю, что даже не думал это делать»[40].

Глава четвертая. ПСИХОЛОГИЯ СТАЛИНИЗМА

§ 1. «Другая жизнь»

В произведениях Трифонова мотив «другой жизни» звучит полифонически. Он становится все сильнее, когда жизнь лишает героя последних надежд. Крещендо возникает, когда герои понимают, что не в состоянии больше справляться с повседневностью. Тогда мысль о «другой жизни» становится лекарством, но при этом всегда остается своеобразной формой протеста и сопротивления. Тоске по «другой жизни» Трифонов придает большое значение, считая, что она свойственна всем людям, потому что «каждый иногда чувствует себя в жизни неловко». Этот мотив всегда печален, и такое чувство можно назвать господствующим в повести «Другая жизнь».

Печаль о преждевременно умершем любимом муже преобладает в этом произведении, где Трифонов изобразил и свои страдания после смерти первой жены. Писатель признавал, что хотел преодолеть боль, когда писал об этом. Но автобиографизм романа скрыт, в первую очередь, потому, что повествование ведет женщина. Анализируя трагедию сорокалетней вдовы Ольги Васильевны, Трифонов хотел «показать душу человека, охваченного большим горем, овдовевшую женщину, которая одновременно и страдает, и чувствует себя виновной, и оправдывается, мучается страхом перед будущим, но в конце концов начинает новую жизнь»[1].

Роман начинается с доминирующего мотива «пытаюсь понять», который преследует вдову даже во сне. Она просыпается от мучительного вопроса, виновата ли она в преждевременной смерти мужа Сергея Троицкого, умершего полгода назад от сердечного приступа. Поиск причин его преждевременной смерти заставляют Ольгу Васильевну анализировать психологию и условия жизни нонконформиста с разных углов зрения. В долгих внутренних монологах героиня мучительно вспоминает мельчайшие детали своей замужней жизни, продолжавшейся семнадцать лет с 1953 года. Что или кто были причиной растущего недопонимания друг друга? Сыграли ли решающую роль конфликты, то и дело вспыхивавшие между мужем и женой? Разница в характерах и взглядах, столкновение «двух эгоизмов», эпизоды жизни с деспотичной свекровью, проблемы Сергея с работой — все всплывает в памяти Ольги бессонными ночами. Ее жгучее желание понять сущность своего мужа, полное вины осознание того, что большая часть его существа так навсегда и осталась непонятой, огорчает женщину, хотя то, что произошло, с точки зрения Трифонова, свойственно всем людям: «Нас изумляет, что мы не понимаем друг друга. Почему другие люди не понимают нас? Этот недостаток в нашей жизни кажется нам источником зла… Бог мой, мы должны пытаться понять себя для начала. Но нет, у нас не хватает силы, не хватает времени, или, возможно, не хватает интеллигентности или мужества».

Повествователь, который осторожно вкрапляет свою точку зрения в монолог героини, намекает, что основной причиной была недостаточно высокая оценка Ольгой работы Сергея как историка. Ольга — типичный естественник, кандидат химических наук, заведующая лабораторией. Она материалистка и глубоко убеждена, что жизнь начинается и заканчивается «химией». Ее принцип таков: «Всякая наука озабочена движением вперед, сооружением нового, созданием небывалого». Поэтому она с долей иронии относится к истории, которая занимается тем, что «пересооружает старое, пересоздает былое». Ольга может представить историю только «бесконечно громадной очередью, в которой стояли в затылок друг другу эпохи, государства, великие люди, короли, полководцы, революционеры, и задачей историка было нечто похожее на задачу милиционера, который в дни премьер приходит в кассу кинотеатра «Прогресс» и наблюдает за порядком, — следить за тем, чтобы эпохи и государства не путались и не менялись местами, чтобы великие люди не забегали вперед, не ссорились и не норовили получить билет в бессмертие без очереди…»

Но для Сергея история — неотъемлемая часть человеческого существования. Он убежден, что исследование «нитей», тянущихся из прошлого в будущее, сможет выявить реальные исторические события и место человека в них. Сергей противостоит официальной доктрине материалистического детерминизма и считает личность центром исторического процесса. По его мнению, «человек — это есть нить, протянувшаяся сквозь время, тончайший нерв истории, который можно отщепить и выделить — и по нему определить многое». В соответствии со своей концепцией истории Сергей убежден, что человек бессмертен. В противоположность жене, которая утверждает, что человек «исчезает из мира бесследно», он уверен, что «человек никогда не примирится со смертью, потому что в нем заложено ощущение бесконечности нити, часть которой я сам».

Это убеждение подогревает Сергея в его занятиях историей царской охранки в 1910—1917 годах. В институте, где он работает, на его изыскания смотрят косо, так как он использует метод, который сам же полушутя-полусерьезно называет «разрыванием могил». Он, действительно, глубоко изучил предмет: составил по документам списки секретных сотрудников с обозначениями всех их служебных «подвигов», воспользовавшись списком, случайно приобретенным за тридцать рублей у неизвестного лица. Любой понимает, что подобные документы бесценны, так как все архивы охранки сгорели в огне. Официальные «заслуженные» историки уверяли, что эти списки фальшивые и кем-то сфабрикованы. Некоторые ученые из сектора революции и гражданской войны, где работает Сергей, мешают его исследованиям. Они защищают свою историческую «правду» и боятся разоблачения «государственных тайн». Их опасения, что Сергей может обнаружить имена важных «двойных агентов», небеспочвенны, так как Троицкий — независимый исследователь, который честно пытается понять историческую правду на основании подлинных источников. Его жена этого не понимает и даже насмехается над ним: «Ты кто — историк или частный детектив?»

Сергей явно выходит на имена крупных большевиков, в то же время бывших агентами охранки. В его списках были «три нераскрытых крупных фигуры, обозначенные кличками»[2]. Прямо не говорится, что, скажем, Сталин мог быть одной из этих фигур, но хорошо известно, что после 1953 года были открыты кое-какие «неизвестные страницы из жизни вождя». Но об этом писал не Трифонов, а Солженицын в «Архипелаге ГУЛАГ», где говорится о возможной двойной игре Сталина, упорно обвинявшего в связях с охранкой всех своих старых товарищей, может быть, по аналогии[3]. Известно сегодня и о двойной игре Р. Малиновского, члена Государственной Думы и члена ЦК, завербованного охранкой после ареста в 1909 году.

Мне, впрочем, не удалось обнаружить никаких следов сотрудничества Сталина с охранкой в архиве, который сдал в Гуверовский институт русский посол в Париже после революции. Удалось только обнаружить там труд Виктора Руссийяна «Работа охранных отделений в России», где рассматриваются структура и действия русской секретной полиции перед революцией 1917 года. Он объясняет, как происходила вербовка сотрудников из числа революционеров, детально описывает, как тренировались секретные агенты в семнадцати охранных отделениях России. Особенно активно они работали после 1905 года, когда на существование им выделяли десять миллионов рублей. Московская охранка насчитывала шестьдесят секретных агентов, прошедших шестимесячные подготовительные курсы. Это наложило отпечаток даже на лица этих людей, в них появилось «что-то смутное и пристальное». Руссийян особо подчеркивает, что их взгляд стекленел от постоянного пристального разглядывания людей и вещей[4].

Вспомним, что при характеристике членов секретной полиции Трифонов описывает, в первую очередь, странное выражение их глаз. Писатель в повести косвенно касается охранки, так как повествование ведется от лица героини, которая, естественно, не знала всех деталей, связанных с работой мужа[5].

Однажды Сергей так напугал жену, что она даже стала опасаться за его разум. Он сказал ей, что его исследования показали: нет барьеров между прошлым и настоящим, прошлое существует сейчас. Это явный намек на то, что методы охранки действуют и сегодня. Ольга называет своего мужа мечтателем, полным внутренних противоречий. Объяснение его странного поведения она видит в семейной истории. Страстный интерес Сергея к охранке связан с памятью об отце, который в 1917 году был членом комиссии по разбору архивов охранки и выявлению секретных агентов. Отец Сергея стал потом крупным чиновником, но, как глухо упоминается, карьера его прервалась во время сталинского террора. Он был убит под Москвой в 1941 году, уйдя добровольцем в армию. Образ отца поддерживается матерью, Александрой Прокофьевной, воспитывающей сына в соответствии с идеалами отца. Ветеран гражданской войны, она часто напоминает Сергею о революционном прошлом. Женщина принципиальная, она не может и не хочет приспосабливаться к современной жизни, далеко отошедшей от революционных идеалов. Женитьба сына на женщине, равнодушной к историческому прошлому, ее страшно раздражает. В довершение всего она просто ненавидит невестку за то, что сын на ней женился, она же вообще не хотела его женить. Та негативная роль, которую старуха играет в семье, становится очевидной после смерти Сергея, вину за которую она полностью возложила на невестку.

Впрочем, семейному конфликту автор придает общечеловеческое звучание, когда философствует: «Всякий брак — не соединение двух людей, как думают, а соединение или сшибка двух кланов, двух миров. Всякий брак — двоемирие. Встретились две системы в космосе и сшибаются — намертво, навсегда. Кто кого? Кто для чего? Кто чем?» Роман Ольги и Сергея начинался тем не менее благоприятно. Проводя в 1953 году отпуск на юге, они потянулись друг к другу, как две половины одного целого: «...то, чего не хватало одному, находилось у другого, а то, что было у них обоих, соединялось в целое слитно и полно...» Через всю историю Ольги проходят намеки на политический климат, падение Берии после сталинской смерти. Надежда на «другую жизнь» в России переплетается с мечтами молодой пары об общем новом житье. Но надежды не оправдались. Весьма жесткая реальность разрушила гармонию между двумя людьми. Картина их жизни встает уже в сознании вдовы Сергея: «Их жизнь — это было цельное, живое, некий пульсирующий организм, который теперь исчез из мира. В нем было сердце... были легкие, гениталии, органы чувств, он развивался, расцветал, болел, изнашивался...»

Ольга с грустью вспоминает то время, когда они с Сергеем только познакомились. Он по-мальчишески любил жизнь. С самого начала спокойная девушка была увлечена артистизмом, творческим началом в этом человеке, который легко мог стать мастером во всем — настоящим пловцом, настоящим музыкантом, дизайнером или ядерным физиком. Сергей удивляет знакомых умением читать слова наоборот. Портрет мужа, который создает Ольга, меняется в зависимости от ее состояния. То она характеризует его как шутника, потрясающего рассказчика, покорителя женщин, сплетника и едва ли не повесу, чистосердечного и в основном честного человека, борца с несправедливостью. То вспоминает о нем, как о донкихоте, ведомом желанием поймать «неуловимое». Всю свою энергию Сергей тратит на такие поступки, которые ставят его выше прагматизма. Но постепенно этот темпераментный энергичный мужчина превращается в усталого, издерганного, замкнутого, упрямого человека, единственным желанием которого становится покой. Чтобы его оставили в покое, он сбегает на дачу, которую они снимают каждый год под Москвой. Его жена не понимает этих «убегов», подозревает его в измене. В ответ на ее обвинение: «Признайся, у тебя кто-то есть, с кем ты хочешь побыть вдвоем?» он отвечает: «Да, есть... Этот кто-то — я сам. Я хочу побыть вдвоем с собой. Хочу отдохнуть от вас, от себя, от матери, от всех, всех...»

Муки ревности, пронзавшей Ольгу всякий раз, когда Сергей исчезал из ее поля зрения, продолжают преследовать ее и после смерти мужа. Движимая прямо-таки тиранической любовью, она все больше хотела видеть мужа принадлежащим только ей, так что семейный конфликт приобретал все более острые формы. Ольга всегда стремилась к четким жизненным отношениям, что противоречило свободолюбию Сергея. Она хотела нонконформиста превратить в конформиста, приспособившегося к жизни с помощью компромиссов, но ее муж, живший в соответствии со своим пониманием и делавший то, что считал нужным, жестко пресек ее попытки властвовать: «Ты уж слишком максималистка... Имей в виду, максимализм до добра не доводит, говорю тебе как историк... Ты требуешь покорности и слепой веры, как отцы церкви...» Эта отповедь — скрытая атака на авторитарную систему, при которой власти неумолимо опекают подданных, так что люди не могут сами руководить своими судьбами. Подстрекаемый страхом стычек с женой, Сергей все чаще срывается в «убеги». Идея оставить Ольгу не однажды посещает его, останавливает только любовь к дочери.

Драматизм этого брака в том, что жена хочет быть ближе к мужу, а он, напротив, все дальше отдаляется от нее. Эти двое треплют друг другу нервы с такой энергией, что их многообещающий брак превращается в жалкое сожительство. На других людей Ольга производит впечатление человека рационального, уверенного в себе, но ее внутренние монологи приоткрывают душу уязвленной женщины, эмоционально зависимой от мужа. Только после того, как она заново прожила свой брак с Сергеем как долгий мучительный сон, Ольга поняла, что ее господство над мужем было только внешним. В реальности жизнью ее управлял Сергей, и вся ее борьба против эмоциональной зависимости, коей она пыталась рационально сопротивляться, оказалась бесполезной.

Это драма рационально мыслящей женщины, чье материалистическое сознание не может объяснить «иррациональности» любви. Только тогда эта ученая дама понимает, что далеко не все в жизни объясняется законами химии. В безысходности она спрашивает себя: «Боже мой, если все начинается и кончается химией — отчего же боль? Ведь боль — не химия»[6]. Ее самоуверенность исчерпана, мучительная тоска доводит ее до самых страшных мыслей. Только дочь, кажется, удерживает ее в этом мире. В конце концов она приходит к выводам, которые яростно отрицала при жизни Сергея. В понравившейся Трифонову рецензии критик Р. Баумгарт заметил: «Сергей одновременно освобождает жену от себя и наполняет ее безнадежно прозаическую голову собой, своеобразно воскресая в своей вдове»[7].

Ольга обретает взгляд на жизнь, очень близкий взгляду Сергея. Человек должен поступать в соответствии со своим истинным призванием. Прагматичная Ольга напрасно пытается убедить мужа, что он должен делать что-то нужное и полезное. Сама она слишком поздно поняла, что ее призвание — не химия, а прикладное искусство. Осознание героиней своей жизни происходит на стыке мечты, сна и реальности. Ощущение реальной жизни покидает ее, но звон будильника возвращает ее в повседневность. В этом произведении Трифонова более, чем в каком-либо другом, важно иррациональное начало. В рациональном человек не может найти себя. Только после смерти Сергея она поняла, почему он, утратив веру в себя, обращается к парапсихологии. Он считал, что «парапсихология — мечтательная попытка проникнуть в другого, отдать себя другому, исцелиться пониманием».

В противоположность Ольге, которая, несмотря ни на что, чувствует всепоглощающую любовь и сострадание к Сергею, его мать отворачивается от него, когда он начинает увлекаться парапсихологией, спиритическими сеансами и т. п. Старая женщина глубоко уязвлена тем, что сын революционера занимается такими глупостями. Эта «делательница истории» даже не пытается понять, что происходит с ее сыном. Фанатичная женщина противостоит всему, что расходится с ее железными жизненными принципами комиссара времен войны. Александра Прокофьевна, работавшая машинисткой в штабе армии, чтит традиции военного коммунизма. Она посещает места, по которым ходила когда-то вместе с мужем. Похожая на обломок прошлого, она отправляется туда, одетая в древние штаны цвета хаки и допотопную куртку времен «наркома Крыленко», производя трагикомическое впечатление. Напрасно она старается увлечь молодых людей идеалами своего поколения, молодежь отворачивается от гротесковой фигуры, выражающей презрение к материальным благам и считающей стремление к комфорту типичным для нэпманов и кулаков. В ходе повести становится ясно, почему Трифонов, обычно симпатизирующий людям, не желающим приспосабливаться к новым условиям, столь негативно относится к старой революционерке. Эта ограниченная, полная предубеждений старуха готова безапелляционно поучать всех и вся. Истинная человечность чужда ей. В этом, в первую очередь, убедилась ее невестка.

Александра Прокофьевна безжалостна к Ольге с самого начала. После смерти сына, убежденная, что именно Ольга — истинная причина трагедии, она начинает ее ненавидеть. Это становится очевидным однажды ночью, когда она застала Ольгу рыдающей на кухне. Не прошло еще двух месяцев со дня смерти Сергея. Равнодушная, свекровь прошла мимо, ворчливо спросив: «Где у нас сода?» Эта жестокость гасит Ольгино стремление установить взаимопонимание со свекровью. Обе женщины, каждая по-своему, любили Сергея. Вообще-то, Александра Прокофьевна не лишена сочувствия к ближнему. Как пенсионер — ветеран юридической системы она помогает людям, нуждающимся в поддержке, ведет в газете колонку «Наша консультация», отвечая на письма читателей. Но, опытный юрист, она знает, как ударить больнее. Ольга обнаружила это семнадцать лет назад при первом знакомстве с будущей свекровью. Ольга Васильевна сразу почувствовала острый взгляд узких голубых глаз «со стальными зрачками». Морщинистая скуластая женщина, похожая на татарку, сразу же поинтересовалась у Ольги, известно ли ей о бывшей пассии Сергея, — Светлане, которая ждет от него ребенка. Впоследствии это не подтвердилось. Честная, хотя и лицемерная, Александра Прокофьевна под маской гуманизма сообщила об этом Ольге, как только Сергей вышел. Жесткость, с которой она атаковала Ольгу, превратила «плохонькую гостиную» в «комнату призрачного трибунала»[8].

Портрет свекрови, нарисованный Ольгой, можно было бы считать предвзятым, потому что семнадцатилетняя Иринка в хороших отношениях с бабушкой, хотя и ругается с ней постоянно. Александра Прокофьевна обращается к внучке «военным голосом», она безжалостно осуждает внучку за то, что та пользуется услугами спекулянтов, ей недоступен интерес к модной одежде. Живущая идеалами эпохи военного коммунизма, она считает всякие красивые вещи ненужной роскошью.

Резко негативное отношение Александры Прокофьевны ко всему, что не соответствует ее взглядам, испытывает на собственной шкуре и Георгий Максимович, отчим Ольги. Он художник, и в день свадьбы Ольги и Сергея заходит страстный спор о «Гернике» Пикассо, репродукция которой висит в мастерской, где происходила свадьба. Художник восторженно говорит о значении этой картины, но ветеран гражданской войны увидела в ней только «обломки и обрывки газет». Сторонница соцреализма банально разоблачает шедевр с помощью такого слова, как «формализм». В повести Трифонов уклонился от оценки работы Пикассо, но в статье «О нетерпимости» он говорит о непреходящем значении этого шедевра: «Он будоражил наш ум и чувства в то время, когда другие дремали или делали вид, что не замечают происходящего. Он призывал к состраданию, выражал боль и страх — не за какого-то отдельного человека, а за все человечество сразу». Вся статья посвящена обличению диктаторских режимов, нападающих на работы художников, не укладывающиеся в привычные рамки.

В своем обличении Трифонов следует традициям русской классической литературы, где проблемы отечественные часто рассматривались параллельно с иностранными. Как германский фашизм хотел уничтожить так называемое левое искусство Сезанна, Брака, Пикассо, называя его «дегенеративным», так и сталинизм отрицал модернистское искусство как «формалистическое». Не случайно Пикассо не раз упоминается в «Московских повестях». Его имя — синоним настоящего художника, не пасующего перед любыми властями. Различное отношение персонажей к Пикассо проясняет их взгляды. Трифонов убежден, что нетерпимость авторитарных режимов к искусству обусловлена не столько «враждебными идеалами», выраженными в конкретных произведениях, сколько отсутствием в них идей, созвучных власти. Автор говорит об этом и в связи с собственными работами: «Их громят не за то, что в них есть, а за то, чего в них нет».

В этой же статье упоминается и Владимир Дудинцев, автор нашумевшего романа «Не хлебом единым» (1956). В семидесятые годы Дудинцев, который позже вернется в лагерь прогрессистов своим романом «Белые одежды» (1988), был сварливым и предвзятым литературным критиком. Его раздражал не только Пикассо, но и большая часть современной литературы, включая «Другую жизнь». Подобный ригоризм вызывал возмущение Трифонова: «Но где же ваш гуманизм, Владимир Дмитриевич? Где сострадание? Где умение понять чужую боль, к которому вы так страстно призываете?» Как и Чехов, зрелый Трифонов отстаивал позицию, что писатель должен не обвинять, но защищать обвиняемых. Позже, в 1980 году, он подчеркнет, что главная задача литературы — стараться понять. Он скажет о нетерпимости: «Самые лучшие намерения, продиктованные высоконравственными духовными идеалами, могут в условиях нетерпимости нанести вред искусству и самим идеалам»[9]. Он вспоминал в этой связи монаха Савонаролу, ведущего борьбу за нравственность. Но способы, которыми этот незабвенный пророк вел свою кампанию, вряд ли могут вызвать одобрение.

Злоупотребления властей — важная тема в «Другой жизни». История Георгия Максимовича — о том, как художник принес свой талант на алтарь сталинизма. Этот человек, многими чертами напоминающий отчима первой трифоновской жены, в 10—20-е годы принадлежал к блистательной плеяде «русских парижан». Он дружил с М. Шагалом, но Шагал был осужден сталинскими властями как «мерзкий эмигрант». И Георгий Максимович отказывается от старого друга. Он позволил властям управлять собой, за это его сделали членом «закупочного комитета». В 30-е годы он «лучшее... сжег собственными руками, такая дурость, минута слабости, и жизнь раскололась, как... гипс, ни собрать, ни склеить...» Под давлением властей художник изменяет себе, начинает вести «другую жизнь». Александра Прокофьевна заметила его двойственность и после спора прямо спросила: «Как же так: проповедуете одно, а творите другое?» Сергей тоже замечает его приспособленчество: «...то вижу его художником, настоящим, жертвующим ради искусства всем, а то дельцом, гребущим заказы»[10]. Так же живет и художник Васин. Он цитирует полузапрещенного Сашу Черного, в свое время сказавшего о модистке «для тела» и дантистке «для души». Васин много зарабатывал, рисуя официальные портреты. Но как «художник истинный», он «жил, как во сне, работал, как во сне, и просыпался только за мольбертом, когда делал настоящее и любимое»[11]. Эта двойная жизнь подточила его мозг, он пытается заглушить тоску пьянством и преждевременно умирает. Георгий Максимович пытается всячески увиливать от официальных мероприятий, ссылаясь на болезни и приговор врачей, запрещающих ему много работать. В свою очередь, власти ссылаются на этот же приговор, не разрешая ему выезд за границу.

Внутренние метания настоящих художников неведомы карьеристам. Трифонов находит для них иронические слова. Так, замдиректора института Кисловский назван цирковым артистом и каучуковой куклой. Гена Климук, секретарь Ученого совета — «напыщенным бюрократом». Это абсолютно беспринципный человек, безжалостно прокладывающий дорогу на вершину бюрократической пирамиды. Он занял пост ученого секретаря после смерти своего друга Феди в автокатастрофе. Климук сидел в той же машине позади. О «дьявольском карьеризме» Климука сказано саркастически: «Гена впрыгнул в кресло ученого секретаря так быстро и с такой готовностью, что можно было подумать, будто он, подобно булгаковскому Воланду, подстроил катастрофу нарочно»[12].

С Фединой смерти начались проблемы Сергея в институте. Друг юности, тот оказывал Сергею всяческую поддержку в разработке его научной темы. Климук, тоже старый друг, начал давить на Сергея, требуя отдать часть материалов Кисловскому для докторской. В награду ему обещали быстро пропустить диссертацию. Сергей отказался принять участие в этой грязной сделке. После этого он стал окончательно считать Климука дельцом, торгующим все и вся для собственного продвижения по служебной лестнице. Неприятие Сергеем торгашества привело к разрыву с Климуком и ему подобными. Прагматичная Ольга пыталась склонить мужа к компромиссу с коллегами. Даже оставшись вдовой, она убеждена, что, если бы Сергей согласился с ней, он остался бы жив. Но Сергей, немногий среди трифоновских героев, отказывается идти на какие-либо компромиссы «для пользы дела». Трифонов назвал своего героя «высоконравственным человеком»[13]. Но в повести показано, каково приходится честной и принципиальной личности. Сергей хочет остаться самим собой и за это расплачивается. Писатель был лично убежден, что бескомпромиссность — не для существующей системы, и он показывает, как ломают одаренного историка, не дав ему защитить диссертацию, уволив из института. Перед этим он безуспешно пытается опубликовать монографию «Москва в 1918 году». А Гена Климук свой посредственный опус выпускает двумя изданиями и успешно продвигается по службе, потеснив Кисловского.

В «Другой жизни» возникает образ следующего произведения Трифонова — дом на набережной. В нем происходят спиритические сеансы, на которых главенствует Дарья Мамедовна, красавица с «маленькой змеиной головкой», в характеристике которой мы явно ощущаем налет сарказма. Сергей увлекается парапсихологией. Его отчаянные усилия вызвать духов своих предков и деятелей истории — последняя попытка человека, утратившего жизненную силу, сломленного безжалостной системой.

Советские критики по-разному оценивали образ Сергея Троицкого, который трудно определить однозначно. Официальная критика облегчила себе задачу, ссылаясь на мнения коллег Сергея, считавших его «неустойчивым», на запальчивые суждения Ольги, называвшей его «неудачником», «праздным мечтателем». Критики прогрессивного толка считали пассивность героя формой сопротивления измученного интеллигента, находящегося в поисках духовного освобождения. Галина Белая даже признала, что в образе главного героя писатель создал правдивый портрет современника[14].

Трифонов получил много благодарных писем от читателей. Женщина, живущая в маленьком городке, написала, что узнала себя в Ольге Васильевне и тоже «пострадала из-за увлечения мужа парапсихологией». Сам Трифонов никогда не посещал спиритических сеансов, но уже после выхода повести многие поклонники этого занятия отмечали точность его описания и рассказывали о деятельности подобных полуподпольных кружков по изучению парапсихологии, йоги, мистицизма и т. п. Трифонов удивлялся: «Я описывал все по газетным статьям и чужим рассказам, а получилось так точно. И люди этим занимаются, и кружки существуют».

Трифонова часто спрашивали, что же он все-таки подразумевал под «другой жизнью». Он отвечал, что это понятие многозначно, и каждый может выбрать то, что ему по душе. Когда читатели говорили, что в конце повести вряд ли можно говорить о начале «другой жизни» Ольги, Трифонов мог бы ответить, что она преодолела свою душевную травму и почувствовала любовь к другому человеку. Часть читателей считает, что этот другой человек — Сергей, и речь идет о мистической встрече героев в будущем[15]. Видимо, такое толкование тоже возможно, так как в финале явно переплетаются мечта и реальность: во сне Ольга страшно тоскует по гармоничной жизни с мужем, вспоминая поездку с дочерью за грибами. Символический образ леса — средоточия счастья и гармонии — перекликается с образом природы в воспоминаниях Ольги: «Чистое небо было таким ярким, на него хотелось смотреть. В городе никто не замечал неба и не испытывал потребности смотреть на него»[16]. В лесу сновидения образ «другой жизни» приходит к вдове как мерцание из-за деревьев.

Сон прерывается звонком будильника. Настоящая жизнь начинается снова. И в этой жизни Ольга встречает некоего безымянного мужчину. Ее снова прибивает к человеку, плохо приспособленному к современной жизни. Они говорят о служебных проблемах, о его плохом здоровье, изредка о своих семьях — он женат. Вообще «он жил как в девятнадцатом веке». Как раньше Сергея, Ольга хочет его «заслонить, спасти». Оба мужчины имеют много общего. Возможно, поэтому ее влечение к другому человеку не вызывает у нее чувства вины. Этим она спасается от губительной силы, исходящей от надвигающейся со всех сторон Москвы, готовой разрушить те поэтичные городские окрестности, где она нашла свое вновь обретенное счастье.

§ 2. «Дом на набережной»

Повесть «Дом на набережной» стала российской литературной сенсацией 1976 года. 190 000 экземпляров журнала «Дружба народов» разошлись мгновенно. Вскоре журнал стало невозможно достать в библиотеках. На черном рынке номера с повестью шли за очень высокую цену. Автора забросали просьбами прислать экземпляр. В итоге у него остался единственный, который он и дал мне в сентябре 1976 года с просьбой высказать свое мнение о повести.

Я поняла, когда читала ее впервые, что Трифонов дал блистательный анализ психологии сталинизма в его повседневных проявлениях. В эмигрантской прессе, однако, многие были настроены весьма критически. В основном потому, что книга была легально опубликована в СССР, следовательно, не могла быть правдивой. Как заметил А. Зиновьев, «в нашей стране правда подавляется и замалчивается»(1978). Эта точка зрения высказана в романе «Светлое будущее», когда герои спорят о значении книги, о «которой говорит вся Москва». Название книги не упомянуто, сказано только, что она написана «писателем-лауреатом Тикшиным». Все указывает на то, что имеется в виду «Дом на набережной». Один из читателей говорит: «Вы, конечно, ее читали. Это фантастически захватывающая книга. Порой ее кошмар становится таким реальным, что даже Солженицын в сравнении кажется скучным. И ему удалось это напечатать!» Другой читатель считает, что автор заигрывает с властями[17]. Подобного мнения придерживается и Г. Свирский, когда говорит, что «довольно бесцветная» трифоновская проза, полная осторожных намеков, раскрыла столько, сколько позволили власти, которые предпочли дать советскому читателю Трифонова, а не Солженицына или Зиновьева[18]. Ю. Мальцев тоже считал, что советские власти вели хитрую политику, разрешая произведения Ю. Трифонова, В. Распутина, В. Белова, Ф. Абрамова, В. Астафьева, В. Шукшина, Б. Можаева. Это создавало ощущение некоторой либеральности режима. Он заметил, что западные критики позволяют увлекать себя в дебри так называемой нейтральной советской литературы. Он не доверяет писателям, которых не преследуют, не заключают в психиатрические лечебницы. Этих писателей никто не вынуждает эмигрировать. Напротив, они могут свободно ездить на Запад и пользоваться всеми привилегиями верхушки советского общества[19].

Подобная предвзятость эмигрантов восходит еще к полемике Тургенева и Герцена: «Политическому изгнаннику трудно понять правду, обязанность друзей оградить их от этого»[20]. Так и в наше время эмигрантские круги разделились, страстно защищая каждый свое мнение. Впрочем, авторитетом для всех них все равно оставался Солженицын, живший в изгнании в Вермонте. Автор «Архипелага ГУЛАГ» гордился тем, что в публикуемых в России произведениях либеральные писатели не поддавались оппортунизму и лжи. Главным в современной советской прозе он считал внимание к духовной жизни человека. Солженицын понимал, сколько усилий надо было приложить советским писателям, чтобы пролить свет на те или иные аспекты действительности, запрещенные к изображению. Он говорил об этом в интервью «Le Monde». «Если знать, через какую цензурную машину пропускаются все произведения, остается только восхищаться их глубоким анализом»[21]. В. Аксенов назвал Трифонова уникальным писателем, утверждая, что он единственный среди советских писателей научился писать в такой манере, что мог изобразить в своем произведении все, что хотел, не компрометируя себя[22].

Сам Трифонов, однако, был удивлен мгновенной публикацией «Дома на набережной». Разрешение было получено через три дня после передачи рукописи. Ни одна книга Трифонова не проходила так быстро. Когда повесть вышла через несколько месяцев, Трифонов увидел, что цензура не изменила ни строчки. Западные журналисты видели причину такой небывалой мягкости властей в их испуге перед массовой эмиграцией многих талантливых художников. Сергей Юрьенен, тогдашний сотрудник «Дружбы народов», позже тоже уехавший на Запад, объяснял, почему повесть Трифонова прошла так скоро. Журнал готовил к изданию рукопись известного автора. Это было талантливое произведение о строительстве московского метро, написанное явно под влиянием Набокова и Солженицына. Внезапно публикацию запретили. Редакция тут же предложила на освободившееся место повесть Трифонова. Цензура пропустила ее без единого замечания. Никто не мог понять, как такая вещь смогла «проскочить» в эпоху брежневских «заморозков»[23].

Критики объяснили невнимание цензуры тем, что Трифонов активно использовал в этом произведении эзопов язык. Рецензии показывают, что повесть стала своеобразной лакмусовой бумажкой для определения про- или антисталинских взглядов. Забавно, что тогдашний главный идеолог М. Суслов выражал неудовольствие по поводу бурной полемики вокруг повести. Но Трифонова поддержали другие важные литературные чиновники: секретарь Союза писателей Ф. Кузнецов, Б. Панкин, А. Овчаренко.

Было удивительным и то, что Трифонов изменил «Новому миру». Критик Т. Патера ссылается на утверждение самого писателя, что, если журнал обнаруживает недостатки в его произведениях, он будет отдавать их в другой журнал[24]. Но это вряд ли касается «Дома на набережной», тематически близкого «Новому миру». А. Овчаренко уверял меня, что Трифонова попросили не давать повесть в «Новый мир». Хотя властям и удалось, удалив Твардовского, сделать журнал более умеренным, но слава оппозиционного издания у него оставалась, а публикация повести Трифонова вновь всколыхнула бы воспоминания о «старом» «Новом мире». В «Дружбе народов», журнале более «объективном», повесть прошла бы спокойнее. С тех пор Трифонов стал отдавать свои произведения в этот журнал, до того практически неизвестный на Западе, но прославившийся в одночасье. Как заметил Андрей Вознесенский: «Вы не забудете "Дружбу народов", пока Юрий Трифонов в ней»[25]. Трифонов остался верен журналу, в котором позже появился «Старик», а после смерти писателя — «Время и место» и «Исчезновение». Я знаю, что он любил бывать в редакции «Дружбы народов» в живописном старом здании по улице Воровского. Он дружески относился к главному редактору С. Баруздину, которого знал с молодых лет, спорил с критиком Л. Аннинским. После смерти Трифонова они просили вдову писателя опубликовать его последние вещи в их журнале. В одной из них Трифонов писал, что нельзя забывать своего прошлого и вести себя так, будто ничего не было. Он считал, что литература — великая очищающая сила, которая может вдохновлять и освобождать людей, что прошлое «отложилось в наших костях, зубах, коже»[26]. Эти утверждения имеют прямое отношение к «Дому на набережной», ведь главная цель повести — побудить читателя вспомнить и поразмышлять о сталинистском прошлом.

Когда главный герой Вадим Глебов старательно пытается забыть свое прошлое, говорится, что он живет жизнью, которой не существует. Глебов — ярый приверженец облегчающей жизнь философии забывания: что ты забыл, то несущественно. Этого как бы и не было никогда. В 1972 году сорокашестилетний Глебов не вспоминает, как он сделал столь удачную карьеру в ИМЛИ. Он достиг материального благосостояния: машина, дача, квартира. Как член международной ассоциации критиков и эссеистов он часто бывает за границей, откуда привозит вещи для жены и взрослой дочери. Но как он добился всего этого?

Дремлющая память Глебова была разбужена случайной встречей с другом детства Львом Шулепниковым, опустившимся и не желающим признать его. Чтобы разрешить эту загадку, Глебов всю ночь прокручивает свое прошлое на экране памяти. Воспоминания его лишены хронологической последовательности, выхватываются эпизоды и лица из разных периодов жизни. Глебов с трудом вспоминает все эти давние истории, происходившие в годы его детства (1937—1940), студенческой юности (1946—1953), «абсолютно другого времени»(1958).

Повествование ведется от третьего лица. Интересно, в какой степени повествователь высказывает авторскую точку зрения, а в какой интерпретирует позицию Глебова. Главный герой тоже может быть идентифицирован с повествователем. Прошлое восстанавливается, как в пьесе в несколько актов. На эту мысль наводит начало книги: «Похоже на театр: первое явление, второе, третье, восемнадцатое, каждый раз человек является немного иным». В течение пятнадцати глав мы следим за изменениями, происходящими с разными героями, которые подчеркиваются точно отобранными деталями.

Глебов оказывается одним из немногих, кто благополучно пережил все изменения режима. В своих воспоминаниях он изо всех сил старается защитить и обелить себя. Но попытки этого хитреца показать себя в выигрышном свете корректируются «голосом» повествователя. Воспоминания безымянного лирического героя переплетены с рассказом от третьего лица. Этот анонимный повествователь, которому Трифонов придал черты автобиографические, был школьным приятелем Глебова. Он помнит, как Глебов прокладывал себе путь с помощью ближайших друзей и особенно невесты — Сони Ганчук. Анонимный повествователь жил в доме на набережной, пока в 1939 году не был арестован его отец. Вместе с бабушкой и сестрой мальчик переехал в маленькую комнату на окраине Москвы. О сталинском терроре прямо не говорится. Анонимный «я» говорит об «испытаниях», которые «навалились на нас густым, тяжелым дождем, одних прибили к земле, других вымочили и выморили до костей, а некоторые задохнулись в этом потоке».

Повесть открывается воспоминаниями от первого лица о тех, кто пропал без следа. Воспоминания о собственной драме, когда двенадцатилетним мальчиком он был вынужден покинуть этот дом, особенно болезненны для повествователя. Он помнит, как даже лифтер перестал его замечать, потому что «те, кто уезжают из этого дома, перестают существовать». Но Глебов по кличке Батон наблюдает за отъездом своего школьного приятеля с нескрываемым удовольствием. Двенадцатилетний Вадим, живущий в коммуналке невзрачного домишки в тени Дома на набережной, завидует его привилегированным обитателям. Огромное здание символизировало для честолюбивого мальчика тот высший мир, о котором он мечтал. Позже он вспомнит, как большой дом подавлял, привлекал, ужасал и интересовал его. Он притягивал его, как магнит, этот Дом, обещавший власть, положение, богатство. Его мысленное преклонение перед Домом мечты доходило до того, что ему казалось — даже собаки из этого дома испытывают по отношению к нему превосходство.

Существование юного Батона было окончательно отравлено завистью, когда в школе появился Левка Шулепников. Этот избалованный мальчик из привилегированной семьи жил в одной из лучших квартир Дома вместе с матерью и отчимом, одарявшими его всем, что может дать принадлежность к высшей номенклатуре. Глебов определил чувство зависти как «страдание от несоответствия», но это не помешало ему стать приятелем мальчика, который может помочь ему подняться выше и добиться успеха. Пока еще весьма наивный Батон не понимает, что власть Левки полностью зависит от положения его отчима, крупного деятеля сталинской эпохи. Однажды он вызвал Вадима и вызнал у него имена мальчиков, избивших в школе его сына. Хотя сам Глебов был одним из зачинщиков избиения, в последнюю минуту он не принял в нем участия. Его «откровенность» привела к исключению одного мальчика из школы и высылке семьи другого из Москвы.

Так Вадим совершил свое первое предательство ради Дома на набережной, хотя повествователь объективно замечает, что сделал он это из животного страха. Сидя глубоко в кожаном кресле, «таком мягком, что он сразу как будто провалился в яму», мучимый громким урчанием в животе, Батон был бессилен перед напором допрашивающего. «Пучеглазый», с бескровным неподвижным лицом, небольшого роста, «ходивший в серой гимнастерке, подпоясанной тонким, в серебряных украшениях, кавказским ремешком, в серых галифе и сапогах», отчим Левки имел над мальчиком полную власть. Позже, когда Глебов уже студентом снова попадет под машину бюрократического террора и снова совершит предательство, его настигнет такое же всепоглощающее чувство страха.

С рентгеновской беспристрастностью показывает Трифонов страх во всех его разновидностях, прочно укоренившийся в людях сталинской эпохи. Повествователь говорит о «скелете поступка, его костном рисунке — это рисунок страха». Против этой невидимой, невыразимой силы, глубоко спрятанной, человек бессилен, более того, он сдавлен стальными пальцами страха, контролирующего его поведение. Страх — самая непонятная, тайная движущая сила человеческого подсознания. Только в другие времена герои поймут, насколько они были захвачены страхом, «совершенно ничтожным, мягким, бесформенным, как существо, рожденное в темном подвале»[27].

Трифонов, который хотел показать, «как властно этот период ввергал человека в такую ситуацию», проводит мотив страха через всю повесть[28]. Именно страх и осторожность побуждают отца Глебова предупредить своего сына об опасности Дома на набережной: Вадим должен чувствовать дистанцию между жизнью, которую ведут там, и своей собственной. Его отец был страшно напуган, когда жена попросила Левкиного отчима помочь спасти дядю Вадима, несправедливо осужденного в 1937 году. Он знал, что заступничество за осужденного может привести к его собственному аресту. Под воздействием социального и политического давления страх поселился в отце Глебова как болезнь. Он хочет передать сыну урок осторожности — единственного механизма самосохранения. Позже, когда Вадим окажется в трудных ситуациях, этот урок ему пригодится. «Пустить само собой» — стало девизом взрослеющего Глебова, иронически названного особым типом рыцаря: «богатыря-выжидателя, богатыря — тянульщика резины. Из тех, что сам ни на что не решается, а предоставляет решать коню». Анонимный «я» называет Глебова типом всеобщего приятеля, который, как только дело доходит до опасных мальчишеских игр, тут же выдает всех. Его товарищи обнаружили это, когда предложили ему стать членом секретного товарищества по испытанию воли. Анонимный повествователь с печалью вспоминает свое детство, своих друзей, особенно Антона Овчинникова. Этот безмерно одаренный мальчик, прототипом которого является один из друзей детства самого Ю. Трифонова — самый любимый из товарищей. Он талантливый музыкант, художник, автор научно-фантастических романов, любитель палеонтологии, географии, океанографии, минералогии. «Я» служил с Антоном в 1941 году в огневой бригаде. Вместе они защищали Москву, потом Антон был убит на фронте. Анонимный повествователь не встречался с Глебовым после школы, хотя они вращаются в одних и тех же литературных кругах. Он не достиг служебных высот Глебова и иронически говорит о карьеризме счастливчика, который помогает «доброте фортуны» использовать свой талант «ничего не делать», чтобы «стать важной шишкой». Еще мальчиком он называет Вадима Глебова «никаким», добавив: «это, как я понял впоследствии, редкий дар, быть никаким. Люди, умеющие быть гениальным образом никакими, продвигаются далеко»[29].

Объективность этого приговора может быть поставлена под сомнение, так как выясняется, что повествователь был влюблен в Соню Ганчук, которая, однако, взаимностью не ответила, предпочтя невзрачного, незначительного Батона. Но подобное мнение высказывают и другие герои, а повествователь характеризует Глебова как «человека без идей». Он «не сделал никому ничего и никто не нуждается в нем. Никто не вспомнит о нем в этом мире». Сам автор отрицательно относился к людям типа Глебова, о которых писал: «Что до Глебова, я не могу принять его. Мы все совершаем маленькие предательства, но Глебов — циник. К сожалению, цинизм — очень распространенная болезнь в наши дни. Это способ выжать все из обстоятельств, чтобы достичь личной выгоды»[30]. В диалоге со мной Трифонов назвал Глебова откровенным подлецом, повторяя шулепниковскую характеристику самого себя и своего друга, но мне показалось, что герой повести не столь односторонен.

Характеризуя Глебова, Трифонов работает как психиатр. Он помогает нам понять, как в тисках сталинизма человек теряет всякие представления о добре и зле. В итоге, когда Глебова загоняют в угол и заставляют выбирать между правдой и неправдой, зло побеждает. Профессор Ганчук мог бы сказать, что «это совершенно непредставимо с точки зрения формальной логики». Как современные философы часто обращаются к Достоевскому, анализируя иррациональное поведение, так и профессор Ганчук, размышляя о трусливом поведении своего студента, обращается к автору «Преступления и наказания», которого он раньше недооценивал. Он сравнивает Глебова с Раскольниковым, который тоже тянулся к «тому дому» единственно ради личных причин. Но современный герой из псевдоинтеллигентов добивается своих целей более тонким путем. Как заметил Ганчук: «Нынешние Раскольниковы не убивают старуху-процентщицу топором, но терзаются перед той же чертой: преступить? И ведь, по существу, какая разница, топором или как-то иначе? Убивать или же тюкнуть слегка, лишь бы освободить место?»

По поводу глебовской способности приспосабливаться к нормам общества, где господствуют ложь, лицемерие, предательство и обман, Ганчук думает, что при такой системе большинство людей ведут себя так же: «Нынче человек сам не понимает до конца, что он творит… Поэтому спорит с самим собой… Он сам себя убеждает…» Профессор мысленно возвращается в революционные годы, когда все было яснее, так как существовал «открытый социальный конфликт», а сейчас конфликт ушел «внутрь человека».

Трифонов изобразил своего героя человеком, совесть которого всегда будет молчать. Борьба Глебова с собственной памятью, на самом деле, борьба с совестью. Когда он из 1972 года смотрит в сталинские времена, то утешает себя мыслью, что виноват не он, а эпоха, в которую он жил. «Это не была вина Глебова или кого-то еще, времена виноваты»[31]. Не случайно Ю. Любимов так истолковал повесть, готовя ее для постановки: «Мы показываем не психологическую драму, а память истории»[32]. Писатель согласился, чтобы Любимов разрешил актеру, играющему Глебова, достичь максимально тесного контакта с аудиторией. Для этого была сделана длинная узкая платформа, от выхода до сцены, и Глебов гулял среди зрителей, как будто он — один из них. Каждый из зрителей должен был спросить себя, не сидит ли глебовщина в нем самом.

Я хорошо помню драматическое происшествие во время одного из спектаклей, когда зрителю стало плохо, и его унесли из театра. Я помню большую деревянную конструкцию, представляющую Дом на набережной, в котором, как рыбы в аквариуме, появлялись фигуры из прошлого. Из центрального подъезда был выход, ведущий в сегодня. Вот инвалидное кресло проезжает через дверь. В нем сидит человек в военной форме — Друзяев, бывший военный прокурор, ставший в ждановские годы преподавателем института. Он парализован после инсульта, но это не мешает ему по-гестаповски орать в зал, сокрушительно громя так называемых космополитов и формалистов. Когда этот истерик, захваченный демонстрацией безграничной власти, валился обратно в свое кресло и ехал по платформе к выходу, зрители с ужасом поворачивались ему вслед.

Сцена разоблачения «космополитизма» прямо напоминала о временах сталинизма, когда была развернута беспрецедентная кампания против тех, кто благоговеет перед «иностранщиной». Для очернения «ренегатов» существует отработанный словарь. Как Белов в «Студентах» нападал на своего профессора, так и Глебов помогает академическим властям убрать Ганчука из института. Но мотивы у них, разумеется, разные. Белов поступает как верный слуга режима, он уверен во «вредоносности» Козельского. Глебов действует исключительно из шкурных интересов. Он помогает властям, отчетливо осознавая, что все обвинения против Ганчука как формалиста шиты белыми нитками. Поэтому совесть его бунтует, он ищет способа избежать прямого выступления против профессора, но именно этого ждут от него власти. Конфликт с совестью иногда приводит Глебова к очень сложным психологическим состояниям. Трифонов точно показывает, как работает сознание человека в атмосфере страха, подозрительности, насилия. Философ, Трифонов побуждает нас заглянуть и в себя, проанализировать, что мы делаем под влиянием общества, когда нас «несет» вместе со временем. Мотивы действия и бездействия Глебова описаны так ярко, что каждый читатель невольно обнаруживает в них что-то личное. Так, драматург Виктор Розов признавался: «Я благодарен Трифонову за то, что он мне лично говорит: "Не будь Глебовым... Выдавливай из себя его черты..."»[33] Сам Трифонов признавался, что он хотел показать, что тот, кто подличает, приспосабливаясь к обстоятельствам, в конечном итоге вредит самому себе: «...это объясняет, почему душа Глебова пуста и убога, хотя внешне он процветает»[34].

С самого начала писатель отмечает, что за свою карьеру Глебов платит очень высокую цену. Даже до того, как мы узнаем, какими тропами покорял свои вершины этот альпинист, мы видим человека, траченного жизнью. Глебов появляется перед нами в знойный августовский день в Москве. Он ищет антикварный стол для новой квартиры. В мебельном магазине он неожиданно встречает Льва Шулепникова, приятеля старых времен, не пожелавшего узнать его. Тучный, лысый Глебов с отвисшим животом и жирными бедрами, искусственными зубами и больным сердцем, снотворными и разнообразным набором лекарств уже давно не похож на оживленного молодого человека, каким он был когда-то. Двадцать пять лет назад, когда организм еще не был так изношен и его не одолевали ежедневные головокружения и онемение всего тела, он был полным жизни студентом. Правда, внешне не слишком презентабельным. Часто голодный, в потрепанной одежде, он был благодарен судьбе за благосклонность к нему Сони Ганчук и ее отца. Расчетливый молодой человек буквально заставил себя влюбиться в Соню из Дома на набережной. Он стал помогать профессору Ганчуку, декану и своему научному руководителю. Женитьба на Соне казалась Глебову лучшим способом утвердиться в академических кругах. Желание выдвинуться в этот период у героя так велико, что он даже во сне видит кресты, медали и ордена. Он четко рассчитывает, как достичь заветной мечты и поселиться в Доме. Несмотря на приступы страха, колебания, бессознательное ощущение опасности, Глебов упорно движется к цели. Сонина мать, Юлия Михайловна, называет ум Глебова «бесчеловечным» и «эгоистичным».

Еврейка из Германии, преподаватель немецкого языка в том же институте, где работает ее муж, Юлия Михайловна заметила повышенный интерес Глебова к своей квартире, даче, другим приметам материального достатка. Но только когда предательство молодого человека стало очевидным, она кричит ему: «Хотите, я вам дам деньги? Ведь вам нужны деньги? Вы их любите, правда?» Жажда денег, как известно из литературы, может быть вызвана разными причинами. Трифоновского героя обвиняют в потребительстве, мелкобуржуазности. Впрочем, в повести этой болезнью заражены многие. Ганчук направляет свои остроты против бюрократов, людей без имен и лиц. Революционер в прошлом, он жалеет, что этих столпов мелкобуржуазности они в свое время не уничтожили начисто. Вся борьба в институте, с его точки зрения, началась потому, что набрал силу «мелкобуржуазный элемент». Только в конце 40-х годов Ганчук понял, насколько удачно мелкобуржуазный бюрократ может маскироваться под истинного революционера. В озлоблении он заявляет: «... они выглядят сугубо революционно, щеголяют цитатами из Маркса, из Владимира Ильича, выдают себя за строителей нового мира. Но вся их суть — вонючая буржуазность — вылезает наружу. Они хватают, хапают, нажираются, благоустраиваются...»

Сам Ганчук оказывается жертвой заговора академических чиновников Дороднова и Друзяева. Дороднов — выдающийся приспособленец, рассматривающий профессоров и студентов как пешек в шахматной игре. С невероятной интуицией подобные «короли» меняют людей ради осуществления своих целей. Глебов, слишком наивный, чтобы разобраться в этой профессиональной игре, становится легкой добычей. Он не видит опасности в невинном вопросе, не собирается ли он менять научного руководителя, но именно с этого вопроса «началась морока, та, что запутала, заморочила и истерзала его вконец»[35]. Глебова поставили перед жестким выбором: отказаться от руководства Ганчука и тогда получить престижную Грибоедовскую стипендию. Его используют как марионетку в грязной игре, о чем он довольно быстро догадывается.

Зажатый между двумя противоборствующими сторонами, Глебов стоит на мучительном распутье. Сломленный страхом, отчаянием, ужасом, он решает гамлетовский вопрос: идти или не идти? Сомнение подтачивает его существо, его охватывают приступы то дрожи, то сердечной боли. В таком ужасном состоянии он сидит у постели бабушки Нилы, рассказывая этой простой мудрой женщине, которую искренно любит, о своих проблемах. Бабушка умирает в тот самый день, когда Глебов должен был выступать на собрании. Ее смерть оказывается временной отсрочкой в принятии решения, после чего он выбирает путь к академической карьере и предает Ганчука. Глебов постарался забыть о предательстве, совершенном им ради карьеры; о том, как он подло оскорбил нежную доверчивость и трогательную человечность Сони, защищавшей его перед семьей. Через много лет в Риге он случайно встретит Соню с какой-то женщиной. Его присутствие вызвало шоковую реакцию у его бывшей невесты, которую он в свое время внезапно и подло бросил. На вопрос жены, кто эта женщина, он отвечает, что это московская знакомая, но кто именно, он не может вспомнить. О жене Глебова в повести почти ничего не сказано, разве кроме того, что она домохозяйка и любит варить варенье.

Именно отношение Глебова к Соне особенно отчетливо демонстрирует цинизм главного героя. Еще школьницей Соня была тайно влюблена в Глебова. Чувство вернулось к ней после их встречи в 1947 году. Молодой человек сразу почувствовал, как к нему относится Соня. Он понимает, что эта добрая девушка с голубыми глазами и слабой улыбкой на бледных полных губах влюблена в него. На вечеринке у Сони Глебов внезапно понял, что может полюбить ее. Он вызывает у себя состояние влюбленности, вступая в мир самообмана. Расчетливый молодой человек видит себя наследником Ганчуков. Он делает Соню своей любовницей еще тогда, когда ее отец был влиятельной фигурой. Она же не догадывается о расчетливости Глебова. Тихая замкнутая девушка видит в нем героя своей мечты. Страстная любовь к Глебову становится смыслом ее жизни. Соню в романе не случайно называют «тургеневским типом». Как идеальные героини тургеневских произведений, Соня — идеал чистоты и беззаветной любви. И, как тургеневская героиня, она влюбляется в человека, разбившего ее сердце. Но если сильные тургеневские героини могут подняться после несчастной любви, героиня Трифонова не выдерживает предательства. Движимая состраданием ко всем пострадавшим от жизни, девушка впадает в болезненное состояние. Она начинает бояться света и, тоскуя, сидит в темноте. Своим характером она напоминает и некоторых героинь Достоевского. Как и ее тезка из «Преступления и наказания», она полна сострадания к преступившему, готова взвалить на свои плечи чужие грехи. Особенно яростно она защищает его тогда, когда Глебов, мечась в расставленной ему ловушке, готовится предать всю их семью. Но Глебов безжалостно выкинул эту бессмертную любовь из своей жизни, постаравшись забыть и дочь, и отца.

Профессор, однако, оказался более способным сладить с суровой реальностью, чем его преждевременно умершие жена и дочь. В 1971 году восьмидесятилетний Ганчук живет в однокомнатной квартире в Москве, где его навещает анонимный повествователь в связи с исследованиями литературной жизни России 20-х годов. Но старик не хочет вспоминать легендарную эпоху, в которой он играл одну из ведущих ролей. Он полностью сосредоточен на чтении газет и телепередачах. Таков конец жизни, начавшейся во времена революционного пыла. Судьба Ганчука подтверждает известный тезис о революции, пожирающей собственных детей. В. Аксенов отмечал, что Трифонов впервые в советской литературе сбросил романтический покров с революции[36].

Писатель показывает, что Ганчука тоже постепенно захватила мелкобуржуазная стихия. Он сам входит в привилегированный класс, когда становится профессором. Бывшего революционера, боровшегося за равные права для всех граждан, во время вечерних прогулок должен кто-то сопровождать. Его домработница, говоря, что «таких-то, в шубах, не любят», явно намекает на враждебное отношение средних советских граждан к материальному комфорту элиты. Глебов иногда выполнял обязанности то ли охранника, то ли свиты. Дрожа в своем тоненьком бедном пальтишке, он сопровождал тепло одетого Ганчука во время его прогулок по ледяной набережной. Солдат Красной Армии, отличный поэт, оратор на армейских политических митингах, через несколько десятилетий он не может понять нужд простых людей. Ведь он не замечает, что сопровождающий его Глебов каждый раз промерзает до костей. Ганчук не способен понять жизнь. Замкнутый в своей башне из слоновой кости, он поражает слушателей заявлениями типа: «Через пять лет каждый советский человек будет иметь дачу». Крепкий румяный старик, он более всего интересен своему студенту, когда начинает рассказывать о литературном движении 20-х годов, своей дружбе с А. Луначарским, М. Горьким, А. Толстым. С преувеличенным осознанием собственной важности он высказывает свое мнение о «теоретической путанице Луначарского, колебаниях Горького, ошибках Алексея Толстого». Профессор азартно рассказывал о соратниках, формалистах, пролеткультах, литературных «рубках», в которых пытались выяснить истину. Когда он говорил, Глебову иногда казалось, что перед ним — легендарный народный герой.

В повести, впрочем, звучит явно ироническое отношение к ганчуковским хлестким боевым методам 20-х годов. Для решения политических проблем он также использовал и литературу. Это видно из пламенных речей Ганчука, в которых политических обвинений куда больше, чем собственно литературных рассуждений. Но в сталинскую эпоху война ведется тайно, трусливо. Профессор понимает это слишком поздно, когда Друзяев с Дородновым уже немало потрудились, чтобы скинуть его с поста. Уважаемый профессор, восхищавший своим мужеством при защите профессоров-«ренегатов» от фальшивых обвинений власти, Ганчук не понимал, что тоже может быть пойман в ловушку. Но революционный боец — не ровня своим противникам-интриганам. Действия Ганчука не идут далее страстных обличений лицемерия и продажности мелкобуржуазной касты, заполонившей университетскую жизнь. Но и власть Друзяева неустойчива. Он, надеявшийся переместить Ганчука, вскоре после успеха своего предприятия сам изгоняется из университета. Хилое парализованное существо, он — случайно — умер в том же месяце, что и его обожаемый вождь Сталин. Глебов узнал об этом из короткого сообщения в газетах и постарался забыть о Друзяеве.

Одним из самых ярких воспоминаний Глебова окажется воспоминание о поведении Ганчука после решающего собрания в институте, когда его увольняли. Трифоновская повествовательная техника, позволяющая укрупнять мелкое и, наоборот, дробить крупное на мелкие детали, выхватывает такой эпизод. Через полчаса после собрания в кафе на улице Горького профессор «ел пирожное "наполеон"... Мясистое, в розовых складках лицо выражало наслаждение»³⁷. Как будто никакой драмы не произошло. Ганчука перевели профессором в провинциальный вуз. Когда он проходит мучительный путь унижения, то узнает себя не в революционных героях Горького, а в страдающих персонажах Достоевского. Он видит в себе много общего с самим автором «Бесов», мучающимся при мысли, что «все дозволено». Ганчук отходит от Горького, который «был неправ», и приходит к новому пониманию Достоевского, запрещенного большевиками. Одна мысль продолжает тревожить старика. Они сами дали дорогу дородновым: «Вы знаете, в чем была наша ошибка? Мы пожалели Дороднова в 1928. С ним надо было покончить тогда». Один из критиков считает, что это замечание относится и к Сталину, который начал строить свою империю террора именно в 1928 году³⁸.

К 1971 году, несмотря на все свои неприятности, Ганчук, единственный из всех оппонентов, остался жить. Он нашел душевный покой в «забвении» сталинского прошлого. Никто не может заставить его обратиться к горестным воспоминаниям. Единственной страстью старика остался телевизор. Невероятна спешка, с которой он стремится домой после посещения Сониной могилы, прося шофера ехать побыстрее, так как «хотел успеть на какую-то передачу по телевизору». Жизнелюбие старика, говорящего, что он живет в «нелепом, неосмысленном мире», который, впрочем, все равно «не хочется покидать», наблюдает анонимный повествователь. Вместе они едут на могилу Сони, самой невинной жертвы этой истории. Темным осенним вечером они приезжают на кладбище у Донского монастыря. Привратник не хотел пускать их, так как уже закончил работу. Пока шла перепалка у ворот, во время которой Ганчук обвинил привратника в отсутствии совести, повествователь узнал в нем Шулепникова. Услышав свое имя, тот открыл ворота. Картина пустынного кладбища, где только крики ворон нарушают холодную тишину, становится в повести символической. Это образ драматического прошлого, которое многие мечтают похоронить навсегда. Мотив «нежелания вспоминать» проходит через всю повесть до самого эпилога. На пороге смерти Ганчук, как и Глебов, придерживается мнения, что «память — сеть, которую не следует чересчур напрягать, чтобы удержать тяжелые грузы... Иначе придется жить в постоянном напряжении»³⁹. Но Трифонов понимает Ганчука, который хочет забыть совершенную над ним несправедливость. Он сострадает этому герою, характеризуя его как «в чем-то странного, не вполне интеллигентного, но в сущности порядочного старика», который, правда, «совершал ошибки», но был, вне сомнения, лишен поверхностности[40].

В эпилоге мы видим, как покидает кладбище и Шулепников. Его дорога домой проходит мимо Дома на набережной, где «он провел счастливейшие годы». Сломленный человек, чья кожаная куртка — единственное оставшееся от времен былого могущества — тоскует о прежних днях: «...а вдруг чудо, и еще одна перемена в его жизни?»[41] Эти последние слова книги испугали многих читателей как намек на возможность реставрации сталинского режима. Западные журналисты даже спрашивали об этом у Трифонова, но он отвечал, что не думает, будто это возможно[42]. В образе Шулепникова Трифонов изобразил человека, для которого хорош тот режим, где ему хорошо. Этот прожигатель жизни умеет извлекать максимум выгод из продажного круга своих завистников. Он усвоил это искусство от своей матери, аристократки по происхождению с характером Ивана Грозного. Она живет для себя при всех режимах. В соответствии с требованиями момента выходит замуж то за большевика, позже репрессированного, то за чекиста, то за военного. Все они обеспечивают ей жизнь по высшему классу. В это время ее сын вырос в здорового оболтуса, пользующегося положением семьи. Правда, надо отдать ему должное, он абсолютно бескорыстен. С циничной откровенностью он обвиняет и себя и Ганчука в аморальности, называя обоих подонками.

В противовес лицемеру Глебову, Шулепников со спокойной самоуверенностью называет вещи своими именами. Он наблюдателен и любит резать правду-матку людям в лицо. Именно он высмеивает «вещизм» Глебова, его трусость. Никто не знает Глебова лучше Шулепникова. Оба они спокойно приспосабливаются к подлости, но живут каждый в соответствии со своим характером. Жизнерадостный плутоватый Левка лишен осторожности. Он мчится по жизни с завидной самоуверенностью, пока не наступают «совсем другие времена», вытолкнувшие героя прежней эпохи на обочину. В 1972 году Левка работает в мебельном магазине. Опустившийся, пьющий человек, не захотевший узнать Глебова при встрече, он после позвонит ему, назвав его «противным». Но Глебова это не волнует, ему важно сознавать, что его больше не беспокоит, почему Шулепников не узнал его. Ведь он, Глебов, победил всех, и ему не до понимания психологии опустившегося Шулепы. Левка не хочет узнавать человека, которого он презирает, в сценическом варианте он даже плюет Глебову в лицо, выражая таким образом свое омерзение карьеристу, вскарабкавшемуся на вершину путем измен.

Приспособленец Глебов чувствует себя уверенно в любых «временах». Самодовольный и беспринципный, он не знает проблем вины и расплаты. «Потеря памяти» помогает заглушать совесть. Он ухитряется избежать любых размышлений о добре и зле, правде и лжи, нравственном и безнравственном. Подобное отношение к жизни позволило Трифонову считать своего героя «подонком» и «негодяем». Автор прекрасно понимает, что зло будет процветать в обществе, где люди без этических норм задают тон. Молчание совести Трифонов считал главным источником эгоизма, важным препятствием на пути к прогрессу[43].

Глава пятая. ПРАВДА О ПРОШЛОМ

§ 1. «Старик»

Когда Трифонов начинал писать «Старика», то, естественно, не знал, что это будет последнее произведение, которое он увидит опубликованным. Он называл его своим любимым романом, как будто имел относительно него какое-то предчувствие. Писатель любил рассказывать, как возник замысел романа, где исторический материал органично включается в повествование о современности. Вначале он собирался писать о борьбе нескольких семей за дачный домик, принадлежавший женщине, умершей без наследников. Действие происходит в Соколином Бору. Как это часто бывало, Трифонов использовал свой собственный опыт, приобретенный им во время покупки дачи. Когда он уже начал писать повесть, ему показалось, что все это — повторение пройденного, и он решил ввести материалы о революции и гражданской войне, и в частности, о казачьем вожаке Мигулине.

Основным прототипом Мигулина был Ф. К. Миронов. Со времени публикации повести «Отблеск костра» Трифонов углубил свои знания о Миронове, беседовал со многими его соратниками, собрал много новых документов. Нового архивного материала было так много, что Трифонов даже думал посвятить ему отдельную книгу. Но он не хотел писать документальную повесть, боясь скомпрометировать соратников Миронова. Тогда Трифонов решил включить этот исторический материал в книгу о «старике». Сам писатель удивлялся, насколько гибкой и органичной оказалась форма романа, позволившая собрать воедино людей и события из двух совершенно разных эпох[1]. Революционное прошлое в романе постоянно противостоит современности. Два потока событий, происходящих в двух временных пластах, перекликаются и спорят друг с другом.

Исторические события занимают две трети романа, заставляя современность уходить в тень. Писатель переносит нас в различные места России в период с 1913 по 1921 год. То мы оказываемся в роскошной резиденции в Санкт-Петербурге, то переносимся на улицы революционного Петрограда, в бараки Донского фронта, в помещение революционного трибунала и т. д. Изображение современной жизни ограничено московскими сценами и описанием дачной жизни в Соколином Бору. Современный период укладывается в шесть месяцев 1972 года. Перемещения во времени и пространстве в романе всегда неожиданны, а иногда даже приводят в замешательство. Связывает эти два «мира» старик, ветеран гражданской войны. Он — центральный рассказчик, хотя безличный повествователь тоже постоянно присутствует: то и дело соглашается, одобряет, критикует, сомневается, смягчает приговоры главного героя. Переходы от одного типа повествования к другому сложны и причудливы. Используя такую повествовательную технику, Трифонов, возможно, хочет усложнить понимание его собственной точки зрения цензурой. Повествование мозаично и фрагментарно, иногда сложно сразу понять значение тех или иных событий, суть тех или иных характеров, но все они рано или поздно соприкасаются с главным героем — Павлом Евграфовичем Летуновым — стариком.

Трифонов подчеркивал, что содержание романа определило его форму[2]. Повествовательные приемы отражают отношения между героями, так как старик восстанавливает прошлое в соответствии с потоком воспоминаний, но ему трудно создать цельную картину исторических событий. Воспоминания дают ему жизненные силы. Старик проводит свои дни, вспоминая и размышляя, иногда ему кажется, что он ведет две жизни. Его воспоминания, то, что он называет «плодами своей памяти», для него более реальны, чем сегодняшнее существование, которое он называет «призрачным».

Павел Евграфович много размышляет о роли и значении памяти в жизни человека. «Благодеяние» это или «мука», спрашивает он себя после смерти горячо любимой жены Галины. Его воспоминания так измучили его, что он порой мечтает о смерти как о благе. Однако время — великий лекарь, и вдовец находит утешение в мысли, что «память — отплата за самое дорогое…», в памяти «лежит наше бедное бессмертие». Как Галинина душа продолжает жить в Павле, так прошлое продолжает существовать в воспоминаниях живущих. Мучимый воспоминаниями, старик спрашивает себя, что реально в них, а что нет. Насколько точно описаны люди и события, которые он изображает, не придумал ли он их, чтобы доказать свои собственные мысли, надежды и мечты?

Главная тема романа — неустанный поиск ускользающей правды. Совесть старика измучена комплексом вины, исторические причины которой он не может обнаружить, хотя знает, что это связано со страстным желанием определить свое отношение к Мигулину. Он спрашивает себя, был ли легендарный герой гражданской войны мятежником, как он допускал это в свое время? Чтобы ответить на этот вопрос, старик проводит собственные разыскания в архивах в поисках документов, которые могли бы приоткрыть тайну личности Мигулина.

Павел Евграфович не намерен скрывать обнаруженные им документы. Как старый большевик, беззаветно посвятивший свою жизнь революции, он считает, что правда о казачьем вожде должна быть обнародована. В романе, всем своим содержанием убеждающем в необходимости сказать правду о революции и гражданской войне, Летунов заявляет: «Истина... только тогда драгоценность, когда она для всех. Если же только у тебя одного, под подушкой, как золото у Шейлока, тогда — тьфу, не стоит и плевка». Трифонов, утверждавший, что история живет в нас, в судьбе каждой личности, показывает, однако, насколько равнодушна к неправильному пониманию исторических событий политика советских властей. В этом на собственном опыте убедился Летунов, когда занимался «делом Мигулина». Даже в родных местах Мигулина, куда старик отправился собирать материалы о нем, люди с удивлением спрашивают, зачем ему это надо и не родственник ли он Мигулину. Старик в раздражении комментирует: «Я... удивлен, что есть люди, не испытывающие ни малейшего интереса к истории собственного народа».

Летунов проводит свое исследование в одиночку. До Галиной смерти пять лет назад он не любил близко общаться с другими людьми. Его дети, занятые своими делами, среди которых важнейшим является борьба за дачу, не замечают его. Оставаясь наедине с самим собой, он не может понять, почему люди придают такое большое значение мертвому дому, как будто он источник величайшего счастья на земле. Впрочем, его критицизм по отношению к современной жажде материальных благ тут же вызывает обвинения в «эгоизме», «равнодушии», «бесчувствии», «непонимании» от членов его семьи. Но старик критикует также и прошлое, с которого он упорно срывает романтическое покрывало. Летунов приводит много примеров того, как революция без нужды уничтожала собственных детей, высмеивает ограниченность идеологии, подавлявшей всякую личную инициативу. Как во времена Великой французской революции, которая упоминается в романе, доктрины русских революционных вождей принижают значение личности. Любой, кто не желал сливаться с революционной массой, рассматривался как потенциальный враг. Подобный примитивизм в оценке людей приводит к тому, что многих истинных сторонников советской власти принимали за ее врагов.

Драматическая судьба независимо мыслящего Мигулина — яркое тому подтверждение. Даже имя его вычеркнули из списка революционеров. Власти сами решали, кого называть революционером, а кого нет. Трифонов говорил о необходимости реабилитации всех борцов за лучшее будущее, исчезнувших «без следа». Но если власти навешивали на кого-то ярлык, они не торопились снимать его со всеми вытекающими отсюда последствиями. Павел Евграфович понял это в старости, когда попытался опубликовать в журнале статью, реабилитирующую Мигулина. Ему пришлось выдержать целый бой, но тогда он победил.

В характеристике главного героя Трифонов опирается на образ своего дяди, Павла Лурье, как уже говорилось, принимавшего участие в революционных событиях вместе с В. Трифоновым. Изображение старого большевика, настроенного критически к способам проведения революции и гражданской войны, было довольно смелым. Однажды писатель достиг предела дозволенного в легальных публикациях. Можно только удивляться, что Летунову «разрешили» вспомнить слова, выносящие приговор русской революции. В апреле 1917 года один старик сказал другому, что Россия не сможет пережить этот удар ножом в живот. Эти слова Павел запомнил навсегда.

Трифонов был достаточно осторожен, чтобы комментировать этот приговор. Особое внимание он сосредоточил на фигуре самого Летунова. Его вообще занимал феномен старения. Изображая семидесятитрехлетнего Павла Евграфовича, он пытается передать некоторые особенности старческого мировосприятия. Летунов иногда жалуется на слабеющую память, ему трудно ясно вспомнить людей и события. Факты подменяются интерпретацией. Когда Павел Евграфович в Ростове расспрашивает стариков о Мигулине, то каждый из них дает свое толкование и убежден, что только он и знает правду. «Они путают вещи, им нельзя верить. Делаю ли я это тоже? Можно ли мне верить?» Любопытно, что старик жалуется на память, только когда речь идет о деликатных проблемах, тогда как в других случаях его память выдает мельчайшие подробности.

Воспоминания Павла Евграфовича получили толчок после неожиданного письма Аси Игумновой, вдовы Мигулина. В письме, с которого начинается роман, приятельница Павла времен его юности выразила удивление, что именно он приложил усилия к реабилитации Мигулина: «Не понимаю, почему написал именно ты? Неужели никого нет?» Этот вопрос, заданный Асей, которую он не видел пятьдесят пять лет, вызвал у Павла Евграфовича что-то вроде сердечного приступа. Вопрос обращен к совести Летунова, и он безуспешно пытается отделаться от него, обвиняя старую женщину в непонимании и глупости. Второе, примирительное письмо от Аси не может унять его волнение. Его ровесница, Ася помнит, что, когда в 1919 году ее муж был осужден, Павел Летунов верил в его вину. «Я не осуждаю тебя — в те времена большинство людей верили».

Ася затрагивает больное место в душе старого большевика. В конце своей жизни он спрашивает себя, что подтолкнуло Мигулина проявить инициативу и выступить против Деникина раньше частей Красной Армии в августе 1919 года? Этот вопрос — центральный в исследованиях Летунова, так как он был среди тех, кто не доверял донским казакам, и в результате невольно принял участие в обвинении Мигулина. Сомнениям Павла противостоит уверенность Аси в невиновности ее мужа. Она приводит самые убедительные доводы, чтобы доказать, что большевистское недоверие к казачьему вождю было беспочвенным: как можно говорить о мигулинской преданности Деникину, если деникинские войска убили его родителей и брата. Об этом знала только Ася. Мигулин безгранично доверял ей, и она была, видимо, единственным человеком, к чьему совету прислушивался этот своевольный человек. Ася лучше, чем кто-либо, понимала натуру Мигулина и движущие силы его поступков.

Проницательная женщина с пониманием описывает недостатки и достоинства импульсивного, энергичного, бесстрашного, опрометчивого человека, каким был Мигулин. Она называла его «дьявольски безрассудным». В ответ на вопрос Летунова, безуспешно пытающегося понять этого выдающегося человека, старая женщина обрисовала ему точный портрет своего мужа. Ее письма очень помогли Летунову, ведь «если понять его и, наконец, решить для себя, кто он есть, многие вещи становятся ясными». Свою неспособность понять Мигулина во время встреч с ним в период гражданской войны Павел Евграфович приписывает опустошенности и тупости чувств, когда трезвое понимание невозможно. В 1972 году он прикрывается слабеющей памятью, признаваясь, что не способен анализировать события прошлого, «запутавшиеся и слипшиеся вместе, как пропитанная кровью повязка на ране». Но Ася считает свою память настоящим «чудом». Она даже может вспомнить, почему Мигулин продвигался к Деникину. Ей удается воспроизвести атмосферу ненависти и недоверия вокруг своего мужа. В августе 1919 года Мигулин яснее, чем когда-либо, понял, что армейское командование сдерживает его активность. Бесстрашному правдолюбцу не хватает дипломатичности, хитрости, готовности пойти на компромисс. Его со всех сторон окружают комиссары, которых он высмеивает как «псевдокоммунистов». Они добились, чтобы собственный политотдел отказал Мигулину в приеме в партию. Со всем своим неукротимым темпераментом Мигулин обрушивается на эту, как он считает, величайшую несправедливость. Вскоре он решает самостоятельно выступить против Деникина со своими частями.

Ася не одобрила этого опасного для судьбы мужа поступка, но она тоже не до конца поняла его: «Он не мог остановиться. Кто-нибудь с другим характером — более уравновешенный — мог контролировать себя, но Сергей Кириллович взорвался»[3]. Ася не пытается защитить или обвинить своего мужа, она только пытается пролить свет на личность этого идеалиста из донских казаков. Но Асин взгляд на Мигулина не убеждает Летунова, у которого есть своя версия и своя правда в море неопределенности. Старик не согласен с Асей не только из-за исторических фактов, но и потому, что Асина безграничная любовь к Мигулину была занозой в его сердце. Ему тоже в свое время нравилась красавица Ася, в которую он влюбился еще во время учебы в школе в Петрограде. Он любил бывать у нее дома, где наслаждался теплой семейной атмосферой, которой сам как сын ссыльных был лишен. Верность своей глубокой неразделенной любви Павел сохранил и тогда, когда Ася вышла замуж за своего кузена Володю, их школьного товарища, и когда после Володиной смерти стала женой Мигулина. Павел испытывал невыразимое чувство ревности к казачьему лидеру, хотя и не показывал этого. Он ревнует к Асиной преданности мужу. Она готова на любую жертву, чтобы его спасти. Эта безусловная любовь ошеломляла и изумляла Павла, особенно во время суда над Мигулиным в 1919 году, когда Ася боялась смертного приговора. Обезумев от горя и страха, она обращается к Павлу, бывшему тогда помощником секретаря суда, умоляя его добиться разрешения на встречу с мужем. Взамен она готова предложить Павлу что угодно, даже себя.

Ася напоминает романтически настроенных героинь Тургенева. Даже ее имя вызывает в памяти героиню одноименной повести, хотя больше она похожа на Елену из «Накануне». Под влиянием страстной любви девушка из хорошей семьи превращается в революционную героиню. Однажды увлеченная революционными событиями, она бросила сочувствующую белым семью. Ее отец умер, брат был убит, мать прокляла Асю и в 1921 году уехала вместе с сестрой в Болгарию, а затем во Францию. Девятнадцатилетняя Ася работала машинисткой в штабе армии Мигулина.

Романтическая любовь Аси и сорокасемилетнего Мигулина создает островок человечности в хаосе войны, где господствуют разрушение, зверства и смерть. Эта нерушимая любовь в то время, когда человеческая жизнь, казалось, утратила всякую ценность, напоминает о богатстве и неповторимости каждого человека. Страх потерять друг друга, страстная любовь создают напряженную атмосферу, окружающую эту необычную пару. Темпераментная натура Мигулина отчетливо проявляется в его отношении к Асе — в бешеной беспричинной ревности, импульсивности, доброте.

Эта любовная история невольно наводит на мысль, имела ли она реальную основу. Является ли Ася, как и Мигулин, фигурой, сплетенной из факта и вымысла? Автор называет Асю «жертвой времени и любви», живущей сначала Мигулиным, а потом памятью о нем[4]. Когда ее муж, смысл ее жизни, погиб, Ася продолжает жить с камнем в сердце. Ни сын от Мигулина, ни третий муж Нестеренко, за которого она вышла в 1924 году, погибший потом в блокадном Ленинграде, не смогли растопить ее чувств. Она тщательно прячет свои истинные чувства, никогда не говорит своим близким, что была замужем за «врагом народа». Даже в 1972 году, когда стало возможным произносить имя Мигулина открыто, Ася считает более разумным хранить молчание. Ее невестка считает это решение правильным. Она работает в руководстве института и не хочет ничего знать о Мигулине, опасаясь за свою карьеру.

Осторожность, десятилетиями воспитывавшаяся в гражданах Советского Союза, не позволяет Асе в ее первом письме даже назвать Мигулина, она приводит только инициалы. Только когда воспоминания захватывают ее, она забывается и называет его. Ася узнает о мигулинской реабилитации из статьи Павла, которая была опубликована несколькими годами раньше. Все это напоминает судьбу второй жены Миронова — Надежды Васильевны Суетенковой, с которой Трифонов был знаком. Она тоже поздно, в 1964 году, узнала о реабилитации мужа, так как хранила свою прежнюю жизнь в секрете от родственников. Как и героиня романа, Надежда всюду сопровождала своего мужа, правда, не присутствовала на суде в Балашове, так как в это время была в Нижнем Новгороде[5].

Трифонову удалось разговорить Надежду Васильевну, но он использовал только некоторые детали из ее рассказов. Возможно, это вызвано соображениями деликатности, нежеланием разрушать ту цельную картину, которая сложилась в голове вдовы Миронова. Павел Евграфович тоже ломает голову над тем, что же произошло на самом деле в те далекие революционные годы. Многочисленные вопросы, которые задает старик, выражают его сомнения и неуверенность. Годы спустя он пытается воссоздать правдивую картину исторических событий, восстановить факты, вспомнить людей, но приходит к выводу, что революционное время страшно запутано. Даже мотивы его собственных поступков в те далекие годы неясны ему сегодня. Он только понял, что позволил потоку событий нести себя, что был опьянен временем. Он понимает, как странно судьба распоряжается человеческой жизнью. «Ничтожная малость, подобная легкому повороту стрелки, бросает локомотив с одного пути на другой, и вместо Ростова вы попадаете в Варшаву… С каждым могло быть иначе».

В романе много рассуждений о роли судьбы и случая. Вспоминая революционную борьбу, Павел Евграфович соглашается, что они руководствовались случаем, интуицией, а не железным расчетом или волей. Постепенно он приходит к мысли, что борьба за жизнь и смерть людей «происходит не под влиянием чувств, симпатий или антипатий, но под воздействием могущественных и высших сил, которые можно назвать силами истории или силами судьбы». И крах Мигулина Павел объясняет столкновением гигантских сил, создавая апокалипсический образ: «Мигулин погиб оттого, что в роковую пору сшиблись в небесах и дали разряд колоссальной мощи два потока тепла и прохлады, два облака величиной с континент — веры и неверия…»

Для Трифонова революция подобна урагану, который можно определить только метафизически или философски. Многие русские писатели двадцатых годов описывали революцию подобным образом, но Трифонов таким осознанием наделяет и своих героев. Они все время дают «космические» объяснения проблемам, которые их беспрестанно мучат. Это происходит и потому, что свою личную ответственность или комплекс вины они переносят на вселенную. Таким же способом пытается успокоить свою совесть и Павел Евграфович.

Гуманистический голос Трифонова может быть услышан в рассуждениях о сложности каждого человека, уникальности внутреннего мира личности. Однако автор не выражает прямо свою точку зрения, иронически изображая ряд характеров, в которых человеческое сведено до минимума. Некоторые члены ревкома: Шигонцев, Браславский, Орлик — убеждены, что революция думает за всех. Их ненависть направлена против тех, кто хочет сохранить свою индивидуальность. Так, Браславский движим бешеной ненавистью к казакам. Шигонцев, как и небезызвестный Сергей Нечаев, утверждает, что надо искоренять все чувства. Он приверженец теории, согласно которой человек должен изменить свою психическую структуру, подавив эмоции и чувства. Писатель подтрунивает над Орликом с его «химическим» подходом к людям. Орлик пытается навесить предельно точные политические ярлыки на всех, с кем сталкивается: один наполовину марксист, на четверть неокантианец, тогда как другой на два процента большевик, но внутри чистый меньшевик. Навешивание ярлыков было свойственно Троцкому, прославившемуся своими броскими и жесткими определениями противников. Так и Мигулин определяется как опасный сепаратист, донской националист, полный левацкой революционной чепухи, мечтающий об отделении Донской республики от России.

Трифонов ясно показывает, к чему приводит подобное отношение к людям — к террору. Фигуры типа Орлика олицетворяют слепую карающую силу безжалостной централизованной партии, которая стремится подавить опасность свободомыслия. Свою нелюбовь к интеллигенции Орлик выразил в презрительном определении Павла как «недисциплинированного большевика, полного либеральничанья и на треть испорченного интеллектом». Он насмехается над интеллигентским прошлым Павла. Отец Летунова был инженером, прекратившим еще до революции всякую политическую деятельность и, возможно, расставшимся со своей женой из-за ее революционных занятий. Под влиянием своего брата Шуры, профессионального революционера, мать Павла, как позже и он сам, вступила в партию большевиков.

Автор не случайно вкладывает в уста Орлика определение «трухлявая интеллигенция». Этот человек воплощает ненависть сектантски настроенных членов ревкома к тем, кто не следует слепо революционным нормам, выдуманным неизвестно кем. Интеллигенция мечтала о новом мире, где победят гуманизм и культура. Ей было чуждо стремление всюду использовать карающую силу и грубую власть. Наследниками Шигонцева и Орлика стали жестокие и безличные чиновники сталинского режима, которые теми же методами террора и истребления продолжали бороться с интеллигенцией. В романе и Шигонцева, и Орлика убивают на войне. Но Павел уже тогда задает безыскусный вопрос, кому могло понадобиться убивать безвредного Орлика? Уже позже, в старости, Павел Евграфович осознает связь теории Орлика и миллионов невинных жертв системы, хотя, как обычно, об этом понимании будет сказано вскользь.

Изменение отношения Реввоенсовета во главе с Троцким к Мигулину нелегко объяснить логически. Сначала он был объявлен героем Дона, потом внезапно переброшен с Южного фронта в Белоруссию, назначен командующим Особого корпуса на Дону. Сохранившиеся директивы показывают, что Советы готовили смертельный удар по казакам. Они с почти безумной настойчивостью искореняли казачьи диалектные выражения, проводили страшное по своим последствиям «расказачивание». Когда Павел Евграфович спустя пятьдесят пять лет читает секретные партийные директивы о казаках, он содрогается, понимая, что они несли в себе.

Защитник революции с человеческим лицом, Мигулин тщетно старался убедить партийных и армейских руководителей вести мирную пропаганду, не касаясь образа жизни казаков, не нападая на их обычаи. Мигулин в романе во многом выражает убеждения самого Трифонова, мы слышим его голос: «Я продолжаю, как раньше, защищать не секретное строительство социалистической жизни в соответствии с узкой партийной программой, но строительство, в котором народ мог бы активно участвовать... Этот тип строительства снискает симпатии крестьян и части средней интеллигенции». Трифонов также настроен против Троцкого, сторонника жесткой диктатуры. Конфликт между Мигулиным и Троцким достиг высшей точки в сцене суда в Балашове, которая играет в романе кульминационную роль. Различие между борцом за лучшую жизнь казаков и теоретиком, чья цель — мировая революция, показано очень ярко. Романтик Мигулин с его тоской по мировой справедливости не очень силен в марксистской терминологии. Он честно признает, что «не знаком с Марксом». Но он посвятил жизнь отстаиванию интересов своего народа, вступал в конфликты с руководством еще царской армии и «был послан в военный госпиталь нервнобольных. За мою правду меня хотели объявить сумасшедшим». Позже он вступил в Красную Армию, так как верил, что большевики принесут казакам лучшую жизнь. Поняв, что большевики поставили своей целью разрушение казачества как сословия, он объявляет на суде: «Вся моя жизнь отдана революции, а она посадила тебя в эту тюрьму, всю жизнь боролся за свободу, и в результате ты лишен этой свободы». Но даже в тюрьме мигулинская вера в силу революции осталась незыблемой, и он обвиняет своих оппонентов в «псевдореволюционности». В своем заключительном слове суду он говорит об итогах этой веры: «Видите, моя жизнь была крест, и, если нужно нести его на голгофу, я понесу. И хотите, верьте, хотите, нет, я крикну: "Да здравствует социальная революция! Да здравствуют коммуна и коммунисты!"»

Особое внимание Трифонов обращает на конфликт между Мигулиным и некоторыми руководителями Красной Армии еще и потому, что за Мигулиным стояли широкие народные массы. Он пользовался огромным авторитетом у казаков. Его способность страстными горячими речами подвигнуть их на что угодно уязвляла многих тогдашних военачальников. Чувство зависти, заложенное в человеке, во многом определяло отношение к Мигулину. И суд в Балашове был задуман, дабы развенчать миф о легендарном герое. Такую установку своим сотрудникам дал прокурор Янсон, подчеркнув, что этот суд значим не столько в правовом, сколько в политическом и пропагандистском аспектах. Поэтому еще до начала суда Троцкий начал нападки на Мигулина в прессе, обвиняя его в «личных амбициях, карьеризме, желании взобраться на спины трудящихся масс». Против подобных методов яростно восстает Шура, заявляя, что «суды всего мира призваны устанавливать факты», а «не судить уже осужденных», иначе какой в них смысл.

Трифонов подробно рассказывает о суде, чтобы показать характер правосудия, установившегося в революционную эпоху. Десятилетиями советский суд отличался предвзятостью отношения к осужденным. Павел Евграфович невольно признает это, когда говорит, что судебный процесс в Балашове был одним из источников советской юстиции. В романе только Шура открыто выступает против правового маскарада — системы осуждения уже осужденных. Поэтому он отказывается принимать участие в этом, как он его называет, «театральном представлении»[6].

Образ Шуры очень важен в романе. Этот герой революции, рабочий депутат — единственный, кто понимает Мигулина. Он пытается убедить своих соратников поверить ему, как член ревтрибунала отказывается осудить его. Это не значит, что Шура полностью одобряет поведение Мигулина, он критикует его за излишнюю импульсивность. Ему тоже невозможно работать с Мигулиным, хотя тот хорошо к нему относится. Но Шура понимает казачьи проблемы, видит страшное зло политики «расказачивания». Редкий тип в трифоновских произведениях, Шура обладает способностью видеть события глазами человека своего времени и одновременно понимать их перспективу. Трифонов обычно наделяет своих героев пониманием того, что невозможно вынести приговор времени, живя в нем. Шура не таков, он точен и мудр в оценках современных ему событий. Работающий рядом с дядей Павел не достигнул такой точности и мудрости даже к концу жизни.

Судя по всему образ Шуры восходит к Валентину Трифонову, который, как уже отмечалось, работал рядом с Мироновым на Южном фронте. Писатель даже включил в роман подлинный документ, подписанный одновременно В. Трифоновым и Мироновым в июне 1919 года[7]. Роман «Старик» — последнее произведение Трифонова, написанное в память жертв террора. Одна из главных тем романа сформулирована в вопросе: «Неужели революционеры — лишь те, кто еле слышными, но живыми голосами могут о себе рассказать, доказать? А те, кто рвались, ярились, задыхались в кровавой пене, исчезали бесследно, погибали в дыму, в чаду, в неизвестности?.. Как могли они казнить невинных людей без суда и следствия?»

Эпоха террора перекликается с эпохой гражданской войны. «Так много людей исчезло». Павла Евграфовича тоже накрыла волна террора. Когда в 1932 году, он, главный инженер, едет в Москву, то в поезде узнает, что его обвиняют в саботаже. Напрасно он обращается за помощью к Шуре, тот бессилен помочь, так как «был отодвинут в сторону, на пенсии». Шура посылает племянника к «чиновнику государственной прокуратуры, который жил в мощном доме около Каменного моста». Тот посоветовал ему не ходить к властям. Павел послушался, но все равно провел два года в лагере. Старик не помнит обстоятельств, при которых он там оказался, только вспоминает, как поп-расстрига, которого он спас от смерти в 1919 году, дал ему кусок сахара, заметив, что «один из отцов церкви написал, что чувство благодарности было проявлением божественного. Поэтому оно так редко».

Когда Павла освободили перед самой войной, ему запретили возвращаться в Москву к семье. Он вынужден жить в Муроме, а приезжать на дачу тайком. Однажды его опасная затея была разоблачена соседом Приходько, что могло бы завершиться трагически. Но спасла война. Однако все в мире взаимосвязано: предательство Приходько тоже не было случайным. В свое время Павел, член комиссии по чистке партии, требовал исключить Приходько из партии, так как тот закончил когда-то юнкерское училище. Но хамелеон Приходько приспособился к новой власти и сделал при Сталине блестящую карьеру. Даже в 1972 году он еще занимает кое-какие начальственные посты, во всяком случае, участвует в решении вопроса о том, кому достанется спорная дача. Дети убеждают Летунова обратиться к Приходько с просьбой о передаче им дома, и он, несмотря на внутренний протест, собирается сделать это. Он понимает, что покойная жена осудила бы его за это. Галя была решительной и принципиальной женщиной, и он продолжает ее любить.

Память об умершей жене — лирический мотив романа. Мы часто слышим слова: «Если бы Галя была жива...» Старик говорит, что даже после ее смерти он черпает энергию в силе ее души, что она не исчезнет, пока жив он. Он настолько уверовал в то, что память — форма бессмертия, что однажды даже подумал, что сможет получить письмо от покойной жены. Но, тоскуя, старик внезапно замечает, что образы жены и Аси путаются, хотя эти женщины никогда не встречались. Ася уже исчезла из его жизни, когда там появилась Галя, потом, когда Галя умерла, Ася появилась снова. «Одна принадлежала ему всей плотью, всем существом, другая была воздухом, недостижимостью. Теперь поменялись местами: Галя недостижима, а Ася...»

Мы слышим голос самого писателя в размышлениях Павла Евграфовича о жизни и смерти, постепенном проникновении смерти в жизнь. Смерть, действительно, сопровождает его с детства. Он понял это, сидя у смертного одра матери и видя человеческое бессилие перед лицом смерти. «Ничего нельзя было сделать. Можно убить миллион человек, сбросить царя, совершить великую революцию, взорвать динамитом полмира, но невозможно спасти одну жизнь». Говоря о гражданской войне, где смерть каждодневна и привычна, писатель время от времени подчеркивает уникальность каждой унесенной жизни.

Тема страха связана не только с таинством смерти, но и с террором. Человек пропитывается страхом. Он может преодолеть трусость, как это сделал апостол Петр. Он может взять ответственность за свои проступки, прислушавшись к голосу совести. Но у Павла Евграфовича не хватает на это мужества. Когда врач спрашивает, не испытывает ли он, пусть невольного, чувства вины по отношению к Мигулину, тот уходит от ответа. Но когда чувство вины разгорается в нем, старик успокаивает свою совесть тем, что поступал, как и все в эти времена. Во время революции Павел позволил общему потоку понести себя и поверить, что, если власти кого-то осуждают, значит, для этого есть основания. Но в тридцатые годы он сам оказывается жертвой политики безжалостного перемалывания всех, кто пытался противостоять потоку.

Проблема старых большевиков, и среди них Летунова, состоит в том, что они сами в революционные годы злоупотребляли властью. Летунов этого так и не осознал. Он «забыл», что ответил положительно со всей искренностью «на вопрос судьи, допускает ли он, что Мигулин мог принять участие в контрреволюционном восстании». Этот факт возникает только в эпилоге романа в размышлениях молодого историка, пишущего диссертацию о Мигулине. Он переписывался с Павлом Евграфовичем, но не застал его в живых. Сын старика отдает ему материалы отца, помогающие понять, что «бывают времена, когда истина и вера сплавляются нерасторжимо, слитком, трудно разобраться, где и что»[8]. И в исследованиях о Мигулине трудно отделить правду от «веры», хотя молодой человек собирается предпринять эту попытку. Трифонов считал этого историка фигурой обнадеживающей, так как у него к старику «двойственное отношение. Он и жертва времени, и делатель его»[9].

Привычка мыслить жесткими категориями, вынесенная из «тех» времен, свойственна старику и в оценке современных людей и событий. Когда его дочь Вера говорит о его жесткости к верующим: «...нужно уважать других людей, другие взгляды, не надо совать нос в чужую душу», Павел Евграфович яростно отвечает ей: «Души нет!»

Душная атмосфера жаркого лета на даче в Соколином Бору полна нетерпимости. Споры, ссоры, обиды свидетельствуют о том, что члены этой семьи разделены стеной непонимания. Для старика очевидно, что его домочадцы страдают от «недочувствия». Ему кажется, что любимая теория Шигонцева об исчезновении чувств становится реальностью. Никто не дает ответа на так часто задаваемый вопрос: «Как так получилось?» Впрочем, отношение старика к детям неровно: равнодушный к бедам детей, погруженный в прошлое, старик понимает, что дети больше терпят его, чем любят. Они погружены в насущные проблемы, которые ему уже безразличны. Этот конфликт между отцом и детьми разгорается после смерти Гали, которая везла все проблемы семьи на себе. Его жена была центром семьи, ее связующим звеном. Эгоистичный Павел Евграфович не расположен принимать на себя проблемы детей. Ему кажется, что после смерти матери дети освободились от ее моральных заповедей: «Что касалось их, с тех пор как умерла их мать, ее совесть умерла тоже»[10].

Пугает Павла Евграфовича и нарастающая дряхлость. Он боится кончить жизнь в доме для престарелых, как Полина, одна из Галиных подруг. Для старика это заведение — дом ожидания смерти. Описание мучительных процессов старения вызвало благодарную реакцию многих читателей. Из ГДР Трифонов получил письмо, где говорилось: «Вы так ласково написали о Павле, это так важно для нас — такое отношение к старым людям»[11].

В описании современной жизни Трифонов использует деталь, которую считал принципиально важной. Все время подчеркивается жара и духота. Москву окружают горящие леса, окутывая столицу дымом. Возникает даже мысль о конце мира, убитого солнцем. Дым современной Москвы соотносится с атмосферой пожарищ гражданской войны, с образом вулканической лавы, заливающей территорию России. Жар воздуха перетекает в жар споров, которые ведутся в романе. Родные Павла Евграфовича спорят о Достоевском и предложенной им формуле «все дозволено» в отсутствие Бога, об Иване Грозном. Спор касается проблем целей и средств. Николай Эрастович, вечный жених дочери Летунова, оправдывает царя-деспота: «Царь Иван сделал колоссально много для России». На что сын старика Руслан возражает, называя Грозного «дьяволом», «садистом», который «разорвал Россию надвое и всех развратил: одних сделал палачами, других жертвами...» Естественно, в подобных спорах не упоминается Сталин, хотя именно он реабилитировал своего предшественника, вообще, Трифонов тщательно избегает прямых сопоставлений между двумя деспотами, проводящими политику террора. Об этом же свидетельствуют два эпизода, перекликающиеся друг с другом: решение участи крысы, предназначенной для уроков биологии в школе революционного Петрограда, и отлов собак в современном дачном поселке. Безответные живые существа так же нуждаются в защите, как и люди.

Автор постоянно пересекает историческое и личное, жизнь сегодня и вчера, высвечивая сходства и различия. Реалистически описывая конфликты, ошибки, горести революционного времени, Трифонов исправляет одностороннюю картину официальной истории, приближая ее к современной жизни. Писатель развенчивает образ «героической гражданской войны»: его герои даже позволяют себе насмехаться над некогда святыми лозунгами. Так, Руслан, отвечая на вопрос отца, почему он не работает, язвительно замечает: «А что, это повредит мировой революции?»

Такая реакция типична для современной интеллигенции, и старик не обращает внимания на эту иронию. Вообще, история Руслана перекликается с историей Мигулина. Руслана не любят на заводе за «индивидуализм», высокомерие, правдолюбие, критицизм. Он страдает из-за этого во всех смыслах, но пытается противостоять увольнению. Руслан не верит в «коллективную мудрость» и спрашивает отца: «По-твоему, коллективный разум всегда прав? А разум отдельного человека всегда неправ?» Слабовольный, нерешительный человек, он тем не менее после увольнения добровольцем отправляется тушить лесные пожары. Там он пострадал и остался выздоравливать с отцом на даче. В это время между ними возникают добрые отношения, и Руслан даже начинает интересоваться Мигулиным.

В эпилоге Руслан, ведя типичный русский интеллигентский спор с заезжим историком, до утра рассуждает «о революции, о России, о большевиках, о добровольцах, о чекистах, о генерале Корнилове, о маркизе де Кюстине, о казаках, о Петре Великом, о царе Иване, о том, что есть истина, о любви к народу, о том, что Мигулин своей судьбы не избег, заговора не было, погиб понапрасну». Своеобразный конспект проблематики романа как бы кладет конец «мигулинскому делу», над которым Павел Евграфович ломал голову в «огне само-суда... само-казни».

В последние месяцы жизни старик съездил к Асе в надежде получить какую-то новую информацию. В ответ на его взволнованные вопросы о том, кто же все-таки был виноват, старая женщина ответила, на первый взгляд, не по существу: «Я никого не любила так сильно, как его, в моей длинной утомительной жизни». Этот голос любви позволяет понять рассуждения старика в общечеловеческом плане.

Настоящая любовь редко встречается в мире Трифонова, хотя он и ценил ее очень высоко, считая истинным смыслом существования. Но в изображаемом им мире людьми движут чаще всего эгоизм, непонимание, зависть. Асина великая любовь к давно умершему мужу — как луч солнца. Недостаток любви, по Трифонову, создает равнодушие и отчуждение. Не случайно спор о даче завершился так неожиданно. Ее просто снесли, чтобы на этом месте построить пансионат. Вожделенная дача должна быть просто уничтожена. Единственный человек, которого с этим домом связывают воспоминания, Саша Изварин, вспоминает ее как «гиблое место». Они жили на этой даче, когда в 1937 году был арестован отец, умерла мать, а сам Саша оказался в детском доме. Его предшествующая жизнь «обвалилась и рухнула <...> как обваливается песчаный берег», а населявших дачи стариков «смыло, унесло, утопило, угрохало...»

Единственный из героев романа, кто абсолютно равнодушен ко всем отвлеченным проблемам прошлого и настоящего, — сорокапятилетний Олег Кандауров, преуспевающий чиновник из МИДа. Этот энергичный мужчина, один из претендентов на пресловутую дачу, имеет от жизни все: квартиру, машину, семью, молодую любовницу, престижную работу. Его главный принцип: «хочешь чего добиться — напрягай все силы, все средства, все возможности, все, все, все... до упора». Действия этого беспринципного человека диктуются абсолютным эгоизмом. Всю энергию он тратит на расширение своей личной империи. Для достижения своих целей он очаровывает, пускаясь прямо-таки на акробатические трюки. Наделенный природой железным здоровьем, он недаром сравнивается с хорошо смазанной машиной, в которой все исправно движется, стучит, гремит и работает. Он самоуверенно мчится по жизни, и на вопрос своей любовницы, чего он хочет больше всего — женщину, семью, собственность, путешествия, власть, отвечает: «Я хочу все»[12]. Ему неинтересен Руслан, Павел Евграфович вызывает презрение, для него значимо только «сегодня». Но именно ему жизнь ставит подножку, преждевременно ставя точку на его карьере из-за роковой болезни. Трифонов отмечал, что в последнем романе он полнее всего раскрыл явление мелкобуржуазности, показав «опасность стремления к обогащению, опасность борьбы за благоустроенность любыми средствами»[13].

§ 2. «Время и место»

В конце марта 1981 года Трифонов взял рукопись своего романа «Время и место» с собой в Боткинскую больницу, где ему предстояла операция на почках. Операция прошла успешно, но он умер несколькими днями позже от внезапной сердечной недостаточности. В первом варианте романа с главным героем, писателем Антиповым, тоже происходит сердечный приступ, но незадолго до смерти Трифонов переписал финальную главу и оставил героя жить.

Мало известно об источниках и процессе написания романа, задуманного и начатого в 1978 году, хотя в письмах Трифонов намекал, что роман нелегко будет идти через цензуру. Так, восьмого августа 1980 года он писал мне, что «иногда не уверен» в публикации романа и что название «Время и место», видимо, придется изменить, а шестого ноября сообщал, что продолжает редактировать роман перед публикацией, которая должна состояться в 1981 году. После смерти Трифонова ходили слухи, что автор не согласился на предложенные ему многочисленные переделки текста. Не имея возможности изучить рукопись, трудно судить о том, какие пассажи резали глаза бюрократов от литературы, но критик Р. Шредер предполагал, что текст все-таки претерпел изменения после того, как в 1980 году писатель предоставил ему возможность ознакомиться с рукописью романа. Шредер вспоминает вопросник, который формировал эпилог, но исчез в опубликованном варианте: «Время и место рождения... Национальность... Были ли вы... Принимали ли участие... Дата вашей смерти...[14]»

Сама тема романа — вызов, потому что речь в нем идет о жизни и судьбе русской интеллигенции за последние сорок лет. Сам Трифонов говорил, что хотел изобразить успехи и поражения своего поколения с 1937 года до конца 70-х годов. Он рассказывает о судьбе своих героев в тринадцати главах, каждая из которых представляет собой отдельную историю. Связывают их воедино место действия — Москва и время, которое Трифонов считал важным героем романа. В интервью Трифонов отмечал, возможно, для цензоров, что «роман вовсе не автобиографичен, в нем много фантазии, вымысла»[15]. Однако, знакомясь с жизнью Антипова, мы узнаем многое из того, что происходило с самим Трифоновым.

Во-первых, узнаваема Москва с ее улицами, проспектами, парками, кафе, театрами, Домом литераторов, Литинститутом, среди которых вырос автор. Не случайно сочетание «Тверской бульвар» (название московской улицы, на которой расположен Литинститут) входит в заголовок четырех глав. Трифонов был очень привязан к этому зеленому проспекту в центре старого города, поблизости от которого он родился. Он вспоминает об этом в посмертно опубликованных воспоминаниях, где описывает Тверской бульвар так же поэтично, как в романе[16]. Трифонов использует свой личный опыт для создания разных героев, особенно повествователя от первого лица и Саши Антипова. Внимание, в основном, сосредоточивается на Антипове, который рассматривается повествователем как своеобразный «alter ego». Повествователь сохраняет, впрочем, критическое отношение к своему двойнику, о котором говорит: «... мне Антипов не нравился... Он не нравился мне потому, что я чуял в нем свое плохое». Повествователь понимает это во время редких встреч с Антиповым, своим ровесником. Оба замкнутые, они сохранили схожие воспоминания об одиноком детстве, работе на авиазаводе во время войны, так как обоих не взяли в армию из-за плохого зрения, о сильном желании стать писателем. Антипов любил вспоминать беззаботное детство в Серебряном Бору, откуда его отец каждое утро на большой черной машине уезжал на службу. Однажды в 1937 году отец бесследно исчез, а мать чуть позже была отправлена в лагерь в Казахстане. Мальчик остался со старшей сестрой и теткой. Трифонов тоже после расстрела отца и ареста мамы остался с сестрой и опекунствующей бабушкой.

С самого начала воссоздается атмосфера сталинского времени. Уничтожающая туча большого террора нависла над «пляжами тридцатых годов», где дети играют в шпионов. Родители, родственники, знакомые исчезают в беспощадном водовороте. Те, кто выживает, плывут по течению со страхом в душе. Конец счастливого детства воплощается и для повествователя, и для Антипова в образе исчезнувшего родительского дома и мощного движения «жизни на городской окраине». Роман начинается с рассказа повествователя, вспоминающего и размышляющего о прошлом. Рядом вопросов о трагических тридцатых читатель готовится к пониманию, что память живущих может вернуть к жизни людей, которые «исчезают, как облака». Надо ли вспоминать о горе и страданиях? Автор, который излагает свою точку зрения печально-лирическим тоном, в конце первой главы дает ответ, лейтмотивом проходящий через все произведение: «Надо ли вспоминать? Бог ты мой, так же глупо, как: надо ли жить? Ведь вспоминать и жить — это цельно, слитно, не уничтожаемо одно без другого и составляет вместе некий глагол, которому названия нет». Как будто мы слышим Трифонова, говорящего напоследок: «Живи и помни...»

Через весь роман проходит хвала памяти, спасающей от забвения людей и события, побуждающей нас осмысливать наше существование. Писатель называет свой роман «романом самопознания», в котором он пытается анализировать все, что человек сознательно или бессознательно выносит с собой из прошлого и настоящего. Стремление к самоанализу свойственно Антипову, в лице которого Трифонов нарисовал портрет «типичного» писателя. Через своего вымышленного героя Трифонов попытался сказать о таких вещах, которые он с трудом обсуждал применительно к собственному литературному опыту.

Во «Времени и месте» мы оказываемся в творческой лаборатории писателя, который выплескивает на нас свои проблемы, разочарования, страхи, печали, надежды, успехи. Молодой Антипов с самого начала называется человеком, живущим «двойной жизнью». Он чувствует, что он сам и окружающее его может волшебным образом превратиться в литературу. Вся реальная жизнь для него — только источник деталей, сюжетов для литературной работы. Почти бессознательно Антипов подвергает все и вся критическому пересмотру. Он постоянно фиксирует происходящее вокруг него. Однажды эта привычка даже навлекла на него неприятности. В сталинские времена его задержали для проверки документов, когда он делал записи в метро.

Одержимый целью «делать литературу», начинающий автор неустанно борется со словами в поисках наиболее точных. Первоклассные писатели, такие, как А. П. Чехов и Э. Хемингуэй, одновременно вдохновляют и пугают его, создавая гнетущее ощущение, что все уже было написано. В отличие от зрелых художников, претворяющих в литературных произведениях свой опыт, молодой Антипов остается холодным наблюдателем происходящего. Это ясно проявляется, когда он встречает из ссылки свою мать. Драматическая судьба несчастной женщины затронула Антипова, в первую очередь, потому, что это можно использовать в каком-нибудь произведении. Беда молодого автора, который не может создать ничего воистину художественного, несмотря на все свои усилия, сформулирована профессором Кияновым: «Литература — не слепок, не фраза, не окаянный труд, как вас учат. Литература — это страдание». В этих словах выражено и трифоновское убеждение, что литература — это страдание и сострадание.

Воодушевленный своими разговорами с Кияновым, Антипов наивно полагает, что в его работе нет прогресса, потому что он не страдал и постоянно задает себе вопрос, когда он страдал по-настоящему. Он не понимает, что причина его неудач — в нечувствительности к несчастьям других людей и в его неспособности описать свои страдания так, чтобы это поразило всех. После визита к Киянову Антипов ночью возвращается домой. Одержимый мрачными мыслями, он уничтожает все рукописи, так как ни в одной из них не обнаруживает страдания. Его стремление начать все заново не означает нового этапа его литературного развития. Он остается в плену литературных клише, готовых форм, которые свободно имитирует, но хорошо уже то, что он подражает И. Бунину, Э. Хемингуэю, К. Паустовскому. Трифонов иронически описывает литературный мир своего времени, где процветали подражательство и стереотип. Замечание Киянова, что литература — не работа, которую можно сделать благодаря нужным связям, имеет прямое отношение к ситуации в литературе, когда чиновники публиковали свои опусы благодаря положению. Издатели, критики, журналисты побуждают писать «чепуху»: кто не умеет или не хочет играть в эти игры, автоматически исключается из круга. В романе фигуры литературного мира похожи на пешки в шахматной игре. Все энергично подсиживают друг друга. Апатия, озлобленность, зависть, недостаток вдохновения — обычные явления в литературном мире. В 1951 году Антипов занят переделкой длинного романа на очередную «выдержанную» тему и жалуется, что журнал отверг эту рукопись.

Впрочем, в 1946 году молодому писателю удалось опубликовать свой первый рассказ под ироническим названием «Колышкин — счастливый неудачник». С тех пор его рассказы о студентах и спортивные репортажи брали разные издания. Киянов помог ему опубликовать первый роман и даже написал предисловие. Позже, в 1956 году, профессор признался, что поддержал его в семинаре, хотя руководство просило убрать «нежелательного» студента. Этот и многие другие факты: нищета 50-х, отъезд в Среднюю Азию, проблемы с редакциями — были позаимствованы Трифоновым из его собственной жизни. Московские литературные круги тоже явно описаны по личным впечатлениям. Антипов, как может, сопротивляется интригам, но Саясов, главный редактор издательства, куда молодой писатель приносит свою рукопись, упорно втягивает его в борьбу против Двойникова, директора издательства. Его решено обвинить в плагиате, Антипова назначают литературным экспертом, он должен выполнить просьбу Саясова, но решает действовать беспристрастно.

Вся эта история используется Трифоновым не только для демонстрации литературных нравов, но и для вынесения обвинения литературе сталинской эпохи. После экспертизы Антипов делает вывод, что в книге Двойникова не может быть и речи о плагиате: «Серое было переписано серым... Это просто размножение муры». Антипов осознает двойственность Двойникова, который «для своей выгоды использовал чужие статейки и... давал работу людям, оказавшимся сейчас в трудном положении». Тем не менее он отказывается поддержать Саясова и расплачивается за это публикацией повести.

Автор несколько раз сталкивает своего героя с ситуациями, которые требуют от него выбора. В этих случаях он всегда долго мучается в поисках правильного решения. Он пытается поступать по совести, принимая ответственность за свои решения на себя. Киянов, много рассуждающий о задачах литературы и литератора, утверждает, что в литературе каждый отвечает за себя. Личность Киянова так увлекает Антипова, что он делает его главным героем романа «Синдром Никифорова». Антипов работает над этой книгой много лет, она для него постоянный источник самоанализа. Временами он работает со страстным энтузиазмом, иногда, разуверившись, надолго забрасывает работу. Несколько человек сочувственно наблюдают, как Антипов борется со своей собственной книгой, но никто не понимает, почему Антипов, сделавший себе имя в 60-х годах как автор нескольких исторических произведений, вдруг занялся совершенно иным материалом. Когда он предложил рукопись романа в издательство — целый хор продажных критиков уговаривает его изменить в романе что-то «сущностное». Антипов осознает реальную ценность своей книги. Повествователь саркастически замечает, что критики этого сделать не смогли, так как просто не поняли, о чем автор пишет. В ироническом тоне описаны козни издателей, принявших рукопись, но опутавших ее колючими зарослями критических рецензий.

Трифонов здесь умело защитился от нападок литературных властей и цензуры. Он насмешливо говорил, что они будут в растерянности, кого же критиковать: его или главного героя романа. Он пародирует их систему доказательств, при которой отбрасываются в сторону произведения на запрещенные или нежелательные темы. Антипов говорит: «Писать о писателе — последнее дело. Это уж когда совсем не о чем, когда человек лишен впечатлений, не знает жизни, далек от людей, тогда, с горя, о писателе. Литература такого рода всегда худосочна». Но роман Антипова посвящен не одному, а нескольким писателям, жившим в последние двести лет. Основная тема книги — привычные лишения, в которых живут русские литераторы. Писатели изображены необычным способом, по принципу «матрешки»: внутри большей куклы оказывается меньшая и т. д., в итоге самый ранний из писателей принадлежит к кругу Николая Новикова, ведущего сатирика восемнадцатого века. Во всех случаях разворачивается одна и та же печальная история о драматической судьбе русского литератора, чей жизненный финал — символ его печального существования. Один умер в психиатрической лечебнице, другой погубил себя пьянством, третьего убили, четвертый, как Киянов, закончил жизнь самоубийством, сам Никифоров умер от сердечного приступа в 1960 году. Каждый из этих писателей написал роман о своем предшественнике, в котором он видит образ самого себя. Никифоров — связующее звено между ними: «Вся цепь, или точнее, система зеркал, протянувшаяся через почти два столетия, была плодом воображения одного человека — Никифорова». С точки зрения Антипова страдания и муки русских писателей имеют своей причиной «синдром Никифорова». Странная болезнь заключается в «страхе перед жизнью, точнее, перед реальностью жизни». Исток этой болезни — в сознании писателей, чья «безнадежная тоска» описать обычную жизнь не находит выхода. Антипов предпринимает огромные усилия, стремясь изобразить писателя, который хочет «заглянуть в бездну лет» и в то же время жить жизнью, «обычной... как снег, как вид из окна кухни на двор, жизнью, где все главное было невидимо и тикало где-то глубоко внутри наподобие часового механизма с динамитом».

Горести литературной работы, по мнению Антипова, должны быть описаны сложнее простого психофизического погружения в частную жизнь. Об этом говорил выдающийся русский философ Василий Розанов (1856—1919). Его интересовала частная жизнь как источник творческой мощи. Естественно, что розановские произведения замалчивались властями с их стремлением изображать в первую очередь социальные достижения. В своем романе о «синдроме Никифорова» Антипов пытается понять философию жизни своих героев и тем преодолевает страх реальности. Он также преодолевает тревогу, страх никогда не стать настоящим писателем. Снова и снова возобновляет он борьбу с листом бумаги, но так и остается до конца неудовлетворенным написанным.

У талантливого писателя Киянова другой путь. Страх перед реальностью приводит его к компромиссам со сталинским режимом. Это названо «покорностью судьбе». Киянов признается: «Я выбрал дорогу под грузом судьбы. Я не хотел ломать рамки правил». Тетерин, кияновский друг еще со школьных лет, пытался не поддаваться судьбе и в итоге провел в лагерях семнадцать лет. В двадцатые годы Тетерин, блестящий писатель, был кумиром молодого поколения. В 1934 году он вместе с Кияновым написал пьесу патриотического содержания, но, когда настали «трудные времена», Тетерин попросил друга снять с пьесы свое имя. С тех пор Киянов считался единственным автором пьесы, довольно широко ставившейся, особенно во время войны. Несмотря на это, полагающуюся часть гонорара Киянов исправно передавал жене Тетерина, сохранил произведения своего друга. Вернувшийся Тетерин, обнаружив, что его книги изъяты из всех библиотек, просит их у Киянова, замечая при этом: «Писатель жив, а книги исчезли. Обычно бывает наоборот: книги живы, а писатель исчез».

Те, кто, как Киянов, выжил при сталинизме, испытывают чувство вины перед теми, кто пострадал от режима. Киянов чувствует себя виноватым перед Тетериным, который еще более усугубил положение, заявив с сардонической усмешкой, что не помнит, просил ли он убрать свое имя с пьесы. Вскоре после этого Киянов кончает жизнь самоубийством, приняв большую дозу лекарств. Какова истинная причина столь трагического конца? Этот вопрос волнует Антипова, в романе у которого кияновский «alter ego» умер от сердечного приступа. Чтобы разобраться, Антипов пытается понять ход мысли профессора, в свое время помогшего пробиться многим подающим надежды писателям. Он подчеркивает контраст между преуспевающим элегантным профессором, пленяющим студентов, и страдающим частным человеком. Характерно, что Киянов не изображается на службе, а только дома, во время болезни. Он пассивно и вяло покорялся своей жестокой судьбе. Его жена страдала глубокой депрессией после смерти единственного сына. Чувство неосознанной вины, особенно по отношению к Тетерину, преследовало его. Даже во сне этот немолодой уже человек угнетен окружающим. В надежде выйти из душевного разброда Киянов заводит записную книжку для записи снов. Один из них отчетливо выражает состояние Киянова. Будто бы он стоит у подножия широкой лестницы, внезапно множество людей кидаются вниз по ступеням. Испуганный увиденным, Киянов прячется в тень колонны. Боль в сердце возвращает его к реальности. Страх перед жизнью, тоска по безопасности заставляют его анализировать даже собственные сны, чтобы хоть как-то ослабить «хватку судьбы».

Никто не может дать ответ на вопрос, в какой степени Киянов сам повинен в своей судьбе, а в какой режим искалечил его. Профессор поддерживает себя мыслью, что он не хуже и не лучше других. Трифонов, впрочем, показывает, как время, словно некий невидимый регулировщик, определяет судьбы отдельных людей и целых народов. В главе с символическим названием «Конец зимы» описана атмосфера марта 1953 года после смерти Сталина. Исторический момент изображается через описание огромной толпы, спешащей к центру города. Трифонов ощущает в этом зримый портрет времени, обычно невидимый. Как шторм, движется под ледяным ветром море людей на Трубную площадь. Неподвижная старуха, дочь богатого фабриканта, видевшая Октябрьскую революцию, смотрит на толпу, в которой находится и Антипов. В этот момент он думает, что «люди, которые будут жить через столетие, никогда не поймут нашего состояния в этот ледяной март». Впрочем, более, чем смертью Сталина, Антипов занят своими частными делами. Они с женой решают судьбу неродившегося ребенка. Их отказ от планируемого аборта — победа жизни. Для их молодой семьи, как и для всей страны, эта новая жизнь связана с наступающей весной, концом ледяной зимы.

Но надежды на новую жизнь уходят вместе с оттепелью. И в семье Антипова, и в обществе события развиваются не лучшим образом. Растет отчуждение в семье, он разводится с женой. Для Тани распад многолетнего брака связан с любовницей Антипова Ириной, женой влиятельного чиновника, красивой женщиной, работающей на киностудии. Напрасно Таня надеется на восстановление былого счастья после получения новой квартиры: «Ей казалось, что новая жизнь начнется в новом доме и вернутся прежние времена».

В сорок семь лет Антипова посетила мысль о жизни без женщин. Он порвал с семьей, любовницей и перебрался в большую пустую комнату в старом доме на Тверском бульваре. Здесь он занялся завершением «Синдрома Никифорова». Его изредка навещает Маркуша, человек, вхожий в разные круги, но Антипов предпочитает одиночество и покой, необходимые ему для осмысления судьбы своего поколения. У него складывается двойственное отношение к времени и месту, в которых он живет. С одной стороны, пятидесятидвухлетний Антипов во время сердечного приступа понимает, что «не было времени лучше, чем то, которое он прожил. И нет места лучше, чем эта лестница с растрескавшейся краской на стенах...» С другой стороны, «нет ничего страшнее, чем узнать свое время и место». На острие между жизнью и смертью Антипов, возможно, вспоминает слова незнакомой старухи, сказанные ему на скамейке его любимого Тверского бульвара: «Человек должен любить и быть любимым. Остальное не имеет значения». Эта безымянная женщина вложила в слова смысл, содержащийся в трифоновских работах с их философизмом, общим для всех людей.

Трифонов позволяет своему герою вести после выздоровления новую жизнь, в которой любовь играет главенствующую роль. Он женится на женщине-враче, много моложе себя. У него рождается сын, по возрасту он младше внука. Все это радостно для Антипова. Но все же в последней главе преобладает грустная тональность, которую задает повествователь. Он рассказывает о своей дочери Кате, страдающей тяжелой депрессией и лежащей в Первой городской больнице. Нескучный сад, рядом с которым расположена больница, знаком повествователю с детства. Контрастное изображение больницы и парка ассоциируется у него с образами человеческого горя и радости. Навещая дочь, он вспоминает сороковые годы и Станислава Семеновича, отчима своего друга Левки, мать которого в это время покончила с собой. Станислав Семенович был увлечен историей парка и больницы, писал об этом книгу, когда его поразила внезапная болезнь — отвращение к жизни. Он утрачивает интерес к существованию и неделями лежит в темноте.

Через сорок лет Катю, чувствительную интеллигентную девушку, поражает тот же недуг. Ее отец уверен, что причина Катиной депрессии — вторичное непоступление в университет. Катины усиленные занятия не спасли ее от неумолимого, заранее намеченного экзаменаторами провала. Она потрясена несправедливостью и спрашивает отца в приступе отчаяния: «Как жить, если все предрешено заранее?» Отец старается привлечь ее внимание к маленькому сыну. Катя замужем за Геннадием, ученым, с которым она живет раздельно. Но даже материнство не может возродить ее интереса к жизни.

О внуке вынужден заботиться ее отец, вдовец, погруженный в свои дела математик. Когда Катя приходит в себя, она возвращается к мужу и забирает мальчика с собой. Своим выздоровлением она обязана «большому успеху» Геннадия: он «познакомился с одним типом из министерства, который сказал, что на будущий год у Кати все будет в порядке».

Для Трифонова не важно, каковы порядки в системе вступительных экзаменов, его внимание сосредоточено на состоянии духа повествователя. Тот устал от жизни настолько, что мечтает провалиться в беспамятство. «Во время ночного полусна-полубодрствования я часто вижу лицо: бабье, страшноглазое, со всклокоченными волосами и громадным улыбающимся ртом... это лицо судьбы». Многие герои Трифонова подавлены тем, что они именуют силой судьбы. Кто-то способен сопротивляться ей, другие ей подчиняются. Кто-то винит судьбу, если попадает в безнадежную ситуацию или делает неверный выбор в решающий момент. Профессор Киянов делает своего рода вывод о роли судьбы в человеческой жизни: «Мы не должны обижаться на судьбу. Мы выбираем ее, и она выбирает нас. Мы провоцируем судьбу. Наша роль — не больше, чем скромное участие».

Если Киянов все же позволяет судьбе сломить себя, то повествователь и Антипов находят в себе силы продолжать жить. Роман заканчивается встречей Антипова и повествователя через много лет. Место, где они встречаются, символично: Тверской бульвар. Здесь они вспоминают о времени, которое их раздавило, но позже и освободило. Они оба понимают это, глядя на город, где надо жить несмотря ни на что: «Москва окружала нас, как лес. Мы пересекли его. Все остальное не имело значения»[17].

§ 3. «Опрокинутый дом»

Шестого ноября 1980 года Трифонов написал мне, что закончил цикл небольших рассказов «Опрокинутый дом»: «Он состоит из семи коротких историй о моей жизни и путешествиях. В них нет ничего о быте. Неожиданно, не правда ли? Я отдал их в "Новый мир". Посмотрим, что получится».

Желание Трифонова осуществилось через три месяца после его смерти. Правда, опубликованы были только шесть рассказов. Цикл был настоящим подарком для многих читателей. В нем мы слышим собственный голос писателя, скрываемый им в предшествующих произведениях. Цикл автобиографических рассказов — это то, чего ждала читающая публика. Причина этого — в большом интересе к личности художника и его частной жизни. Не случайно бестселлерами становятся толстые биографические книги, основанные на письмах, дневниках, беседах, воспоминаниях. Этот интерес, отчасти идущий из академического мира, контрастирует с предвзятым отношением властей к подобным работам. Даже в шестидесятые годы считалось, что лучше избегать упоминаний о частной жизни писателей, особенно о ее интимной стороне. Я поняла это во время работы над темой «Чехов и женщины». Мои исследования в архивах Государственной библиотеки им. В. И. Ленина, где я изучила сотни писем женщин к Чехову, вызвали у многих критиков только улыбки[18].

Как и Чехов, Трифонов был человеком, придававшим своей частной жизни большое значение. Известно, что в многочисленных интервью он мало и неохотно говорит о себе, предпочитая скрываться за своими произведениями. Он всегда прилагал большие усилия, чтобы по возможности более точно прояснить смысл своих книг. То же он делал в лекциях, которые читал за границей. Он редко писал о своих поездках, считая, что жанр путевых заметок производит обычно впечатление поверхностности, хотя в спортивные репортажи неизменно вставлял путевые зарисовки. Тем не менее, когда в 1980 году Трифонова попросили написать рассказ о Финляндии для сборника «Москва — Хельсинки», он согласился.

Так как в последние годы ему хотелось снова посетить страну, где он делал свои первые шаги, он воспринял это предложение как одну из тех «нитей», которые скрепляли судьбы. «Нити» стали в рассказах символом связи между людьми, событиями, временами. Куда бы Трифонов ни ехал — в Италию, Францию, США, Финляндию — он везде видел, что нити или обычные связи человеческого существования, состоящего из любви, надежды, разочарования, отчаяния, смерти, но и счастья тоже, похожи на мимолетный порыв ветра. Вопрос, можно ли понять, как живут и умирают люди в другой стране, приводит писателя к философским рассуждениям. Многие темы «Московских повестей» вновь возникли в этих рассказах, в которых лейтмотив времени, ускользающего в прошлое, чтобы никогда не возвратиться, задается с самого начала. Контраст между прошлым и настоящим изображается в первом рассказе цикла «Кошки или зайцы?».

Во время прекрасной поездки в «вечный город» Рим Трифонов с печалью рассуждает о былых счастливых временах, которые невозможно возвратить. В пятидесятилетнем писателе Рим вызывает тоску по молодости. Безжалостен автопортрет человека, побитого жизнью, чувствующего, как он стареет, напоминающий характеристики героев его зрелых произведений. При вспышке памяти встает образ энергичного, полного энтузиазма спортивного журналиста, абсолютно непохожего на сегодняшнего усталого человека, растерявшего жизненные силы. Но трифоновская способность изображать явления в перспективе позволяет ему закончить рассказ на юмористической ноте. Писатель вспоминает тратторию в маленьком городке Дженцано, где он ел изысканную жареную зайчатину. Но в 1978 году он узнал, что в ресторане подавали не зайцев, а кошек. Из этого комического факта делается вывод о том, что «несчастные жареные кошки есть повсюду, и писатель не имеет права делать вид, что их нет, он обязан их обнаруживать, как бы глубоко и хитро они ни скрывались».

В рассказе «Вечные темы» снова возникает Рим, на сей раз как фон для встречи с редактором отдела «Нового мира». Двадцать лет назад этот человек был влиятельной фигурой в журнале и отказался принять рассказ Трифонова, так как в нем были «все какие-то вечные темы». В 1958 году Закс (который, впрочем, не назван в рассказе) олицетворял для молодого писателя, который «напрягся, ожидая удара», «лицо судьбы». В 1978 году судьба поменяла их местами. Трифонов достиг мировой славы, Закс превратился в не интересного никому озлобленного человека. Вся важность исчезла с его «пегого, дряблого, презрительного» лица, «опустевшего, как может опустеть старая площадь в час сумерек». Человек, приносящий неудачу, по-прежнему не любит книги Трифонова и зачем-то говорит об этом. Он не может принять судьбу, которая лишила его власти.

Тема смерти развита в рассказе «Смерть в Сицилии». Действие происходит в Монделло, деревушке, расположенной неподалеку от Палермо, где Трифонов присутствовал на писательском конгрессе в сентябре 1978 года. Он не ожидал, что окажется там вместе с Е. Евтушенко, человеком публичным, от которого Трифонов старался держаться подальше. Это становится ясно из итальянских газет, которые Трифонов давал мне посмотреть. Итальянских журналистов больше, нежели аффектированный поэт, интересовал скромный Трифонов, которого они окрестили «антиперсоной»[19]. «Московские повести» и «Дом на набережной» имели большой успех в итальянском переводе, и он считался серьезным претендентом на премию Монделло за лучшее иностранное произведение. Трифонов терпел все журналистские выверты, в юмористическом тоне он вспоминает, как пытался успокоить себя мыслью, что все награды — чепуха. Но эта «чепуха» заманила его в ловушку, и он зачем-то сидит на конгрессе и слушает общеизвестные разговоры на возвышенные темы, ему же более интересен разговор с римским журналистом о сицилийской мафии. На вопрос Юрия, почему невозможно узнать что-либо о мафии даже в Палермо, журналист ответил просто: «Почему вы ищете ее здесь? Да она повсюду. И в науке, и в литературе. И в составе жюри...».

Немолодая дама, знакомая журналиста, проходившая мимо, привлекла их внимание. Ее интригующий образ становится центром второй части рассказа. Маргарита Маддалони оказалась вдовой преуспевающего фабриканта и судовладельца, одиннадцать лет назад убитого как одного из крупнейших мафиози. Синьора Маддалони пригласила журналиста и писателя в свой замок на горе. Она рассказала, что скрашивает свое одиночество, сочиняя романы о волшебной силе драгоценных камней. Она даже посвятила один роман Екатерине Великой и графу Орлову. В ходе разговора выяснилось, что синьора родом из южной России. Судьба забросила семнадцатилетнюю казачью дочь в Берлин, затем в Париж, а в 1945 году — на Сицилию. Автор «Старика» и синьора казацкого происхождения вели живейший разговор о Миронове и других фигурах гражданской войны. Маддалони достаточно ярко помнила атмосферу революционного времени в Ростове и Новочеркасске. Трифонов поражен странным подарком судьбы, которая познакомила его с этой женщиной таким чудесным образом. Старая и одинокая дама ощущает разлуку с Родиной как драму своей жизни. Страх быть похороненной в чужой земле, быть забытой своим народом преследует Маргариту, которая шепчет на прощание Трифонову: «Но самое страшное знаете что?.. Смерть в Сицилии»[20].

Через весь цикл проходит тема тоски по России, которую Трифонов ощущал очень глубоко. Она звучит и в рассказе о США, где писатель провел два месяца в 1977 году. До этого Трифонов был знаком с Америкой, которую он пересек с запада на восток и с севера на юг по книгам своих любимых авторов — Э. Хемингуэя, У. Фолкнера, Дос Пассоса, Д. Апдайка. Ему было интересно общаться с преподавателями и студентами университетов Канзаса, Ирвина, Лос-Анджелеса, Санта-Круза, Беркли, Мичигана, Миннесоты, Дэвиса, Вашингтона. Он читал цикл лекций о «Московских повестях», некоторые из которых к тому времени уже появились в английском переводе. Оказалось, что ведущие русские писатели В. Шукшин, В. Распутин, Ч. Айтматов — в противоположность эмигрантским — в Америке практически неизвестны. Он обратил внимание, что американской прессе трудно было отнести его к какой-нибудь писательской категории. В ответ на вопрос журналиста Трифонов пояснил: «Я не диссидент, а критик советского общества». Впрочем, он вызвал переполох в русских диссидентских кругах, заявив, что писатель, уехавший далеко от своего народа, языка, читателей, обречен с трудом находить вдохновение[21].

Трифонов написал рассказ о своих американских впечатлениях оригинальным образом. В качестве отправного пункта своих размышлений о состоянии человека, смотрящего в глаза судьбе, он выбрал город игроков Лас-Вегас. Азартная игра как способ поймать счастье возвращает его в лето 1954 года. Вместе с несколькими друзьями он ночи напролет играл в карты на даче в деревне Репихово около Абрамцево. Он был одержим идеей изменить свою судьбу — явный намек на то, что после смерти Сталина люди ожидали изменений в жизни. Террор сказался на судьбе пятидесятилетнего Сергея Тимофеевича, умершего скоропостижно в 1956 году. Связан с террором и образ опрокинутого дома, не забываемый в самых дальних поездках. Воспоминание о пустом разоренном доме как символе резко закончившегося счастливого детства внезапно приходит к писателю, когда он наблюдает вулканоподобный лунный пейзаж в районе Лас-Вегаса.

Американские знакомые Трифонова, сопровождающие его в Лас-Вегас, тоже страдают от отсутствия безопасности, стабильности, домашнего убежища. Все они сталкиваются с теми же проблемами, которые уже описал автор «Московских повестей». Неудачные браки, разводы, семейные проблемы, психологические неполадки, депрессии — эти явления обычны и в американской жизни. Города типа Лас-Вегаса, где рулетка обещает счастье выигрыша, дают возможность спрятаться от реальности. Волевой американец утверждает, что человек может сам построить свое счастье. Занятому погоней за успехом, ему некогда страдать. Это замечает семидесятилетний Стив, читавший «Долгое прощание». С его точки зрения Трифонов продолжил традиции русской литературы, поэтому его произведения населяют «вялые, нерешительные» герои, которые не могут понравиться американцам. «Понимаете, Юрий, нам, американцам, такие люди не нравятся. Мы любим людей успеха. А вы, русские, всегда пишете про неудачников. Это неинтересно для нас. Мы любим оптимистическую, жизнеутверждающую литературу. Мы такая нация»[22].

Но жизненные истории знакомых Трифонова показывают, что для них мечта об успехе остается только мечтой. Единственное место, где Трифонов видит реализацию этой мечты — Диснейленд. Он говорит об этом месте, что нигде в мире не видел ничего более человечного. Раньше он не понимал, что многие из взрослых нуждаются в защите детского в них. Трифоновское человеколюбие чем дальше, тем больше проявляется в его рассказах о путешествиях. Он постоянно подчеркивает тесные узы между людьми, которые, несмотря на все различия, являются гражданами одной планеты. В этой связи он вспоминает американского врача, сказавшего ему:

«Все люди в мире — мои родственники». Все люди объединены и тем, что время неумолимо приближает их к концу. Неожиданная смерть Трифонова вызвала слезы и у русских, и у американских его друзей.

Писатель показывает, что судьба не только сводит людей вместе, но и разводит их. Об этом рассказ «Посещение Марка Шагала». Летом 1980 года Юрий вместе с Ольгой провели месяц в Париже и Южной Франции по приглашению двух парижских издательских фирм. Путешествие, кульминацией которого стал визит к Марку Шагалу, произвело на него огромное впечатление. Об этом он мне писал. Но в рассказе художник из Витебска — не единственный главный персонаж. Короткая встреча с удивительно живым девяностотрехлетним человеком, забросавшим посетителей вопросами о своей Родине, вызывает воспоминания о художнике Ионе Александровиче. Мы знаем, что свекор Юрия был другом Шагала, но судьба разлучила их, заставив жить в разных странах. Тогда как Шагал развил свой талант и получил мировую известность, Иона Александрович был осужден за дружбу с Шагалом и долгое время боялся о нем упоминать. Когда литография с автопортретом Шагала исчезла из его студии, он даже не решился заявить об этом. Власти простили художника за «шагализм» с условием, что он больше не будет заниматься чепухой.

В 1980 году Трифонов вспоминает лицо на автопортрете Шагала: «...с безумным удивлением в глазах и странным образом перевернутое, оно казалось неестественно кривым, как бы на сломанной шее и в то же время бесконечно живым. Лицо человека, застигнутого врасплох». Трифонов купил репродукцию Шагала с косо стоящими часами. Шагал рассматривал ее как чужую и вдруг «пробормотал едва слышно, не нам, а себе: — Каким надо быть несчастным, чтобы это написать...» Трифонов считает, что это замечание выражает самую суть того, что толкает человека к творчеству. В кривых часах он увидел образ разрушительного времени, с которым художник пытается бороться своими творениями.

Идея «кривобокости» находится в резком контрасте с установленными для советских художников нормами и правилами. Трифонов вспоминает, как Иона показывал ему, что «истинное в искусстве всегда чуть сдвинуто, чуть косо, чуть разорвано, чуть не закончено и не начато, тогда пульсирует волшебство жизни». Советский художник, собиравшийся выжить, мог продавать на официальном рынке только ровно разлинованную продукцию. Поэтому все художники были похожи друг на друга. Но Шагал хорошо помнит своих бывших соратников. Трифонов с волнением ожидает ответа на вопрос, помнит ли он Иону Александровича: «Почему-то казалось, это будет все равно что спросить: существовала ли моя прежняя, навсегда исчезнувшая жизнь? «Поэтому писатель обрадовался утвердительному ответу Шагала. На обратном пути от Шагала Трифонов создает поэтичный образ савана для всех умерших: «...море лежало в сумерках громадной сине-голубой простыней, под которой можно было спрятать всех, всех, всех»²³.

Рассказ о детских годах в Финляндии полон печали. Трифонов приехал в Финляндию в 1980 году по приглашению финских издателей впервые после 1928 года. Он пытается найти в Хельсинки тот счастливый мир, который оставался в его памяти, но тот исчез навсегда. Дом, где он жил, был разрушен бомбой в 1941 году. Судьба преподносит ему встречу с тремя стариками, вспоминающими о гражданской войне на Дону. Сильвия вспоминает, как в семнадцать лет она была медсестрой в отряде Красной гвардии, который следовал в Пермь. Она вернулась домой в 1920 году и больше ничего не слышала о тех, с кем служила когда-то. Другой старый финн тоже служил в Красной гвардии и воевал против немцев. Удивительной была встреча со старой русской женщиной, Еленой Ивановной, которая была замужем за финским социал-демократом. Она уехала с мужем в Хельсинки и осталась там навсегда. Эта женщина была знакома с отцом Трифонова, высоко отозвалась об этом человеке, о котором знала так же мало, как и о других русских, работавших с ней в тридцатые годы. Трифонов был потрясен: ведь даже в Москве не осталось никого, кто знал отца в тридцатые годы. Уехавшие за границу революционеры выжили, а те, кто остался у себя на Родине, были уничтожены.

Образ отца сопровождал Трифонова до конца жизни. Он видит в нем исток самого себя. В своей лебединой песне писатель пропел оду памяти, которая, как художник, может вызывать картины и эпизоды ушедшей жизни. Память избирательна, запоминаются какие-то детали, которые обобщают в сознании целую часть жизни. «Серое небо, мачты и рыжая лошадь» — это и название рассказа, и оставшаяся с детских лет картинка Финляндии. Случайные слова напоминают дачу в Ловисе, где летом 1927 года маленький мальчик «млеет от блаженства и страха на солнцепеке перед бездной окна. Отец держит меня не знающей пощады рукой». Снежный финский ландшафт, красивые сани и лыжи, потом отец привез три финских ножика в кожаных футлярах. Маленький Юрий мечтал поиграть с ними, но отец решительно запретил. Мальчик нарушил этот запрет в июне 1937 года, когда узнал, что отца арестовали. Одиннадцатилетний Юрий не понимал, какой драматический поворот происходит в жизни его семьи, но «убивающее предчувствие» подсказало ему: «Никто больше не скажет "нельзя"»²⁴. Эпоха пропущена через сознание мальчика, Трифонов остается верным обличению сталинизма, по-прежнему не называя диктатора.

В связи с этими финскими ножиками вспоминается и судьба двоюродного брата Гоги, укравшего один из них в 1945 году. Гога, Георгий Евгеньевич Трифонов, — сын дяди Юрия, революционера Евгения Трифонова, скончавшегося от сердечного приступа после ареста брата. Гога бродяжничал, сидел в лагере, в тюрьме. После смерти Сталина был амнистирован и начал писать. Он опубликовал рассказы и четыре сборника стихов. В 1969 году эмигрировал в Париж, где издал несколько книг под псевдонимом Михаил Демин, одна из которых была о воровском «дне» в СССР. Трифонов, естественно, не упоминает об этом в рассказе, но ясно характеризует Гогу как «сироту, бродягу и бездельника, однако не без таланта: он рисовал и писал стихи». Автор не скрывает своей любви к двоюродному брату, хотя, конечно же, не мог написать, как встречался с ним в Париже, где тот и умер в 1984 году[25].

До самой смерти Трифонов возвращался к изображению драматической судьбы своей семьи. Но в своих произведениях он воссоздает драму целого народа, прочно запечатлевшуюся в его сознании. Помня об отце, Трифонов сохраняет память об уничтоженной российской революционной элите в своих работах и в сердцах своих читателей. Возможно, на сознание писателя оказала воздействие горестная судьба русской интеллигенции. Может быть, поэтому Трифонов осознавал, что никогда не будет счастлив. Отвечая в 1978 году на вопрос итальянского журнала, счастливы ли Вы, он сказал: «Я так не думаю». Впрочем, тут же добавил, что не может обижаться на судьбу, предоставившую ему возможность стать писателем[26].

Со свойственной ему скромностью Трифонов не говорил, как он стал универсальным писателем, работающим в традициях классической русской литературы. Он в состоянии передавать «всеобщую человечность», говоря о судьбе и условиях современности. Как Чехов, Достоевский и Толстой, которыми он восхищался, Трифонов показывает, что единственно твердым основанием в извечном течении жизни есть человеческая совесть. Был ли это тот «исход», о котором он писал в последние месяцы жизни? В ноябре 1980 года Трифонов написал мне, что работает над романом, который он назвал «Исход». Возможно, что автор «Московских повестей» вновь избрал совесть отдельного человека и целого народа в качестве главного героя. Может быть, он высветил роковые последствия бессовестного отношения к жизни, что может привести нас к падению, если захватит все человечество[27].

Примечания

I. Ранние произведения

Глава первая. Во мраке сталинизма

[1] *Трифонов Ю.* Возвращение Игоря // .Избранные произведения: В 2 т. М., 1978. Т. 1. С. 244. В дальнейшем — Избр.; *Он же.* Исчезновение // Дружба народов. 1987. № 1. С. 15.

[2] Интервью с Юрием Трифоновым H. Weil // Обозрение. 1983. № 6. С. 33. В дальнейшем — Обозр. 1983.

[3] «Мир держится на бескорыстных...»: Интервью с Трифоновым В. Лаврецкой // Спутник. 1980. № 6. С. 151. В дальнейшем — Спутник. 1980.

[4] *Трифонов Ю.* Опрокинутый дом // Новый мир. 1981. № 7. С. 86—87. В дальнейшем — Опрок. дом.

[5] Le reflet du brasier. Paris, 1980. P. 22, 134. В дальнейшем — Le reflet.

[6] *Чехов А.* Письмо к А. Эртелю // Полн. собр. соч. и писем: В 30 т. М.: Наука, 1977. Т. 5. С. 181. В дальнейшем — Соч. и письма.

[7] *Whitney Craig R.* Russian Writer, not a Dissident, Critic of Society // The New Yorker. 1977. 23 October; *Zand N.* Jouri Trifonov devant «La Maison du Quai» // Le Monde. 1976. 3 Septembre. В дальнейшем — Le Monde. 1976.

[8] См.: Возвращение Игоря. С. 238; Исчезновение. С. 9.

[9] Обозр. 1983. С. 33.

[10] *Трифонов Ю.* Продолжительные уроки. М., 1975. С. 18—21. В дальнейшем — Прод. уроки.

[11] Le reflet. P. 195.

[12] *Шатуновская Л.* Час расплаты // Континент. 1981. № 27. С. 325—341.

[13] The House on the Embankment. London, 1985. P. 100, 104.

[14] *Трифонов Ю.* Как слово наше отзовется... М., 1985. С. 268. В дальнейшем — Как слово.

[15] Обозр. 1983. С. 33—34.

[16] *Трифонов Ю.* Отблеск костра. М., 1965. С. 55.

[17] Там же. С. 189, 192.

[18] *Трифонов Ю.* Воспоминания о муках немоты // Дружба народов. 1979. № 9. С. 186. В дальнейшем — Восп. о муках.

[19] Как слово. С. 123.

[20] Восп. о муках. С. 186, 190, 192—193.

[21] Как слово. С. 128.

[22] Прод. уроки. С. 24.

[23] Восп. о муках. С. 189.

[24] *Трифонов Ю.* Через всю жизнь // Лит. газ. 1960. 28 января.

[25] Восп. о муках. С. 188.

[26] *Трифонов Ю.* Как слово наше отзовется // Новый мир. 1981. № 11. С. 238—244; Прод. уроки. С. 102.

[27] *Трифонов Ю.* Время и место // Дружба народов. 1981. № 9. С. 87.

[28] Город и горожане: Интервью с Ю. Трифоновым В. Помазневой // Лит. газ. 1981. 25 марта. В дальнейшем — Лит. газ. 1981.

[29] Прод. уроки. С. 33.

[30] *Трифонов Ю.* Зимний день в гараже // Под солнцем. М., 1959. С. 101.

[31] *Трифонов Ю.* Белые ворота // Там же. С. 10.

[32] Прод. уроки. С. 28—33. Инна Гофф была соученицей Ю. Трифонова по Литературному институту. 25 ноября 1948 года она записала в своем дневнике, что Трифонов читал главы «Студентов» на семинаре К. Паустовского, который высоко оценил его работу. — *Гофф И.* Водяные знаки: Записки о Юрии Трифонове // Октябрь. 1985. № 8. С. 95.

[33] Трифонов сделал эту надпись на книге «Студенты», подаренной мне 5.10.1976 г.

[34] В кратком — бесконечное: Интервью с Ю. Трифоновым А. Бочарова // Вопр. лит. 1974. № 8. С. 171. В дальнейшем —Вопр. лит. 1974.

[35] Лит. газ. 1981.

[36] В архиве Ю. Трифонова хранится много документов, свидетельствующих, как часто он делал запросы о своем отце. В анкете 1951 года он написал об отце: «Умер в мае 1941». — Цит. по: *Оклянский Ю.* Юрий Трифонов: Портрет-воспоминание. М., 1987. С. 51—52.; *Трифонов Ю.* Записки соседа // Дружба народов. 1989. № 10. С. 18. «Записки соседа» впервые были опубликованы в 1975 году, но полный текст вышел только в 1989 г. Сравнение текстов интересно, потому что показывает, какие деликатные моменты были убраны из первой опубликованной версии; *Трифонов Ю.* Недолгое пребывание в камере пыток // Знамя. 1986. № 12. С. 118—124.

[37] Записки соседа. С. 17—18; Лауреаты Сталинской премии 1950 г. М., 1951. С. 78.

[38] На роман было написано более пятидесяти рецензий. Была сделана инсценировка «Молодые годы», поставленная в Москве в 1952 году. — *Марьямов А.* Эскизы к ненаписанным картинам // Театр. 1952. № 3. С. 78—83; Как слово. С. 356—357.

[39] *Трифонов Ю.* Импульс первой книги // Собеседник. 1982. № 3. С. 218—219.

[40] *Трифонов Ю.* Студенты. М., 1953. С. 285. В дальнейшем — Студенты.

[41] Как слово. С. 381—382.

[42] Прод. уроки. С. 37.

[43] Студенты. С. 446—447.

[44] Доклад т. Жданова о журналах «Звезда» и «Ленинград» // Лит. газ. 1946. 6 марта.

[45] Прод. уроки. С. 70.

[46] Студенты. Предисловие. С. 10.

[47] Вопр. лит. 1974. С. 184.

[48] Обсуждение повести Ю. Трифонова «Студенты» // Новый мир. 1951. № 2. С. 221—228.

[49] Прод. уроки. С. 34—47; *Чуковская Л.* Записки об Анне Ахматовой. Париж, 1976. Т. 1. С. 93, 110.

[50] Прод. уроки. С. 36.

[51] Trifonov // Unita. 1978. 29 March.

[52] Прод. уроки. С. 41—42.

[53] Студенты. С. 191, 241, 423, 437, 495.

[54] Обсуждение повести Ю. Трифонова «Студенты». С. 228.

[55] См. об этом в моей книге: *Maegd-Soep C. De.* Women's Emancipation in Russian Literature and Society. Ghent. State University, 1978.

[56] Обсуждение повести Ю. Трифонова «Студенты». С. 222, 223.

[57] *Львов С.* Повесть о советском студенчестве // Выдающиеся произведения советской литературы 1950 года. М., 1952. С. 276.

[58] *Платонов В.* Заметки о русской и советской прозе 1950 года // Звезда. 1951. № 2. С. 276.

[59] Моя беседа с проф. Б. Гаспаровым произошла в Стэнфордском университете в августе 1983 года. См. также: *Кожинов В.* Проблема автора и путь писателя // Континент. 1977. М., 1978. С. 28.; Обсуждение повести Ю. Трифонова «Студенты». С. 228.

[60] Студенты. С. 87—88.

[61] Восп. о муках. С. 188.

[62] Студенты. С. 318—319.

[63] Прод. уроки. С. 45.

[64] *Кожинов В.* Проблема автора... С. 46; Восп. о муках. С. 194.

[65] Вопр. лит. 1974. С. 172.

[66] *Трифонов Ю.* Книги, которые выбирают нас // Избр. Т. 2. С. 567.

Глава вторая. Бегство из московской действительности

[1] Восп. о муках. С. 194.

[2] *Trifonov Yu.* It won't get easier // Soviet Literature. 1981. № 7. P. 189.

[3] Обозрение. 1983. С. 30.

[4] *Чехов А. П.* Письмо к А. Суворину, 7 января 1889 г. // Соч. и письма; *Martin Walser.* Iurij Trifonov, Wir sind nicht die Aerzte, wir sind der Schmerz. Ein Briefwechsel // Sowjetliteratur heute. Munchen, 1979. S. 191. В дальнейшем — Sowjetliteratur.

[5] *Чехов А. П.* Письмо А. Плещееву. 4 октября 1888 г. // Соч. и письма.

[6] *Чехов А. П.* Письмо к М. Киселевой. 14 января 1887 г. // Там же.

[7] Прод. уроки. С. 47.

[8] Как слово. С. 358.

[9] Sowjetliteratur. S. 189.

[10] Прод. уроки. С. 51.

[11] *Померанцев И.* Об искренности в литературе // Новый мир. 1953. № 12. С. 218—245.

[12] *Медведев Ж.* Десять лет после Ивана Денисовича. Лондон, 1973. С. 25—26.

[13] *Трифонов Ю.* Однажды душной ночью // Избр. Т. 1. С. 137, 141.

[14] *Ажаев В.* Молодые силы советской прозы // Новый мир. 1956. № 3. С. 253.

[15] *Велехова И.* Иллюстрация и творчество // Сов. культура. 1954. 9 января; Прод. уроки. С. 48.

[16] Interview with Trifonov by I. Seyfarth, Auf wenig Raum das Wesentliche sagen // Sonntag. 1980. № 49, 7 December. В дальнейшем — Sonntag. 1980; *Гершкович А.* Театр на Таганке // Chalidze Publications. 1981. P. 190—191; *Lubimov Yu.* Le Feu Sacre. Paris, 1985. P. 100—104.

[17] *Трифонов Ю.* Неоконченный холст // Под солнцем. М., 1959. С. 38.

[18] Прод. уроки. С. 53.

[19] Посещение Марка Шагала // Опрок. дом. С. 76, 77.

[20] *Трифонов Ю.* Признание в любви // Факелы на Фламинио. М., 1965. С. 175.

[21] Интервью с А. Арбузовым в Москве в январе 1980 г.

[22] *Абрамов С.* Не только цифры // Правда. 1983. 17 марта.

[23] Как слово. С. 365—366.

[24] *Трифонов Ю.* Первая заграница // Факелы на Фламинио. С. 184.

[25] *Трифонов Ю.* О тайне успеха // Там же. С. 148.

[26] *Трифонов Ю.* Сотворение кумиров // Избр. Т. 2. С. 468, 477; *Он же.* Планетарное увлечение // Там же. С. 184; *Он же.* Три акта драмы // Игры в сумерках. М., 1970. С. 40, 51.

[27] *Трифонов Ю.* Время и волейбол // Факелы на Фламинио. С. 139.

[28] *Трифонов Ю.* Бако // Избр. Т. 1. С. 43.

[29] Вопр. лит. 1974. С. 176.

[30] Sowjetliteratur. S. 190.

[31] *Трифонов Ю.* Песочные часы // Избр. Т. 1. С. 128—129.

[32] Вопр. лит. 1974. С. 173.

[33] *Трифонов Ю.* Утоление жажды. М., 1979. С. 233.

[34] Там же. С. 28, 30, 59—60, 102, 156, 208, 233, 250.

[35] Прод. уроки. С. 13.

[36] Утоление жажды. С. 43.

[37] *Светов Ф.* Утоление жажды // Новый мир. 1963. № 11. С. 239—240; Прод. уроки. С. 54.

[38] *Трифонов Ю.* Писатели о традициях и новаторстве // Вопр. лит. 1963. № 2. С. 62.

[39] *Скорино Л.* Схема и схима // Знамя. 1964. № 2. С. 242.

[40] Interview with Vasily Aksyonov by Pr. Meyer // Russian Literature Triquartely. 1973. № 7. P. 571. В дальнейшем — Russian Literature.

[41] Утоление жажды. С. 160—161, 252—253, 273, 280, 286.

II. Основные произведения

Глава первая. Трифонов-историк

[1] Sowjetliteratur. S. 186.

[2] *Трифонов Ю.* Художник и революция // Вопр. лит. 1967. № 11. С. 102.

[3] Sowjetliteratur. S. 187.

[4] *Померанцев И.* Старик и другие // Синтаксис. 1979. № 5. С. 145, 147.

[5] Russian Literature. P. 570.

[6] Sowjetliteratur. S. 189—190.

[7] Обозрение. 1983. С. 34.

[8] Надпись была сделана на книге «Отблеск костра». М., 1976.

[9] Вообразить бесконечность: Интервью с Ю. Трифоновым Л. Бахнова // Лит. обозрение. 1977. № 4. С. 100. В дальнейшем — Лит. обозр. 1977.

[10] *Trifonov Yu.* The Old Man. N. Y., 1984. P. 251.

[11] Лит. обозр. 1977. С. 102.

[12] *Солженицын А.* Четвертому съезду писателей, 16 мая 1967 года // Солженицын А. Baarn, 1973. С. 73.

[13] Там же. С. 95; *Трифонов Ю.* Записки соседа // Дружба народов. С. 33—34.

[14] Интервью с А. Солженицыным Al. Jacob // Le Monde. 1973. 23 August.

[15] Прод. уроки. С. 54—57.

[16] *Медведев Ж.* Десять лет после «Одного дня Ивана Денисовича». С. 88. В Нью-Йоркской библиотеке в 1983 году я обнаружила 50 русских эмигрантских журналов. Хороший обзор русской эмигрантской литературы дает книга «The Third Wave. Russian Literature in Emigration». Ardis. Ann Arbor, 1984.

[17] *Свирский Г.* На лобном месте: Литература нравственного сопротивления (1946—1976). Лондон, 1979. С. 439. В «Записках соседа», опубликованных в 1989 г., Трифонов подробнее говорит о сложностях А. Твардовского.

[18] Прод. уроки. С. 60—62; Отблеск костра. С. 3, 6, 16.

[19] Этот абзац есть во французском издании и отсутствует в русском. Трифонов говорил мне, что «Le reflet du brasier» значительно более полный вариант текста, чем русский, так как он предоставил много дополнительного материала переводчику Лили Дени. (Le reflet. P. 192—193).

[20] *Буденный С.* Пройденный путь. М., 1958; *Starikov S. & Medvedev R.* Philip Mironov and the Russian Civil War. N. Y., 1978. P. 241.

[21] Трифонов ездил в Ростов изучать архив Миронова. — См. об этом: Каждый человек — судьба: Интервью с Ю. Трифоновым Е. Хоревой // Сов. культура. 1980. 10 октября.

[22] Отблеск костра. С. 146—147, 155; *Starikov S. & Medvedev R.* Philip Mironov... P. XV, 225, 229.

[23] Отблеск костра. С. 140.

[24] Там же. С. 180—184.

[25] *Трифонов Ю.* Долгое прощание // The Long Goodbye. Ardis. Ann Arbor. 1986. P. 317; *Leech G.* Jurij Trifonov und die Geschichte // Tagesspiegel. 1979. 24 June.

[26] Интервью с Трифоновым Fr. Hitzer. Die Menschen ahneln ihrer Zeit viel mehr als ihren Vatern... // Frankfurter Rundschau. 1975. 19 April. В дальнейшем — Frankf. Rundschau. 1975.

[27] Долгое прощание. С. 316.

[28] Р. Медведев уверял, что большинство книг из серии «Пламенные революционеры» написаны плохо. Даже когда известные писатели принимались за написание таких книг, все равно получалось очень плохо. Многие, однако, соглашались на эту работу, потому что «Политиздат» оплачивал ее лучше, чем другие издательства. Трифонов признавался Медведеву, что гонорара, полученного в «Политиздате», ему хватило на то, чтобы жить пять лет, не беспокоясь о заработке. Но Медведев замечал: «Трифонов глубоко изучил предмет и написал серьезную работу. Хотя он не мог прямо сказать, но, говоря об ошибках народовольцев, он вскрыл причины ряда ошибок у большевиков...» — *Boll H.* Zeit des Zogerns. Jurij Trifonov grosser Geschichtsroman aus dem alten Rusland // Die Zeit. 1976. 17 December.

[29] *Трифонов Ю.* Нетерпение. М., 1978. С. 78, 98.

[30] Интервью с Трифоновым R. Schroder // Weimarer Beitrage. 1981. № 8. S. 137; В дальнейшем — Weim. Beitr. 1981; Лит. обозр. 1977. С. 100; Interview with Trifonov by Yu. Sheglov. The Present — an Alloy of History and the Future // Soviet Literature. 1975. № 2. P. 164. В дальнейшем — Sov. Lit. 1975.

[31] Нетерпение. С. 23.

[32] Sov. Lit. 1975. P. 165.

[33] Попытка была совершена 22 января 1969 года. — См.: *Патера Т.* Обзор творчества и анализ «Московских повестей» Юрия Трифонова. Ardis. Ann Arbor, 1983. С. 220.

[34] Frankf. Rundschau. 1975; Weim. Beitr. 1981. S. 135.

[35] Как слово. С. 242, 243.

[36] Sov. Lit. 1975. P. 164.

[37] Там же.

[38] Там же; Frankf. Rundschau. 1975.

[39] Нетерпение. С. 41, 152.

[40] *Тургенев И. С.* Порог... // Полн. собр. соч. и писем. М., 1967. Т. 13. С. 168—169, 650—655.

[41] *Maegd-Soep C. De.* Традиции Тургенева в современной русской прозе: Belgian Contributions to the 9th International Congress of Slavists. Kiev, 6—14 September 1983 // Slavica Gandensia. 1983. № 10. P. 23—44.

[42] Нетерпение. С. 108—109, 257, 283, 313, 316—317, 326, 350, 465, 468—469, 471—472.

Глава вторая. Быт как испытание

[1] Прод. уроки. С. 98.

[2] Я затрагиваю эту проблему в своей статье: *Maegd-Soep C. De.* The Theme of «Byt» — Everyday Life — in the Stories of Jurij Trifonov. Selected Papers from the Second World Congress for Soviet and East European Studies. Garmisch-Partenkirchen, 30 September — 4 October 1980 // Russian Literature and Criticism. Berkeley. Slavic Specialities, 1982. P. 49—62.

[3] Речь Ю. Трифонова // Шестой съезд писателей СССР. 21—25 июня 1976 г.: Стеногр. отчет. М., 1978. С. 138—139.

[4] Прод. уроки. С. 90.

[5] *Maegd-Soep C. De.* The Theme of «Byt»... P. 527.

[6] Прод. уроки. С. 71.

[7] *Чехов А.* Страх // Соч. и письма.

[8] Это рассказ «Самый маленький город»; Прод. уроки. С. 62.

[9] *Трифонов Ю.* Путешествие // Избр. Т. 1. С. 23.

[10] *Чехов А.* Дама с собачкой // Соч. и письма.

[11] Путешествие. С. 24—25.

[12] *Трифонов Ю.* Предварительные итоги // The Long Goodbye. P. 156.

[13] Там же. P. 154, 163.

[14] *Трифонов Ю.* Через всю жизнь.

[15] Новый Обломов // Сов. Россия. 1985. 11 августа; *Добролюбов Н.* Что такое «обломовщина»? // Гончаров в русской критике. М., 1958. С. 85.

[16] *Асмолов А.* Мужество быть личностью // Сов. Россия. 1985. 13 октября; *Рекемчук А.* Кто шагает не в ногу // Там же. 1985. 10 ноября; на радио «Свобода». 1986. 8 января.

[17] Прод. уроки. С. 70; Вопр. лит. 1974. С. 186; Как слово. С. 34.

[18] *Аннинский Л.* Рассечение корня // Дружба народов. 1985. № 3. С. 242.

[19] *Померанцев И.* «Старик» и другие. С. 151.

[20] Как слово. С. 34—35.

[21] Лит. обозр. 1977. С. 98.

[22] Там же. С. 100; Вопр. лит. 1974. С. 174, 176, 180.

[23] Последнее интервью с Ю. Трифоновым: Откровенный разговор // Лит. Россия. 1981. 17 апреля.

[24] Лит. обозр. 1977. С. 99.

[25] Weim. Beitr. 1981. S. 142; Sowjetliteratur. S. 190.

[26] *Бочаров А.* Восхождение // Октябрь. 1975. № 8. С. 205.

[27] Sonntag. 1980.

[28] *Поливанова Е.* Памяти Чехова // Прибалтийский край. 1904. 5 июля.

[29] Прод. уроки. С. 70.

[30] *Трифонов Ю.* Как слово наше отзовется (цит. ст.). С. 234; Weim. Beitr. S. 151.

[31] *Трифонов Ю.* Another Life. Лондон, 1985. С. 108; *Он же.* Другая жизнь // Повести. М., 1978. С. 327. В дальнейшем — Повести.

[32] Предварительные итоги. С. 110; Повести. С. 116; *Гофф И.* Водяные знаки. С. 97—98, 101—103.

[33] Лев Копелев в «Russian writer...» // The New Yorker. 1977. 23 October.

[34] Об этом Аксенов говорил в своей лекции по советской литературе о Трифонове на Славянском отделении университета (Калифорния, Лос Анджелес) в апреле 1981 года. Профессор Микаэль Хейм любезно предоставил мне записи этой лекции.

[35] *Whitney Cr. B.* «Russian writer...». Op. cit.

[36] Interview with Trifonov by T. Rotschild, Die Menschen ahneln ihrer Zeit // Frankfurter Rundschau. 1979. 27 September.

[37] Интервью о контактах: Интервью с Ю. Трифоновым Е. Стояновской // Иностр. лит. 1978. № 6. С. 245.

[38] Frankf. Rundschau. 1979.

[39] Обозр. 1983. С. 32.

[40] *Леонидов П.* Другая жизнь // Новое русское слово. 1981. 10 апреля. Цит. по: *Патера Т.* Указ. соч. С. 193.

[41] *Трифонов Ю.* Обмен // The Long Goodbye. С. 52.

[42] Предварительные итоги. С. 110—111, 181.

[43] Лит. обозр. 1977. С. 101; *Трифонов Ю.* Кошки или зайцы // Опрок. дом. С. 58—59.

[44] Самый маленький город. С. 181.

[45] Прод. уроки. С. 61.

[46] *Gibian G.* The Urban Theme in Recent Soviet Russian Prose // Slavic Review. 1978. № 37. P. 49.

[47] Прод. уроки. С. 95—96.

[48] Вопр. лит. 1974. С. 190.

[49] Прод. уроки. С. 99—100.

[50] *Трифонов Ю.* Был летний полдень // Избр. Т. 1. С. 174.

[51] Sov. Lit. 1975. P. 166.

[52] Прод. уроки. С. 64.

[53] *Патера Т.* Указ. соч. С. 41, 71.

[54] *Трифонов Ю.* В грибную осень // Избр. Т. 1. С. 203, 209.

Глава третья. «Московские повести»

[1] Frankf. Rundschau. 1975.

[2] Обмен. С. 20, 22, 97.

[3] Возвращение Игоря. С. 248.

[4] Обмен. С. 65, 79.

[5] Долгое прощание. С. 313.

[6] Обмен. С. 23—24, 34, 58, 73—74, 77—78, 81, 94.

[7] *Чехов А.* Три сестры // Соч. и письма.

[8] Обмен. С. 34, 49, 54—55, 59—60, 79, 82.

[9] Обозр. 1983. С. 32—33; Лит. обозр. 1977. С. 99—100.

[10] The House on the Embankment. P. 147.

[11] Прод. уроки. С. 69—71.

[12] *Медведев Ж.* Десять лет после «Одного дня Ивана Денисовича». С. 185.

[13] Предварительные итоги. С. 107, 125, 191.

[14] Прод. уроки. С. 12—13.

[15] Предварительные итоги. С. 107, 125, 191.

[16] *Михайлов А.* Ницше // Краткая лит. энциклопедия. М., 1968. Т. 5. С. 295.

[17] Долгое прощание. С. 104—106, 111, 123, 136, 153—154, 156, 157, 166, 166, 178, 181.

[18] Политический дневник. Т. 2. Амстердам, 1975. С. 84.

[19] Предварительные итоги. С. 193.

[20] *Updike J.* Czarist Shadows — Soviet Lilacs // The New Yorker. 1978. 11 September. P. 15.

[21] *Патера Т.* Указ. соч. С. 193.

[22] *Фаусек В.* Мое знакомство с А. П. Чеховым // Чехов в воспоминаниях современников. М., 1960. С. 198.

[23] Обозр. 1983. С. 34.

[24] Письмо Ю. Трифонову В. Баранова 23 ноября 1973 г. Цит. по: *Трифонов Ю.* Сопряжение истории с современностью: Из писем об истории // Вопр. лит. 1987. № 7. С. 181; Долгое прощание. С. 276.

[25] Sonntag. 1980.

[26] *Чехов А.* Чайка // Соч. и письма.

[27] Sonntag. 1980; Interview with Ju. Trifonov by H. von Ssachno, Zum

Realismus gehoren alle Tone // Suddeutsche Zeitung. 1976. 29 January.

[28] *Гершкович А.* Любимов и его время // Гершкович А. Театр на Таганке. С. 43—60; Кто король? Кто премьер? Кто тот? Кто этот?: Интервью с Ю. Трифоновым С. Глезера // Стрелец. 1986. № 10, октябрь. С. 34, 39.

[29] Suddeutsche Zeitung. 1976.

[30] *Гершкович А.* Театр на Таганке. С. 213, 215; *Matosevich Vl.* The Passing of Anatoly Efros, in Radio Liberty Research, 16 January 1987.

[31] Sonntag. 1980.

[32] Интервью с А. Арбузовым в Москве в январе 1980 г.

[33] Долгое прощание. С. 316.

[34] Там же. С. 313; Обозр. 1983. С. 32.

[35] Долгое прощание. С. 325, 346.

[36] Обозр. 1983. С. 34.

[37] Долгое прощание. С. 279—280, 329, 348.

[38] Там же. С. 348; Патера Т. Указ. соч. С. 213.

[39] Долгое прощание. С. 350, 352.

[40] Обозр. 1983. С. 34.

Глава четвертая. Психология сталинизма

[1] Suddeutsche Zeitung. 1976; Weim. Beitr. 1981. S. 146.

[2] Another Life. С. 84, 87, 132, 147, 148.

[3] *Солженицын А.* Архипелаг ГУЛАГ. Париж, 1975. Т. 1. С. 203.

[4] *Russiian V.* The Work of Okhrana Departments in Russia: typescript study, n. d., 1 folder. (ID: CSUZXX164-A) Archives Hoover Institution on War, Revolution and Peace. Stanford.

[5] Обозр. 1983. С. 29.

[6] Another Life. С. 7, 17, 23, 29, 37—38, 41.

[7] *Baumgart R.* Trauerarbeit in Moskou // Die Zeit. 1976. 17 December.

[8] Another Life. С. 26, 147—148.

[9] Прод. уроки. С. 88—89, 91.

[10] Another Life. С. 32, 77, 134.

[11] Там же. С. 39.

[12] Там же. С. 62.

[13] Suddeutsche Zeitung. 1976.

[14] *Белая Г.* Художественный мир современной прозы. М., 1983. С. 178.

[15] Обозр. 1983. С. 30; Лит. обозр. 1977. С. 101.

[16] Another Life. С. 67.

[17] *Зиновьев А.* L'Avenir Radieux. Lausanne, 1978. P. 207—210.

[18] *Svirsky G.* A History of Post-War Soviet Writing, The Literature of Moral Opposition. Ardis. Ann Arbor, 1981. P. 433.

[19] *Мальцев Ю.* Промежуточная литература и критерий подлинности

// Континент. 1980. № 25. С. 285—322.

[20] *Тургенев И.* Письмо Герцену, 3 декабря 1862 г. // Полн. собр. соч. и писем. М., 1963. Т. 5. С. 75.

[21] Интервью с А. Солженицыным by Fr. Crepeau from Associated Press and A. Jacob in «Le Monde», 23 August 1973.

[22] *Аксенов В.* Лекция по советской литературе (Калифорния, апрель 1981 г.).

[23] Обозр. 1983. С. 33; *Yurenen S.* Druzhba Narodov remains true to Yurii Trifonov's Memory, in Radio Liberty Research, 30 July 1985.

[24] *Патера Т.* Указ. соч. С. 213; Спутник. 1980. С. 152.

[25] Цит. по: *Yurenen S.* Radio Liberty Research. 1985.

[26] *Трифонов Ю.* Ядро правды // Дружба народов. 1985. № 3. С. 235.

[27] The House on the Embankment. P. 9, 48—49, 104.

[28] Le Monde. 1976.

[29] The House on the Embankment. P. 81, 103, 115.

[30] Le Monde. 1976.; Как слово. С. 373—374.

[31] The House on the Embankment. P. 3, 147. Актер В. Смехов, исполнявший на Таганке роль В. Глебова, говорил мне в Москве, что он хотел три раза повторить одну и ту же фразу «не виноват ни Глебов, ни кто-нибудь еще. Виноваты времена», но ему не разрешили.

[32] *Гершкович А.* Таганка в нашей жизни // Гершкович А. Театр на Таганке. С. 25.

[33] *Демидов А.* Минувшее // Театр. 1981. № 7. С. 97, 107; *Розов В.* // Театр. 1976. № 12. С. 13; Цит. по: Как слово. С. 372—373.

[34] Как слово. С. 374.

[35] The House on the Embankment. P. 95, 114, 146.

[36] *Аксенов В.* Лекция по советской литературе.

[37] The House on the Embankment. P. 58, 142.

[38] *Timmer Ch.* B. Afterword // Het aan de Kade. Amsterdam, 1978. P. 203.

[39] The House on the Embankment. P. 139.

[40] Как слово. С. 373; Le Monde. 1976.

[41] The House on the Embankment. P. 153.

[42] Frankf. Rundschau. 1979.

[43] Интервью с Трифоновым А. Stabile, I Piccoli Delitti reflettono la Storia // La Republica, 16 September 1978.

Глава пятая. Правда о прошлом

[1] Интервью с Трифоновым Е. Хоревой // Сов. культура. 1980. 10 октября. В дальнейшем — Сов. культура. 1980; Лит. газ. 1981.

[2] Sonntag. 1980.

[3] The Old Man. P. 6—7, 17, 45, 61, 72, 96, 197, 205.

⁴ Sonntag. 1980.

⁵ Там же; *Starikov S. & Medvedev R.* P. 184; *Ермолаев Г.* Прошлое и настоящее в «Старике» Ю. Трифонова // Russian Language Journal. 1983. Vol. 37. № 128. P. 138.

⁶ The Old Man. P. 53, 178, 183, 186, 189, 215—216, 232—233, 2397.

⁷ *Starikov S. & Medvedev R.* P. 136.

⁸ The Old Man. P. 19, 53, 59—60, 102, 109, 261.

⁹ Sonntag. 1980; Как слово. С. 338.

¹⁰ The Old Man. P. 9, 169.

¹¹ Лит. газ. 1981; Письмо от немецкого читателя // Сов. культура. 1980. 10 октября.

¹² The Old Man. P. 12, 35, 123—124, 133, 153—154, 260—261.

¹³ Сов. культура. 1980.

¹⁴ Weim. Beitr. 1981. P. 156, 168.

¹⁵ Сов. культура. 1980.

¹⁶ Как слово. С. 119.

¹⁷ Время и место // Дружба народов. 1981. № 9. С. 77, 93, 121; № 10. С. 29, 45, 55, 60—62, 77—79, 103, 107.

¹⁸ *Maegd-Soep C. De.* Chekhov and Women. Women in the Life and Work of Chekhov. Columbus. Ohio, 1987.

¹⁹ Интервью с Трифоновым S. Scabello; Trifonov. I Piccoli Eroi e l'Uomo Massa // Corriere della Sera, 17 September, 1978.

²⁰ *Трифонов Ю.* Смерть в Сицилии // Опрок. дом. С. 65, 68.

²¹ In Russian Writer. Not a Dissident // The New Yorker. 1977. October; Интервью с Трифоновым // Иностр. лит. 1978. С. 245.

²² Опрок. дом. С. 73.

²³ *Трифонов Ю.* Посещение Марка Шагала // Там же. С. 81.

²⁴ *Трифонов Ю.* Серое небо, мачты и рыжая лошадь // Там же. С. 83.

²⁵ Там же; В своем автобиографическом романе «Блатной» М. Демин описывает реакцию своего отца на арест его брата. — *Демин М.* Беда: Глава из автобиографического романа // Новый колокол: Лит.-публицист. сборник. Лондон, 1972. С. 245—246. Цит. по: *Патера Т.* Указ. соч. С. 87, 118.

²⁶ Интервью с Ю. Трифоновым O. Rossani. Ecco perche scrivo «Cose Sgradevoli» // Corriere della Sera. 1978. 27 September.

²⁷ Как слово. С. 244.

Библиография

I. Художественные произведения Трифонова

На русском языке

Широкий диапазон: Фельетон // Московский комсомолец. 1947. 12 апреля.

Знакомые места: Рассказ // Молодой колхозник. 1948. № 4.

Студенты. М.: Моск. рабочий, 1951.

Под солнцем: Рассказы. М.: Сов. писатель, 1959.

Пути в пустыне: Рассказы // Знамя. 1959. № 2.

В конце сезона: Рассказы. М.: Физкультура и спорт, 1961.

Утоление жажды. М.: Сов. писатель, 1963.

Костры и дождь: Рассказы. М.: Сов. Россия, 1965.

Факелы на Фламинио: Рассказы, очерки. М.: Физкультура и спорт, 1965.

Отблеск костра. М.: Сов. писатель, 1966.

Кепка с большим козырьком: Рассказы. М.: Сов. Россия, 1969.

Игры в сумерках: Рассказы, очерки. М.: Физкультура и спорт, 1970.

Рассказы и повести. М.: Худож. лит., 1971.

Долгое прощание: Повести и рассказы. М.: Сов. Россия, 1973.

Нетерпение. Повесть об Андрее Желябове. М.: Политиздат, 1974.

Антон Овчинников: Рассказ // Труд. 1976. 11 января.

Другая жизнь. М.: Сов. писатель, 1976.

Избранные произведения в двух томах. М.: Худож. лит., 1978.

Повести. М.: Сов. Россия, 1978.

Старик // Дружба народов. 1978. № 3.

Утоление жажды. М.: Профиздат, 1979.

Время и место // Дружба народов. 1981. № 9—10.

Опрокинутый дом: Рассказы // Новый мир. 1981. № 7.

Вечные темы: Романы, повести. М.: Сов. писатель, 1984.

Недолгое пребывание в камере пыток: Рассказ // Знамя. 1986. № 11.

Собрание сочинений в четырех томах. М.: Худож. лит., 1985—1987.

Исчезновение // Дружба народов. 1987. № 1.

Бесконечные игры. М.: Физкультура и спорт, 1989.

На английском языке

Students (With author's preface) / Transl. I. Litvinova and M. Wettlin. Moscow: Foreign Languages Publishing House, 1953.

Thirst Quenched // Soviet Literature. 1964. № 1.

The Impatient Ones / Transl. R. Daglish. Moscow: Progress Publishers, 1978.

The Long Goodbye (Three novellas) / Transl. H. P. Burlingame and E. Proffer. New York: Harper & Row, 1978; Third printing: Ardis. Ann Arbor, 1986 (Includes translations of "The Exchange" and «Taking Stock»).

Another Life / Transl. M. Glenny. London: Abacus, 1983.

The Old Man / Transl. J. Edwards and M. Schneider. New York: Simon & Schuster, 1984.

The House on the Embankment / Transl. M. Glenny. London: Abacus, 1985.

II. Критические выступления Трифонова

Выступление при обсуждении повести «Студенты» // Новый мир. 1951. № 2. С. 228.

Через всю жизнь: (К 100-летию со дня смерти Чехова) // Лит. газ. 1960. 28 января.

Они живут в песках: (О своем романе «Утоление жажды») // Веч. Москва. 1962. 17 октября.

Искусство принадлежит народу: (Писатели о традициях и новаторстве. Ответ на анкету) // Вопр. лит. 1963. № 2. С. 61—62.

Писатели за работой: (Ответ на анкету) // Вопр. лит. 1964. № 2. С. 248.

Писатели о критике: (Ответ на анкету) // Вопр. лит. 1966. № 5. С. 42—43.

Труд интеллигента // Лит. газ. 1966. 20 сентября.

Какой литературный герой вам наиболее близок?: (Ответ на анкету) // Москва. 1967. № 11. С. 217.

Маяк сквозь годы // Лит. газ. 1967. 1 ноября.

Художник и революция: (Ответ на анкету) // Вопр. лит. 1967. № 11. С. 101—102.

Отблеск истории — о книге, которая будет // Лит. газ. 1969. 7 марта.

Возвращение к «prosus»: Рассказ сегодня // Вопр. лит. 1969. № 7. С. 63—67.

Преходящее и вечное. Рабочий класс и литература // Дружба народов. 1970. № 3. С. 261—262.

Выбирать, решаться, жертвовать // Вопр. лит. 1972. № 2. С. 62—65.

Семинар Федина // Лит. Россия. 1972. 18 февраля.

Нескончаемое начало: (Писатель о своем творчестве) // Лит. Россия. 1973. 21 декабря.

Продолжительные уроки. М.: Сов. Россия, 1975.

Книги, которые выбирают нас // Лит. газ. 1976. 10 ноября.

Писатели о Болгарии: (К международной встрече в Софии) // Иностр. лит. 1977. № 6. С. 241—242.

Пронзительность таланта: (К 50-летию Юрия Казакова) // Лит. Россия. 1977. 12 августа.

Выступление на Шестом съезде Союза писателей СССР // Шестой съезд писателей СССР: Стеногр. отчет. М.: Сов. писатель, 1978. С. 137—139.

Воспоминания о муках немоты // Дружба народов. 1979. № 10. С. 185—194.

Писатель и критика: (Ответ на анкету) // Вопр. лит. 1979. № 12. С. 290—292.

Wir sind nicht die Aerzte, wir sind der Schmerz / Ein Briefwechsel. Martin Walser. Jurij Trifonov // Sowjetliteratur Heute. Munchen: Verlag C. H. Beck, 1979.

Славим через шесть веков // Лит. газ. 1980. 3 сентября.

It won't get easier // Soviet Literature. 1981. № 7. P. 189—192.

Импульс первой книги // Собеседник. 1982. Вып. 3. С. 217—222.

Как слово наше отзовется... М.: Сов. Россия, 1985.

Ядро правды: Рабочие записи (из неопубликованного) // Дружба народов. 1985. № 3. С. 235—238.

Вспоминая Твардовского: Воспоминания // Огонек. 1986. № 44. С. 21—24.

О Владимире Высоцком // Лит. газ. 1987. 7 апреля.

Сопряжение истории с современностью...: (Из писем об истории) // Вопр. лит. 1987. № 7. С. 170—185.

Записки соседа // Дружба народов. 1989. № 10. С. 7—43.

III. Интервью с Трифоновым

В кратком — бесконечное (А. Бочаров) // Вопр. лит. 1974. № 8. С. 171—194.

Die Menschen ahneln ihrer Zeit viel mehr als ihren Vatern... (by Fr. Hitzer) // Frankfurter Rundschau. 1975. 19 April.

The Present — An Alloy of History and the Future (by Yu. Shcheglov) // Soviet Literature. 1975. № 2. P. 162—166.

Iouri Trifonov devant «la Maison du Quai» (by N. Zand) // Le Monde. 1976. 3 September.

Zum Realismus gehoren alle Tone (by H. van Ssachno) // Suddeutsche Zeitung. 1976. 29 January.

Вообразить бесконечность (Л. Бахнов) // Лит. обозрение. 1977. № 4. С. 98—102.

Russian Writer. Not a Dissident. Critic of Society (by Craig B. Whitney) // The New Yorker. 1977. 23 October.

В Москве расхватывают последний роман Трифонова (Карло Бенедетти) // Unita. 1978. 28 марта.

Интервью о контактах: О недавней поездке в США (Е. Стояновская) // Иностр. лит. 1978. № 6. С. 243—251.

Ecco perche scrivo «cose sgradevoli» (by O. Rossani) // Corriere della Sera. 1978. 27 September.

I piccoli delitti riflettono la Storia (by A. Stabile) // La Republica. 1978. 16 September.

I piccoli eroi e l'uomo massa (by S. Scabello) // Corriere della Sera. 1978. 17 September.

Keine Helden nach Richtschnur (by R. Tobel) // Die Tat. 1978. 13 October.

Rivoluzione alle origini (by G. Campolieti) // Il Gazzettino. 1978. 30 September.

Uno scrittore di «cose sgradevoli» (by A. Livi) // Paese Sera. 1978. 24 September.

Yurii Trifonov on his Visit to the United States (by I. Szenfeld) // Radio Liberty Research. 1978. 6 October.

Die Menschen ahneln ihrer Zeit (by Th. Rotschild) // Frankfurter Rundschau. 1979. 27 September.

Auf wenig Raum das Wesentliche sagen (by I. Seyfart) // Sonntag. 1980. № 49, 7 December.

Мир держится на бескорыстных! (В. Лаврецкая) // Спутник. 1980. № 6. С. 150—152.

Каждый человек — судьба (Е. Хорева) // Сов. культура. 1980. 10 октября.

Город и горожане (В. Помазнева) // Лит. газ. 1981. 25 марта.

Как слово наше отзовется... (Л. Аннинский) // Новый мир. 1981. № 11. С. 233—238.

Откровенный разговор: Последнее интервью Юрия Трифонова (С. Таск) // Лит. Россия. 1981. 17 апреля.

Интервью с Юрием Трифоновым (Н. Weil) // Обозрение. 1983. № 6. С. 28—34.

IV. Критические книги и статьи

На русском языке

Книги

Иванова Н. Проза Юрия Трифонова. М.: Сов. писатель, 1984.

Оклянский Ю. Юрий Трифонов: Портрет-воспоминание. М.: Сов. Россия, 1987.

Патера Т. Обзор творчества и анализ «Московских повестей» Юрия Трифонова. Ardis. Ann Arbor, 1983.

Сатретдинова Р. Туркменистан в творчестве Ю. В. Трифонова. Ашхабад: Илим, 1984.

Статьи

Агурский М. Полемика с диссидентами Юрия Трифонова // Русская мысль. 1979. 27 сентября. С. 6.

Ажаев В. Молодые силы советской прозы // Новый мир. 1956. № 3. С. 255.

Анар. За гранью обыденности // Дружба народов. 1976. № 4. С. 278—280.

Аннинский Л. Неокончательные итоги // Дон. 1972. № 5. С. 183—192.

Аннинский Л. Интеллигенты и прочие // Аннинский Л. Тридцатые — семидесятые. М., 1977. С. 197—227.

Аннинский Л. Очищение прошлым // Дон. 1977. № 2. С. 157—160.

Аннинский Л. Рассечение корня: Заметки о публицистике Юрия Трифонова // Дружба народов. 1985. № 3. С. 239—243.

Бабаев Е. Рассказы романиста // Новый мир. 1970. № 9. С. 268—272.

Баженов Г. Какой ей быть, жизни? // Октябрь. 1975. № 12. С. 210—212.

Баруздин С. Неоднозначный Трифонов // Дружба народов. 1987. № 10. С. 255—262.

Бахнов Л. Семидесятник // Октябрь. 1988. № 9. С. 169—175.

Бендерова В. От жизни к сцене // Комс. правда. 1952. 9 марта.

Борщаговский Ал. Человек и его дело // Труд. 1971. 10 марта.

Борщаговский Ал. Поиск в пути // Лит. Россия. 1975. 29 августа.

Бочаров А. Восхождение // Октябрь. 1975. № 8. С. 203—211.

Бочаров А. Листопад // Лит. обозрение. 1983. № 3. С. 45—48.

Бровман Г. Изменения малого мира // Лит. газ. 1972. 8 марта.

Велембовская И. Симпатии и антипатии Юрия Трифонова // Новый мир. 1980. № 9. С. 255—256.

Велехова Н. Иллюстрация и творчество // Сов. культура. 1954. 9 января.

Воздвиженский В. Простор трифоновской прозы // Вопр. лит. 1986. № 1. С. 245—253.

Геллер М., Максимов В. Беседы о современных русских писателях. Юрий Трифонов // Стрелец. 1987. № 8. С. 21—22.

Голицын В. Лицо времени: (О последнем романе Трифонова) // Грани. 1988. № 150. С. 294—301.

Горловский А. А что в итоге? // Лит. Россия. 1971. 19 марта.

Гофф И. Водяные знаки: Записки о Юрии Трифонове // Октябрь. 1985. № 8. С. 94—106.

Гранин Д. Добывание истины // Лит. газ. 1963. 15 августа.

Дедков И. Вертикали Юрия Трифонова // Новый мир. 1985. № 8. С. 220—235.

Демидов А. Минувшее // Театр. 1981. № 7. С. 97—107.

Дикушина Н. Невыдуманная проза // Жанрово-стилевые искания современной советской прозы. М., 1971. С. 149—174.

Добренко Е. Сюжет как «внутреннее движение» в поздней прозе Ю. Трифонова // Вопросы русской литературы. 1987. Вып. 1(49). С. 44—50.

Дудинцев В. Стоит ли умирать раньше времени? // Лит. обозрение. 1976. № 4. С. 52—57.

Дудинцев В. Великий смысл — «жить» // Лит. обозрение. 1976. № 5. С. 48—52.

Евтушенко Е. Беспощадность к «беспощадности»: (Об «Обмене» на Таганке) // Сов. культура. 1976. 6 июня.

Еремина С., Пискунов В. Время и место в прозе Ю. Трифонова // Вопр. лит. 1982. № 5. С. 34—65.

Ермолаев Г. Прошлое и настоящее в «Старике» Юрия Трифонова // Russian Language Journal. 1983. Vol. 37, № 128. P. 131—145.

Залыгин С. Юрий Валентинович Трифонов // Лит. газ. 1981. 1 апреля.

Золотусский И. Внутри кольца // Комс. правда. 1972. 17 февраля.

Иванова Н. Все мелочи жизни? // Лит. газ. 1980. 13 августа.

Иванова Н. Поступок и слово // Лит. учеба. 1983. № 2. С. 149—152.

Иванова Н. Жизнь после смерти // Лит. обозрение. 1986. № 8. С. 91—95.

Иванова Н. Отцы и дети эпохи // Вопр. лит. 1987. № 11. С. 50—83.

Ильина Н. Из родословной русской революции // Неман. 1976. № 12. С. 170—175.

Кавторин В. Наша общая жизнь // Лит. обозрение. 1986. № 8. С. 31—38.

Казаков А. Автографы Юрия Трифонова // В мире книг. 1986. № 12. С. 68—69.

Камянов В. Критика со всеми удобствами // Вопр. лит. 1976. № 4. С. 107—108.

Кантор В. Правда жизни и вечные темы // Дружба народов. 1987. № 3. С. 107—108.

Карабутенко И., Тельпугов В. Коллектив побеждает // Молодой большевик. 1951. № 1. С. 75—77.

Кардин В. Легенды и факты // Новый мир. 1966. № 2. С. 237—238.

Кардин В. Звездный час и звездные минуты // Дружба народов. 1973. № 3. С. 246—259.

Кардин В. Пророки в своем отечестве // Дружба народов. 1974. № 8. С. 267—271.

Кардин В. Времена не выбирают: Из записок о Юрии Трифонове // Новый мир. 1987. № 7. С. 236—257.

Карякин Ю. Стоит ли наступать на грабли? // Знамя. 1987. № 9. С. 200—224.

Кладо Н. Прокрустово ложе быта // Лит. газ. 1976. 12 мая.

Кожевникова Н. Отражение функциональных стилей в советской прозе // Вопросы языка в современной русской литературе. М., 1971. С. 146—163.

Кожинов В. Проблема автора и путь писателя // Контекст, 1977. М., 1978. С. 23—47.

Крамов И. Судьба и время // Литература и современность. М., 1968. С. 423—428.

Кузнецов Ф. Наступление новой нравственности // Вопр. лит. 1964. № 2. С. 5—10; 18, 22—26.

Кузнецов Ф. Человек естественный-общественный // Лит. обозрение. 1973. № 6. С. 28—37.

Кузнецов Ф. Испытание бытом // Кузнецов Ф. За все в ответе. М., 1975. С. 224—244.

Кузнецова Н. И комиссары в пыльных шлемах // Континент. 1987. № 53. С. 391—396.

Лавров П. Отблеск костра // Дон. 1965. № 7. С. 167—168.

Лазарев Л. Без экзотики // Дружба народов. 1959. № 6. С. 227—229.

Ланщиков А. Герой и время // Дон. 1973. № 11. С. 169—178.

Левин Л. Восемь страниц от руки // Вопр. лит. 1988. № 3. С. 183—198.

Лейдерман Н. Потенциал жанра // Север. 1978. № 3. С. 101—109.

Лемхин М. Желябов, Нечаев, Карлос и другие... // Континент. 1986. № 49. С. 359—369.

Львов С. Повесть о советском студенчестве // Выдающиеся произведения советской литературы 1950 года. М., 1952. С. 266—277.

Мальцев Ю. Роман Трифонова // Рус. мысль. 1978. 19 октября.

Мальцев Ю. Промежуточная литература и критерии подлинности // Континент. 1980. № 25. С. 285—321.

Мальцев Ю. К кончине Юрия Трифонова // Рус. мысль. 1981. 7 мая.

Марьямов А. Эскизы к ненаписанным картинам // Театр. 1952. № 3. С. 75—91.

Markisj S. К вопросу о цензуре и неподцензурности: городские повести Ю. Трифонова и роман Ф. Канделя «Коридор» // Одна или две русских литературы? Lausanne, 1981. P. 145—155.

Никольская Т. Ю. Трифонов: Рассказы и повести // Звезда. 1973. № 2. С. 215—216.

Нинов А. О современном рассказе // Вопр. лит. 1958. № 11. С. 73—99.

Обсуждение повести Ю. Трифонова «Студенты» // Новый мир. 1951. № 2. С. 221—228.

Овчаренко А. О психологизме и творчестве Юрия Трифонова // Рус. лит. 1988. № 2. С. 32—57.

Озеров В. Проблемы морали, нравственных исканий и современная советская литература // Вопр. лит. 1976. № 9. С. 16—17.

Оклянский Ю. Счастливые неудачники Юрия Трифонова // Лит. обозрение. 1985. № 11. С. 109—112.

Оскоцкий В. Нравственные уроки «Народной воли» // Лит. обозрение. 1973. № 11. С. 55—61.

Перцовский В. Испытание бытом // Новый мир. 1974. № 11. С. 236—251.

Перцовский В. Покоряясь течению // Вопр. лит. 1979. № 4. С. 15—23.

Плеханова И. Особенности сюжетосложения в творчестве В. Шукшина, Ю. Трифонова, В. Распутина // Рус. лит. 1980. № 4. С. 71—88.

Померанцев И. «Старик» и другие // Синтаксис. 1979. № 5. С. 143—151.

Росляков В. Утоленная жажда // Москва. 1963. № 10. С. 204—206.

Росляков В. Цвет времени // Лит. обозрение. 1980. № 1. С. 36.

Рыбальченко Т. Жанровая структура и художественная идея // Проблемы метода и жанра. Томск, 1977. Вып. 4. С. 98—105.

Рыбальченко Т. Автор в художественном мире произведения // Художественное творчество и литературный процесс. Томск, 1984. Вып. 6. С. 157—177.

Сахаров В. Фламандской школы пестрый сор // Наш современник. 1974. № 5. С. 188—191.

Светов Ф. Утоление жажды // Новый мир. 1963. № 11. С. 235—240.

Сенфельд И. Юрий Трифонов — писатель частичной правды // Грани. 1981. № 121. С. 112—118.

Синельников М. Испытание повседневностью: Некоторые итоги // Вопр. лит. 1972. № 2. С. 46—62.

Скорино Л. Схема и схима // Знамя. 1964. № 2. С. 237—243.

Скорцов Ю. Семейная драма инженера Дмитриева // Труд. 1976. 25 июля.

Смирнов П. Корни // Новый американец. 1981. № 61. С. 38—39.

Созонова И. Внутри круга // Лит. обозрение. 1976. № 5. С. 53—56.

Соколов В. Расщепление обыденности // Вопр. лит. 1972. № 2. С. 31—45.

Соловьев В. О любви и не только о любви // Лит. обозрение. 1976. № 2. С. 38—40.

Сторожакова Л. Отблеск костра // Юность. 1967. № 4. С. 100.

Студенты о повести «Студенты» // Смена. 1950. № 22. С. 19—20.

Суровцев Ю. Неприятие мещанства // Звезда. 1972. № 7. С. 198—213.

Томашевский Ю. Чтобы зазеленели пески: Послесловие // Трифонов Ю. Утоление жажды: Роман и рассказы. М., 1979. С. 408—414.

Троицкий Н. Кто же был прототипом трифоновского героя? // Вопр. лит. 1988. № 8. С. 239—240.

Турков А. В глубь обыкновенного // Турков А. Мера вещей. М., 1979. С. 70—84.

Турков А. Не боясь повториться // Знамя. 1987. № 5. С. 232—234.

Тюльпинов Н. Отблеск другой жизни // Звезда. 1976. № 2. С. 216—218.

Фарентгольц М. К художественной условности у Ч. Айтматова, Ю. Трифонова, В. Распутина // Zeitschrift Slawistik. 1986. Bd 31. S. 341—344.

Федин К. Мастерство писателя // Лит. газ. 1951. 25 марта.

Финицкая З. Под ярким солнцем // Октябрь. 1960. № 12. С. 212—214.

Финк Л. Зыбкость характера или зыбкость замысла? // Лит. газ. 1975. 29 октября.

Шкловский Е. Феномен жизни // Лит. обозрение. 1986. № 4. С. 66—69.

Шкловский Е. Разрушение дома // Лит. обозрение. 1987. № 7. С. 46—48.

Эльяшевич А. Город и горожане: О творчестве Юрия Трифонова // Эльяшевич А. Горизонтали и вертикали. Л., 1984. С. 255—305.

Якименко Л. Повесть о студентах // Правда. 1951. 8 января.

Якименко Л. Лик времени: Вступ. статья // Трифонов Ю. Утоление жажды. М., 1967. С. 5—13.

Якименко Л. Литературная критика и современная повесть // Новый мир. 1973. № 1. С. 238—250.

На английском языке

Austin P. From Helsingfors to Helsinki: Jurij Trifonov's Search for his Past // Scando-Slavica. 1986. № 32. P. 5—15.

Bayley J. Memoirs of a Soviet Survivor // The Sunday Times. 1986. 16 June.

Bocharov A. The Common and the Individual in the Prose of Yury Trifonov, Vasily Shukshin and Valentin Rasputin // Soviet Studies in Literature. 1983—1984. Vol. 20, № 1. P. 21—48.

Chapple R. Yury Trifonov and the Naturation of Soviet Literature // Midwest Quarterly: A Journal of Contemporary Thought. 1987. Vol. 29, № 1. P. 40—54.

Craig B. Whitney. Russian Writer. Not a Dissident. Critic of Society // The New Yorker. 1977. 23 October.

Dunham V. The Discreet Charm of Soviet Reality // The Nation. 1978. Vol. 227, 9 September. P. 213—214.

Durkin A. The Long Goodbye // Slavic and East European Journal. 1979. Vol. 23, № 2.

Durkin A. Trifonov's "Taking Stock": The Role of Cexovian Subtext // Slavic and East European Journal. 1984. Vol. 28, № 1. P. 32—41.

Eberstadt F. Out of the Drawer & into the West // Commentary. 1985. Vol. 80, № 1, July. P. 36—44.

Gasiorowska X. Two Decades of Love and Marriage in Soviet Fiction // The Russian Review. 1975. Vol. 34, № 1. P. 10—21.

Gibian G. The Urban Theme in Recent Soviet Russian Prose: Notes toward a Typology // Slavic Review. 1978. Vol. 37, № 1. P. 49—50.

Gillespie D. Time,History and the Individual in the Works of Yury Trifonov // The Modern Language Review. 1988. Vol. 83, № 2. P. 375—395.

Gross N. Hommage to Yurii Trifonov // Radio Liberty Research. 1981. 27 October.

Hosking G. «Byt» by «byt» // The Times. Literary Supplement. 1985. 6 December. P. 1386.

Hughes A. Bolshoi mir or zamknuty mirok: Departure from Literary Convention in Iurii Trifonov's Recent Fiction // Canadian Slavonic Papers. 1980. Vol. 22, № 4. P. 470—480.

Kenez P. Trifonov's Russia // The New Leader. 1979. Vol. 62, № 17, 10 September. P. 12—14.

Kolesnikoff N. Jurij Trifonov as Novella Writer // Russian Language Journal. 1980. Vol. 34,№ 118. P. 137—143.

Leech-Anspach G. The Relation between Time and Memory in the Novels of Boris Pasternak,Andrei Bitov and Yuri Trifonov // Zeitschrift fur Slavische Philologie. 1986. Vol. 46, P. 218—229.

Losev-Lifshitz L. What it means to be censored // The New York Review of Books. 1978. 29 June.

Lourie R. Tales of a Soviet Chekhov // The New York Times Review of Books. 1984. 18 March. P. 7.

Maegd-Soep C. De. The Theme of «Byt» — Everyday Life — in the Stories of Iurij Trifonov // Russian Literature and Criticism / Ed. by E. Bristol. Berkeley. Slavic Specialties, 1982 (Selected Papers from the Second World Congress for Soviet and East European Studies. Garmisch-Partenkirchen, September 30 — October 4, 1980). P. 49—62.

Maegd-Soep C. De. Trifonov and his Novel «The Impatient Ones» // Slavica Gandensia. 1986. № 14. P. 337—345.

Maegd-Soep C. De. Trifonov and Terrorism // Slavica Gandensia. 1987. № 14. P. 25—37.

McLaughlin S. Jurij Trifonov's House on the Embankment. Narration and Meaning // Slavic and East European Jounlal. 1982. Vol. 26,№ 4. P. 419—433.

McLaughlin S. Antipov's Nikiforov Syndrome. The Embedded Novel in Trifonov's Time and Place // Slavic and East European Journal. 1988. Vol. 32, № 2. P. 237—250.

Natov N. Daily Life and Individual Psychology in Soviet Russian Prose of the 1970s // The Russian Review. 1974. Vol. 33, № 4. P. 357—371.

Osnos P. Russian Stretches the Limits. A Popular Novel and Play show Gritty Problems of Soviet life // Washington Post. 1976. 7 June.

Osnos P. The Long Goodbye // Washington Post. 1978. 19 November.

Patera T. A Survey of the Works and Analysis of the Moscow Stories of Yuri Trifonov // Slavic and East European Journal. 1984. Vol. 28, № 3. P. 411—413.

Paton S. The Hero of his Time // Slavonic and East European Review. 1986. Vol. 64, № 4. P. 506—525.

Peterson M. Trifonov // Lawrence Daily Journal World. 1977. 22 October.

Proffer E. Writing in the Shadow of the Monolith // The New York Review of Books. 1976. 19 February. P. 8—11.

Proffer E. Introduction // Yu. Trifonov's The Long Goodbye (Three Novellas). Ardis. Ann Arbor, 1986. P. 10—16.

R. «Column» // Encounter. 1979. Vol. 53, № 2, August. P. 24—26.

Rosenberg K. Tickets to the Past // The Nation. New York, 1985. Vol. 240, № 6, 16 February. P. 183—185.

Russell R. Time and Memory in the Works of Yury Trifonov // Forum for Modern Language Studies. 1988. Vol. 24, № 1. P. 37—52.

Schneidman N. Iurii Trifonov and the Ethics of Contemporary Soviet City Life // Canadian Slavonic Papers. 1977. Vol. 19, № 3. P. 335—351.

Schneidman N. The New Dimensions of Time and Place in Iurii Trifonov's Prose of the 1980s // Canadian Slavonic Papers. 1985. Vol. 27, № 2. P. 188—195.

Svobodin A. A Feeling of Time // Trifonov Yu. The Impatient Ones. Moscow, 1978. P. 7—21.

Szenfeld I. Yurii Trifonov's New Novel «Starik» // Radio Liberty Research. 1978. 23 August.

Updike J. Czarist Shadows. Soviet Lilacs // The New Yorker. 1978. 11 September. P. 149—150.

Woll J. Plumbing the Soviet Psyche // The New Leader. 1984. Vol. 67, № 3, 6 February. P. 17—18.

Woll J. Trifonov's Starik: The Truth of the Past // Russian Literature Triquarterly. 1986. № 19. P. 243—258.

Yurenen S. Druzhba Narodov remains true to Yurii Trifonov's Memory // Radio Liberty Research. 1985. 30 July.

На других языках

A. O. Der Sowjetmensch und das Streben nach Gluck // Neue Zurcher Zeitung. 1974. 23 May.

Basche Ch. Zur asthetisch-kunstlerischen Wertung in Jurij Trifonovs Roman «Vremya i mesto» // Zeitschrift fur Slawistik. 1988. Bd 38, № 4. S. 533—539.

Baumgart R. Flusterndes Gebrul. Eine Chronik lautloser Zusammenbruche: «Der Tausch» und «Langer Abschied» // Die Zeit. 1976. 4 June.

Baumgart R. Trauerarbeit in Moskau. «Das Andere Leben» // Die Zeit. 1976. 17 December.

Beitz W. Epochenwiderspruche und Konfliktgestaltung bei Tendrjakov, Trifonov und Granin // Weimarer Beitrage. 1985. Vol. 31, № 5. P. 795—813.

Boll H. Zeit des Zogerns. Jurij Trifonows grosser Geschichtsroman aus dem alten Russland // Die Zeit. 1975. 15 August.

Bratschi G. Des Nouvelles de Moscou // Tribune de Geneve. 1975. 8 November.

Burg P. Bemerkungen zur Theorie der literarischen Personlichkeit und Produktion in den autobiographischen Schriften J. Trifonovs // Festschrift fur Wolfgang Gesemann. 1986. Bd 2. S. 21—30.

Burkhart D. Historisches Ereignis und Asthetisches Zeichen. Zu Jurij V. Trifonovs Roman «Neterpenie» // Russian Literature. 1978. Vol. 6, April. P. 155—174.

Cecchi O. I libri dell'era staliniana. Ne tacqui // Paese Sera. 1977. 9 December.

Doring-Smirnov R. J. Ein Kritiker der Wirklichkeit // Suddeutsche Zeitung. 1981. 30 March.

Epelboin A. Un lieu symbolique de la vie moscovite // La Quinzaine Litteraire. 1979. 15 March.

Flick V. In der Nachfolge Tschechows // Neue Zurcher Zeitung. 1976. 30 April.

Fosty V. La mort de Trifonov prive les lettres d'URSS d'un observateur lucide // Le Soir. 1981. 2 April.

Haj. Man muss sich als Mensch fuhlen durfen // Neue Zurcher Zeitung. 1978. 13 January.

Haj. Jenes Unerzetsliches, das Leben // Neue Zurcher Zeitung. 1978. 2 June.

Haj. Ein Vermachtnis. Juri Trifonows letzter Roman «Zeit und Ort» // Neue Zurcher Zeitung, 1983. 14 January.

Hartl E. Der Tauwetterfeste. Jurij Trifonow // Die Presse. 1979. 6 May.

Lahusen Th. Du «dialogisme» et de la «polyphonie» dans deux ouvrages russes des annees soixante: «Une semaine comme une autre» de Natalja Baranskaja et «Bilan prealable» de Jurij Trifonov // Revue des Etudes Slaves. 1986. Bd 58, № 4. S. 563—584.

Lakov I. Jurij Valentinovic Trifonov — Anton Pavlovic Cechov // Zeitschrift fur Slawistik. 1987. Bd 32,№ 5. S. 693—700.

Leech-Anspach G. Jurij Trifonov und die Geschichte // Tagesspiegel. 1979. 24 May.

Leitner A. Die verlorene und wiedergefundene Zeit in Jurij Trifonovs

Roman Dom na Nabereznoj // Slavisticna Revija. 1982. Bd 30, № 4. S. 573—587.

Mai B. Die Suche nach dem «anderen Leben» in den Werken Jurij Trifonovs // Zeitschrift fur Slawistik. 1982. Bd 27,№ 4. S. 611—618.

Mattozzi D. Trifonov e il dissenso // Sabato Sera. 1978. 22 December.

Micaelis R. Asche der Revolution // Die Zeit. 1979. 13 April.

Neuhauser R. Die zeitgenossischen russische Novelle am Beispiel von Jurij Trifonovs Dolgoe proscanie (Langer Abschied) // Slavisticna Revija. 1982. Bd 30, № 4. S. 561—572.

Porzgen H. Der Autor von dem Moskau spricht // Frankfurter Allgemeine Zeitung. 1976. 23 June.

Provost Cl. Jouri Trifonov, Bilan prealable // France Nouvelle. 1975. 17 November.

Reissner E. Auf der Suche nach der verlorenen Wahrheit, Jurij Trifonows jungster Roman «Der Alte» // Osteuropa. 1979. Heft 2,February. S. 99—109.

Roy Cl. Fenetre sur Moscou // Le Nouvel Observateur. 1975. 13 October.

Schmid-Hauer Chr. Der Tod des roten Reiters // Zcitmagazin. 1978. 19 May.

Schneider A. Zum Bild der Frau in der modernen russischen Literatur. Dargestellt an Jurij Trifonovs «Olga» aus Das andere Leben // Festschrift fur Wolfgang Gezemann. 1986. Bd 2. S. 337—354.

Schroder R. Zum Schaffen Juri Trifonows // Weimarer Beitrage. 1981. Jahrg. 27, № 8. S. 155—169.

Schultze B. Jurij Trifonovs «Der Tausch» und Valentin Rasputins «Geld fur Maria»; ein Beitrag zum Gattungsverstandnis van Povest' und Rasskaz in der russischen Gegenwartsprosa // Abhandlungen der Akademie der Wissenschaften in Gottingen // Philologisch-Historische Klasse. Bd 3, № 148. Gottingen, 1985.

Sinelnikov M. Den Menschen und die Zeit erkennen: Zu Juri Trifonows Roman «Der Alto» // Kunst and Literatur. 1980. Vol. 28, № 7. P. 748—765.

Spendel G. Glebov. Il Conformista // l'Unita. 1977. 22 December.

Strada V. Quella Casa sul Longofiume // La Republica. 1978. 4 January.

Vahl A. Trifonov // Agence France Press. 1976. July.

Vernet D. Les ombres du passe // Le Monde. 1980. 9 July.

Vitale S. La Mosca quotidiano di Trifonov // Rinascita. 1977. 16 December.

Vitale S. Un romanzo sul terroristi che uccisero Alessandro II // Tuttolibri. 1978. 11 October.

Wainstein L. Grande ritratto di donna gelosa. Un'altra vita // La Stampa. 1979. 5 January.

Wieland L. Chronist der Stalin Diktatur. Zum Tode von Jurij Trifonow // Frankfurter Allgemeine. 1981. 30 March.

Wolffheim E. Die Ernanzipation ist erreicht — die Konflikte bleiben. Eine russische Ehegeschichte von Jurij Trifonow // Neue Zurcher Zeitung. 1977. 3 March.

Zand N. Mort de l'ecrivain sovietique // Le Monde. 1981. 31 March.

V. Исследования по русской литературе

Белая Г. Художественный мир современной прозы. М.: Наука, 1983.

Белая Г. Литература в зеркале критики. М.: Сов. писатель, 1986.

Гершкович А. Театр на Таганке. Vermont: Chalidze Publications, 1986.

Медведев Ж. Десять лет после «Одного дня Ивана Денисовича». London: Macmillan, 1973.

Свирский Г. На лобном месте: Литература нравственного сопротивления (1946—1976 г.). Лондон: Новая литературная библиотека, 1979.

Шубин Е. Современный русский рассказ. Л.: Наука, 1974.

Blair K. A Review of Soviet Literature. London: An Ampersand Book, 1966.

Brown D. Soviet Russian Literature since Stalin. Cambridge University Press, 1979.

Brown E. Russian Literature since the Revolution. New York: Collier Books, 1971.

Brown E. Major Soviet Writers. Oxford University Press, 1973.

Chances E. Conformity's Children: An Approach to the Superfluous Man in Russian Literature. Columbus Ohio: Slavica Publishers, 1978.

Clark K. The Soviet Novel, History as a Ritual. The University of Chicago Press, 1981.

Dunham V. S. Middleclass Values in Soviet Fiction. Cambridge University Press, 1979.

Eng-Liedmeier A. M. Soviet Literary Characters's. Gravenhage: Mouton & Co, 1959.

Friedberg M. A Decade of Euphoria. Indiana University Press, 1977.

Gasiorowska C. Women in Soviet Fiction. 1917—1964. The University of Wisconsin Press, 1968.

Gibian G. Interval of Freedom: Soviet Literature during the Thaw 1954—1957. University of Minnesota Press, 1960.

Hayward M., Crowley E. L. Soviet Literature in the Sixties. New York: F. A. Praeger, 1964.

Hingley R. Russian Writers and Soviet Society. 1917—1978. London: Weidenfeld and Nicolson, 1979.

Hosking G. Beyond Socialist Realism. Soviet Fiction since «Ivan Denisovich». London: Granada Publishing, 1980.

Karlinsky S., Appel A. Jr. The Bitter Air of Exile: Russian Writers in the West. 1922—1972. Berkeley: University of California Press, 1977.